KU-207-399

ФОНД ДУХОВНОЙ КУЛЬТУРЫ МИРА
Москва

Поль
Брантон

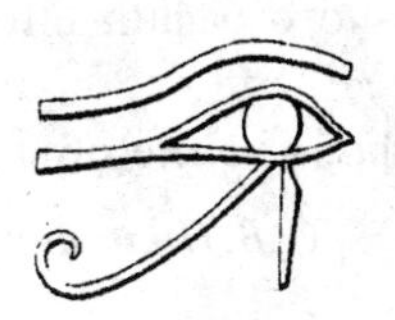

ПУТЕШЕСТВИЕ В САКРАЛЬНЫЙ ЕГИПЕТ

Москва
«СФЕРА»
2002

ББК 87.3
Б 11

Перевод с английского
Юрия Хатунцева

Фотографии автора

Оформление обложки:
С.В.Пилишек

Издание 2-е, стереотипное

Поль Брантон
Б 11 **Путешествие в сакральный Египет**. — М.: Сфера, 2002. — 432 с.

Автор книги, популярный английский журналист П.Брантон, известен также как исследователь сравнительного религиоведения, мистицизма и оккультной философии различных эзотерических традиций. Большую часть жизни он провел в путешествиях по странам загадочного и притягательного для него Востока в поисках непосредственных контактов с носителями тайного знания.

Основная идея настоящей книги, посвященной Египту, логически развивается на протяжении всего повествования, начиная с авторских исследований мистического назначения пирамид, через подробный рассказ о контактах с современными исламскими дервишами и магами, до проникновения в содержание посвятительных мистерий Древнего Египта.

Духовные тайны и магия Востока — бездонны, что автору блестяще удалось продемонстрировать в своем замечательном и в высшей степени увлекательном сочинении.

ISBN 5-93975-076-1

ОТ РЕДАКЦИИ

Д-р Брантон родился в Лондоне в 1898 году. Уже с юности он увлекся сравнительным религиоведением, мистицизмом и оккультной философией.

Став к 30-м годам нашего века довольно известным журналистом, он получил возможность путешествовать по странам загадочного и притягательного для него Востока в поисках непосредственных контактов с носителями эзотерических традиций.

Накопленные в этих поездках обширные знания ему удалось гармонично сочетать со способностью образно и убедительно передавать их своему читателю. Его книги, переведены на многие языки мира, по сей день остаются бестселлерами.

Основная идея настоящей книги логически развивается на протяжении всего повествования, начиная с авторских исследований мистического назначения пирамид, через подробный рассказ о контактах с современными исламскими дервишами и магами, до проникновения в содержание посвятительных мистерий Древнего Египта.

Духовные тайны и магия Востока — бездонны, что автору блестяще удалось продемонстрировать в своей замечательной и в высшей степени увлекательной книге.

ПОСВЯЩЕНИЕ

Его Высочеству князю Исмаилу Дауду

Трое мужчин выехали чудной весенней ночью из Каира и около часа проговорили у Великой пирамиды. Одним из них были Вы, Ваше Высочество, другим — посол некоей восточной страны, а третьим — автор этих заметок и размышлений. Ваше Высочество тогда заметили, что ныне в Египте вряд ли найдешь какие-либо следы той необычайной духовности или той странной магии, поиск которых влечет меня из одной страны в другую. И потом Вы еще не раз повторяли мне это.

И все же я продолжал свои поиски, и мне удалось узнать о некоторых вещах, которые, как мне казалось, смогут заинтересовать людей Запада. И если я предлагаю результаты трудов своих также и Вам, Ваше Высочество, то лишь потому, что они, смею надеяться, помогут Вам лучше понять ту веру, что столь безраздельно владеет мною, и, возможно, лучше понять, почему я придерживаюсь ее. Данное же посвящение — всего лишь скромный жест, призванный подчеркнуть то удовольствие, которое дарят мне добрые взаимоотношения, установившиеся между нами, несмотря на все различия нашего с Вами интеллектуального склада.

И наконец, пусть эта книга станет моей данью Египту — стране, чье новое лицо так хорошо знакомо Вам и чья древняя слава так влечет меня. И да позволено мне будет добавить к сему одну древне-римскую поговорку: «Тот, кто однажды напьется из Нила, навсегда станет другом людей, живущих на берегах этой великой реки».

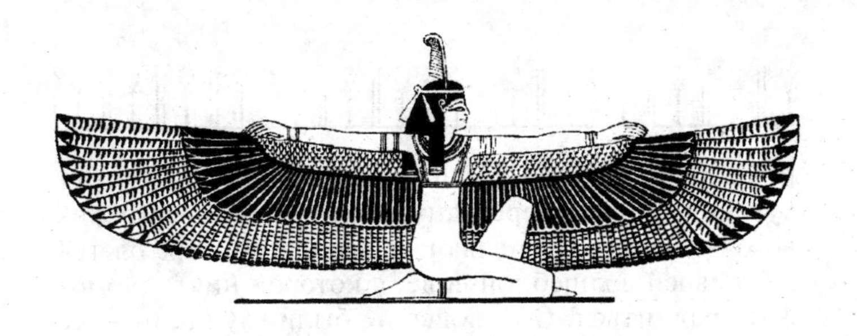

Глава 1

НОЧЬ СО СФИНКСОМ

Ушел последний любопытный турист, и последний облаченный в черное экскурсовод в тысячный раз повторил то немногое, что ему известно о его древней стране, — то, что следует знать для развлечения иностранных гостей. Компания усталых ослов и не менее уставших орущих верблюдов заспешила домой, унося на себе последних на сегодняшний день седоков.

Египетский пейзаж на фоне сумерек — картина незабываемой, неземной красоты. Все вокруг меняет свой цвет, и между небом и землей вдруг вспыхивает самая невероятная гамма.

Я сидел на мягком желтом песке перед величавой, царственной фигурой припавшего к земле Сфинкса, слегка отодвинувшись в сторону от его взгляда, и как завороженный наблюдал за фантастической игрой эфирных красок, создающих быстро меняющиеся образы, которые столь же быстро тускнеют после того, как закатное Солнце перестает купать Египет в золотых лучах своей ослепительной славы. Ибо кто же из тех, кому дано было воспринять благую весть последних рассеянных лучей восхитительного и таинственного африканского заката, не почувствовал себя на время в раю? До тех пор,

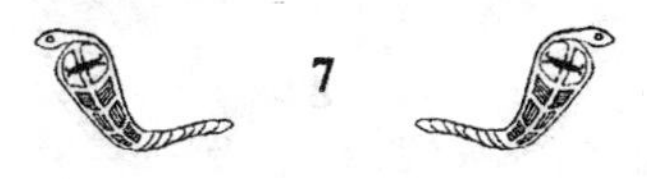

пока люди окончательно не огрубеют и не умрут духовно, они не перестанут любить Отца всего живого — Солнце, оживляющее все в этом мире благодаря своей волшебной силе, с которой ничто не может сравниться. Они вовсе не были глупцами — те древние люди, почитавшие Ра — Великий Свет — и принимавшие его в свои сердца как бога.

Сначала источник этого света завис совсем рядом с землей, окрашивая весь небосвод в ослепительно яркий красный цвет, полыхавший подобно раскаленным углям. Затем цвета стали гуще, и над горизонтом разлилось нежное, кораллово-розовое сияние. Оно становилось все более тусклым, пока, наконец, не уподобилось радуге, рассыпавшись полдюжиной различных оттенков — от нежно-розового до зеленого и золотистого, и не замерцало, упрямо стараясь сохранить последние проблески жизни. Наконец, оно окрасилось в серо-опаловый цвет, уступая место надвигающейся ночи. И вскоре невероятные краски исчезли вместе с ушедшим за горизонт диском величественного светила.

И тут же я увидел, как застывший на опаловом фоне силуэт Сфинкса начал окрашиваться в цвета ночи — растаяли последние алые лучи, ярко озарявшие его бесстрастное лицо.

Он будто вышел из этих безбрежных песков — с этим огромным лицом и распростертым по земле торсом — наводя такой страх на суеверных бедуинов, что они даже прозвали его «Отцом ужаса». А у повидавших виды путешественников эта колоссальная фигура во все века вызывала такое изумление, что при первом же взгляде на нее их губы непроизвольно начинали шептать одни и те же вопросы. Загадка этого неестественного сочетания человеческой головы с львиным телом исподволь влекла сюда потоки паломников, не иссякшие за множество столетий. Но Сфинкс так и остается тайной для самих египт-

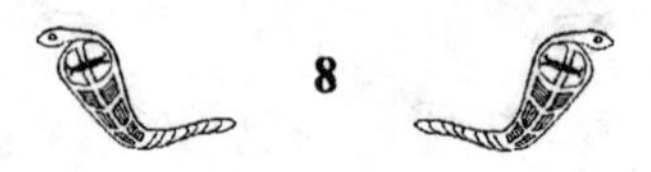

тян и вечной загадкой для всего мира. Никому неизвестно, кто и когда создал его; и даже самые великие египтологи могут лишь строить догадки относительно его происхождения и назначения.

В той последней искорке света, что подарил мне уходящий закат, перед моими собственными глазами вдруг предстали каменные очи Сфинкса, тысячелетиями хладно и бесстрастно взиравшие на мириады людей, приходивших к нему один за другим, чтобы взглянуть на него в изумлении и в смятении удалиться. Не мигая глядели эти глаза на смуглых людей ныне исчезнувшего мира — атлантов, погребенных под огромной толщей воды. С легкой усмешкой наблюдали они за попытками Мены — первого египетского фараона — повернуть в сторону Нил, возлюбленную реку египтян, и заставить его течь по новому руслу.

С молчаливым сожалением смотрели они на угрюмое лицо Моисея, застывшего в прощальном поклоне. Безмолвно и тоскливо следили они за страданиями родной страны, когда ее грабил и разорял вторгшийся из Персии Камбиз. С восторгом и в то же время с осуждением следовали они за надменной златокудрой Клеопатрой, сходившей на берег с ладьи с золотой кормой, пурпурными парусами и серебряными веслами.

Столь же безмолвно приветствовали они молодого Иисуса, странствовавшего в поисках мудрости Востока, прежде чем выполнить предназначенную ему миссию, когда Отец небесный отправил его в мир с божественной проповедью любви и сострадания. Со скрытым удовольствием благословляли они отважного, благородного и образованного юношу по имени Саладин, когда он проезжал мимо, еще не зная, что станет султаном Египта, и зеленый флажок с изображением полумесяца развевался на древке его копья. С предостережением во взоре встречали они

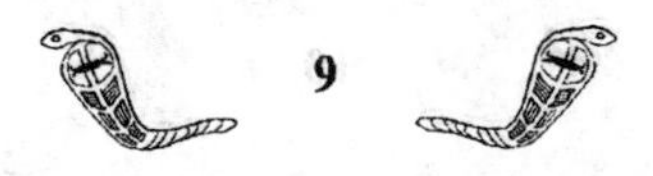

Наполеона, как орудие судьбы, предопределенной для Европы, — судьбы, настолько превознесшей его имя, что оно затмило все прочие, но затем заставившей его понуро стоять на оструганных досках *Беллерофонта.* Легкая грусть сквозила в них, когда они узрели, что весь мир с любопытством пялится на их страну, после того как в ней была вскрыта гробница одного из ее гордых фараонов и его мумифицированные останки и царские украшения были выставлены на обозрение досужей толпы.

Все это видели каменные глаза Сфинкса, и даже сверх того, и теперь, исполненные презрения к людям, одержимым мелочной суетой, и безразличные к нескончаемой драме человеческой радости и страдания, сценой для которой всегда служила долина Египта, зная, что все великие события земной истории заранее предопределены и потому неотвратимы, они продолжают озирать вечность из своих огромных глазниц. Кажется, что эти вечно неизменные глаза вглядываются сквозь все изломы времени в самое начало мира, во тьму неизведанного.

Но вот Сфинкс окрасился черным, последнее пепельно-серое свечение неба померкло, и тьма — кромешная и всепоглощающая — охватила пустыню.

И все же Сфинкс не перестал притягивать меня, он по-прежнему приковывал мое внимание своим магнетизмом. Я почувствовал, что именно сейчас, с наступлением ночи, он стал обретать свою настоящую полную силу. Видимо, только в темноте он чувствует себя полностью свободно, лишь в мистической атмосфере африканской ночи он может дышать полной грудью. Ра и Гор, Изида и Осирис, и все исчезнувшие боги Египта по ночам незримо возвращаются назад.

И я решил ждать, пока Луна и звезды вновь не вернут мне своим светом образ Сфинкса. Я был совершенно один в безлюдном пространстве пустыни

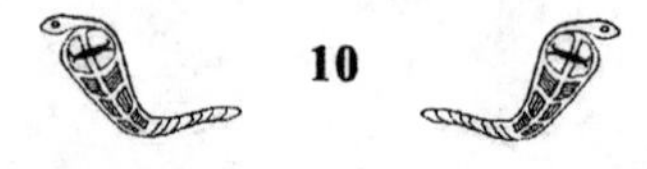

и все же не чувствовал и никак не мог согласиться с тем, что я одинок.

* * *

Египетские ночи странным образом отличаются от ночей в Европе. Здесь они мягче, нежнее и таинственным образом наполнены мириадами незримых жизней, которые лишь легким трепетом окутывающего землю индигово-синего эфира дают знать о своем присутствии и этим оказывают магическое воздействие на впечатлительные умы. В сравнении с ними европейские ночи — более плотные, грубо реалистичные и определенно черные.

Я успел осознать это уже в сотый раз, когда на небе весело засияли первые звезды (опять же, мерцавшие так ярко и так близко, как этого никогда не бывает в Европе); когда Луна показала, наконец, свой соблазнительный подол и все небо превратилось в сплошной полог из темно-синего бархата.

И тут я увидел Сфинкса таким, каким его редко видят туристы: поначалу показался лишь темный силуэт могучего, высеченного из цельной скалы корпуса высотой с четырехэтажный лондонский дом, мирно покоящегося на фоне пустынной долины. Но затем, по мере того как один светлый лучик за другим выхватывал из мрака все новые и новые детали, стали различимы серебряное лицо и вытянутые вперед лапы хорошо знакомой фигуры. Теперь он казался мне символом самого Египта, чьи таинственные корни сокрыты в недрах незапамятной старины. Затаившийся как одинокий сторожевой пес, неусыпно стерегущий доисторические тайны, вспоминающий атлантические миры, сами названия которых ныне уже утрачены хрупкой человеческой памятью, этот каменный исполин точно также переживет и все цивилизации, порожденные человеческой расой, сохранив неизменной свою внутреннюю жизнь. Это

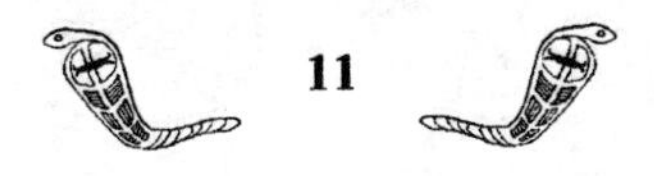

суровое и величественное лицо не выдаст ни одной тайны, эти сжатые каменные губы дали обет вечного молчания, и если Сфинкс все же несет в себе сквозь столетия какую-то тайну, предназначенную лишь для немногих избранных, способных проникнуть в нее, то она будет передана им так же, как масонское «слово мастера» передается посвящаемому — «беззвучным» шепотом. И нет ничего удивительного в том, что римлянин Плиний писал о Сфинксе как об «удивительном произведении искусства, о котором все предпочитают хранить молчание, ведь среди местных жителей он почитается как божество».

Ночное небо является для Сфинкса наилучшим фоном. А позади него и по обеим его сторонам раскинулся так называемый «Город мертвых» — пространство, буквально кишащее захоронениями. На всем протяжении каменистого плато, выступающего из-под песка к югу, западу и востоку от Сфинкса, теперь вскрывают одну за другой гробницы, извлекая из них саркофаги с останками царственной плоти, мумифицированных аристократов и высокопоставленных жрецов.

Теперь и сами египтяне на протяжении вот уже шести лет ведут систематические серьезные раскопки в центральной части этого обширного некрополя, следуя примеру западных первопроходцев. Они извлекли уже тысячи тонн песка из дюны, ранее покрывавшей место раскопок, и взору их предстали узкие коридоры, прорезавшие скалу, подобно траншеям. Они, то и дело пересекаясь, соединяли гробницы между собой. Обнаружились и мощеные дорожки, соединявшие пирамиды с их храмами. Я обошел это место вдоль и поперек, заглядывая в погребальные камеры, уединенные святилища, комнаты жрецов и погребальные часовни, пронизавшие землю подобно сотам. Поистине, это место достойно

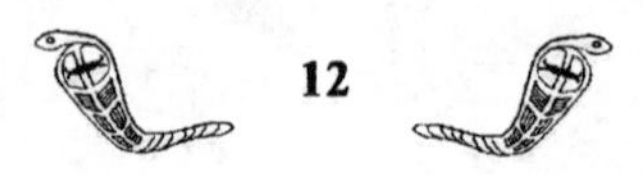

называться «Городом мертвых», ибо, отделенные от нас несколькими ярдами пространства и почти тремя тысячелетиями времени, здесь покоятся — один над другим — сразу два великих могильника. Эти древние египтяне явно не ленились, когда хотели понадежнее спрятать своих мертвецов. Одна из погребальных камер была обнаружена на глубине в сто девяносто футов от поверхности знаменитой «мостовой». Я входил в гробницы Четвертой династии, где до сих пор стоят каменные изваяния пятитысячелетней древности — точные изображения усопших. Их черты были по-прежнему четки и выразительны, неизвестно было только — смогли ли они на самом деле чем-то помочь душам своих владельцев, как это было задумано.

И все же вряд ли здесь осталось хоть несколько гробниц, в которых крышка саркофага уже не была бы сдвинута в сторону и не исчезли бы все ценные и красивые вещи задолго до того, как до них успели добраться исследователи. Лишь запечатанные кувшины, хранившие внутренности мумифицированных тел, да каменные статуэтки остались на своих местах. Даже в Древнем Египте были свои разорители гробниц, и когда простой народ восставал против приходивших в упадок и вырождавшихся правящих каст, он грабил это огромное кладбище, видя в том месть своим высокопоставленным угнетателям, чьи предки удостоились чести быть погребенными рядом с царями, которым они преданно служили всю свою жизнь.

Те немногие усыпальницы, которым удалось спастись от грабителей своей собственной расы, покоились в мире до тех пор, пока их не потревожили греки, римляне и арабы, поочередно сменявшие друг друга на этой земле. Те же, которым удалось благополучно пройти через все эти испытания, обрели, наконец, длительный покой, пока в начале

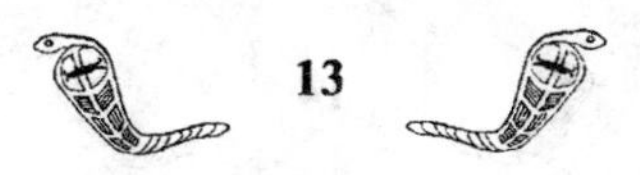

прошлого века современные археологи не начали просеивать египетскую почву в поисках того, что скрылось от внимания грабителей. Этим набальзамированным фараонам и несчастным принцам можно только посочувствовать, поскольку их могилы оскверняются, а сокровища расхищаются. Ведь даже если их мумии не разрубили на части грабители в поисках драгоценностей, они все равно обречены на пребывание в таких беспокойных местах как музеи, где на них будет глазеть и судачить толпа.

В этом печальном, некогда усеянном набальзамированными трупами месте лежит одинокий Сфинкс. Он видел, как эти склепы грабили восставшие египтяне и захватившие страну арабы. И неудивительно, что Уоллис Бадж — знаменитый хранитель египетской коллекции Британского музея — пришел к выводу, что «Сфинкс был поставлен здесь для того, чтобы отгонять от гробниц бродящих вокруг злых духов».

Неудивительно и то, что правивший три тысячи четыреста лет тому назад фараон Тутмос IV приказал высечь на каменном, четырнадцати футов высотой монументе, установленном по его приказу как раз напротив Сфинкса, следующие слова: *«Сверхъестественная тайна живет в этих местах с начала времен, ибо форма Сфинкса есть символ Хепера (бога бессмертия), величайшего среди духов блаженного существа, обитающего здесь. Жители Мемфиса и всей округи протягивают к нему руки, поклоняясь его лику»*.

И стоит ли удивляться тому, что среди живущих неподалеку в деревне Гизе бедуинов бытует множество легенд о духах и привидениях, бродящих по ночам в долине Сфинкса, каковую эти бедуины считают самым изобилующим нечистой силой местом во всем белом свете? Ведь ни одно нынешнее кладбище не может сравниться с этим древним, где египтяне намеренно бальзамировали тела своих лучших людей, чтобы продлить контакт их душ с нашим миром на неопределенно долгий срок.

Да, ночь — это самое лучшее время для того, чтобы любоваться Сфинксом, ибо в этот час даже самые толстокожие из нас становятся ближе к миру духов, разум наш становится чувствительнее и начинает обращать внимание на то, чего никак не мог заметить прежде, в то время как царствующая повсюду тьма придает призрачные очертания даже самым грубым деталям окружающего ландшафта. А небо тем временем приобрело мистический, лилово-индиговый цвет, как нельзя более подходящий для достижения моей цели.

* * *

Звезд становилось все больше, и вскоре они, подобно светлому куполу, увенчали собой всю ночную землю. Да и Луна тоже внесла немалую лепту в освещение окружавшего меня призрачного и безмолвного пейзажа.

Лежащее на продолговатом скальном основании длинное тело льва стало теперь почти полностью видимым. Образ загадочной головы тоже обрел некоторую четкость. И где-то вдалеке смутно обозначилась темная полоска, отмечавшая границу небольшого плато с уходящей во мрак бескрайней пустыней.

Я смотрел на изящные локоны пышной, напоминающей парик прически, очертания которой теперь тоже прояснились. Эта царственная прическа придает Сфинксу необычайное величие и ярко выраженную индивидуальность. Эти качества еще сильнее подчеркивает увенчавшая его лоб царственная кобра: грозно приподняв голову и распустив капюшон, этот урей — символ власти как земной, так и божественной — освящает право Сфинкса на господство

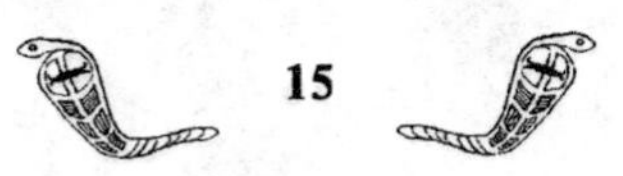

как в бренном мире, так и в мире духов. В иероглифической записи фигура Сфинкса часто означает такие понятия как «повелитель страны», «могущественный фараон». Согласно одной древней легенде, сама эта статуя установлена на могиле фараона по имени Армаис. Мариетт — французский археолог и директор Египетского музея в Каире — относился к этой легенде настолько серьезно, что даже решил исследовать скальное основание, на котором покоится Сфинкс. «Вполне возможно, — заявил он однажды на собрании ученого общества, — что в одной из частей тела чудовища существует тайник, полость или подземная часовня, которая служит гробницей». Но вскоре после того как у него родился этот план, смерть постучалась в его двери, и он сам оказался в гробнице. С того времени никто не пытался заглянуть под окружающий Сфинкса каменный пол или же проникнуть внуть скального основания, на котором он лежит. Когда же я рискнул заговорить об этом с профессором Селимом Хасаном, которому египетские власти поручили вести раскопки в «Городе мертвых», и спросил его:

— Возможно ли, что под Сфинксом скрываются какие-то потаенные комнаты, — он сразу же закрыл эту тему решительным и не терпящим возражения ответом:

— Весь Сфинкс высечен из цельной скалы, и под ним не может быть ничего, кроме скального основания!

Я выслушал профессора с уважением, которого он, несомненно, заслуживает, но так и не смог ни принять, ни отвергнуть его утверждения. Я предпочел еще немного поразмыслить. Имя Армаис очень похоже на другое имя — Хармакис — бог Солнца, чьей персонификацией, согласно другой легенде, является Сфинкс. Вполне вероятно, что под ним и вправду нет никакого захоронения, просто две ле-

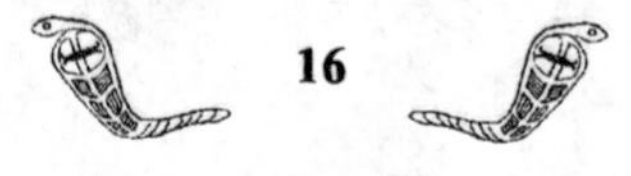

генды с неторопливым течением времени столь причудливо слились воедино. Но помещение в скале могло быть создано и с какими-то иными целями, и у ранних египтян вполне могла существовать такая практика: взять хотя бы их скрытые подземные святилища, где исполнялись тайные религиозные обряды. У халдеев, греков, римлян и даже у арабов существует древнее и весьма устойчивое предание, утверждающее, что под землей был устроен тайник и прорыт тоннель, по которому жрецы проходили от Великой пирамиды к Сфинксу. Разумеется, все это предание может в основе своей оказаться совершенно беспочвенным, но не бывает дыма хотя бы без маленького огонька. А зная, как любили древние египтяне прокладывать сквозь самую прочную скалу один подземный ход за другим и как им нравилось потом прятать ото всех входы в эти тоннели, никакой нынешний египтянин не может теперь с уверенностью заявить, указав на землю у себя под ногами, что сквозь нее никогда не прокладывал свои норы ни один «человек-крот». Древние художники, покрывшие резьбой гранитную стелу, установленную по приказу Тутмоса между передними лапами изваяния, изобразили Сфинкса лежащим на кубическом постаменте, который уже сам по себе напоминает здание с большими центральными воротами и рельефными украшениями. Возможно, это изображение они сделали на основании какой-то древней, но позабытой теперь легенды? А может, этот постамент и в самом деле был вырубленным в скале храмом, а гигантский Сфинкс охранял его, возлежа на крыше? Когда-нибудь мы это узнаем.

Предполагают даже, что Сфинкс вовсе не целиком вырезан из скалы. Скульпторы увидели, что величина скалы недостаточна для реализации указанного плана, и потому им пришлось достроить часть округлой спины Сфинкса и его пятидесятифутовой

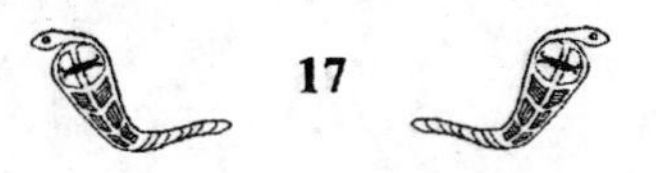

длины передние лапы из особым образом обожженного кирпича и обтесанных камней, чтобы справиться со своей грандиозной задачей. Эти дополнительные детали отчасти поддались воздействию времени и людей — выпало несколько кирпичей, и несколько камней исчезло.

А потом — сто лет тому назад — с военной службы в Индии возвращался домой полковник Говард Вайз. В Суэце ему пришлось сойти на берег и пересесть в почтовую карету, которую старая добрая Ост-Индская компания использовала для перевозки своих офицеров в Каир и далее к средиземноморскому побережью, откуда они продолжали свой путь по морю. Но он задержался в Каире, привлеченный пирамидами и Сфинксом, к которым он совершил несколько поездок. Услышав древние легенды, он загорелся желанием проверить их, для чего достал длинные железные буравы с резцами на концах и пробурил плечо Сфинкса, дабы проверить, есть ли внутри пустота, но его постигло разочарование. Он углубился в скалу на двадцать семь футов, и проделанные им дыры до сих пор зияют, подобно шрамам, на теле Сфинкса. Но, к сожалению, во времена Вайза были видны только лицо и голова Сфинкса, тело же было погребено под огромными массами песка. Таким образом, его исследования не затронули три четверти скульптуры, а к ее основанию он даже не приближался.

* * *

А ночь все надвигалась — незаметно и тихо, как пантера, и только отвратительные получеловеческие вопли шакалов пустыни отмечали неторопливый ход времени. Мы сидели вдвоем — я и Сфинкс — под чистым светом африканских звезд, и казалось, все крепче становится та незримая связь, что свела нас вместе, и наше знакомство постепенно перерастает в

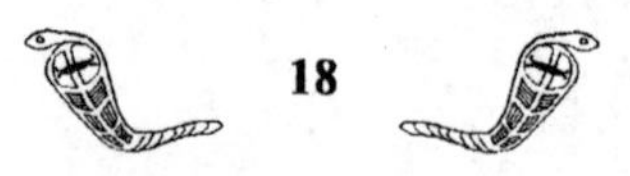

дружбу, и, возможно, мы начинаем лучше понимать друг друга.

Когда я пришел к нему впервые, несколько лет назад, он спокойно и презрительно смотрел куда-то мимо меня. Для этого гиганта я был всего лишь очередным смертным пигмеем, еще одним суетливым созданием, передвигающимся на двух ногах и состоящим из самодовольства, переменчивых желаний и пустых мыслей. А мне он тогда показался мрачным символом Истины, которую человек никогда не сможет найти, посвященным Неведомому гигантским идолом, пред которым все приходящие молитвенно преклоняют колени на белый песок пустыни, но так и не получают ответа на свои вопросы, ибо все они растворяются в пустоте, даже не будучи услышанными. И я отвернулся, преисполнясь еще больше, чем когда-либо раньше, пессимизма и скепсиса, с чувством невероятной горечи и усталости.

Но последующие годы не прошли для меня даром. Жизнь — это время, данное нам для духовного роста, и Незримый Учитель успел преподать мне пару полезных вещей.

Я понял, что наша планета вовсе не бесцельно вращается в пространстве.

Возращался я к Сфинксу уже в более приподнятом настроении. И теперь (когда мы вместе сидели во тьме: он — простершись в своей лощине на краю Ливийской пустыни, а я — сидя перед ним, скрестив ноги, на песке) вновь принялся размышлять о загадочном предназначении этого колосса.

Всему миру Сфинкс известен по фотографиям, и каждый мог бы без труда узнать его искалеченный образ. Единственное, чего не знает мир, это зачем и когда он был вырезан из гигантской глыбы плотного известняка, возвышавшейся среди пустыни, и чьи руки превратили ту одиноко стоявшую скалу в статую столь гигантских размеров.

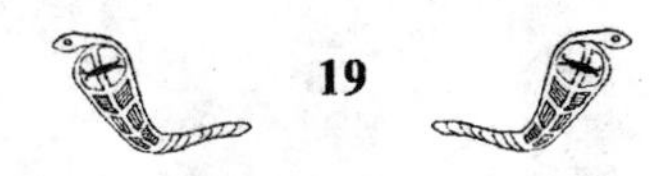

Археология молчит, потупив взор, чтобы не показать своего стыда, ибо ей пришлось отказаться от всех своих прежних предположений, еще совсем недавно подававшихся под видом доказанных теорий. Она не называет более никаких определенных имен и даже не пытается предложить какую-либо точную дату. Создание Сфинкса уже не связывается ею ни с фараоном Хафра, ни с фараоном Хуфу, ибо ученые наконец-то поняли, что обнаруженные на нем надписи свидетельствуют всего лишь о том, что статуя уже существовала во времена их правления.

После Восемнадцатой династии практически ни в одном из обнаруженных папирусов уже не упоминается о существовании Сфинкса, тогда как до Четвертой династии он тоже не упомянут ни в одной известной наскальной надписи.

Археологи, пытаясь отыскать какие-либо древние повреждения, обнаружили надпись, гласящую, что Сфинкс является монументом, история создания которого теряется во мгле веков, и что его открыли вновь совершенно случайно после того, как он был полностью забыт и поглощен песками пустыни. Эта надпись относится к периоду Четвертой династии фараонов, правившей Египтом почти шесть тысяч лет назад. *Но даже этим древним царям Сфинкс уже казался необычайно древним.*

* * *

Вместе с ночью приходит сон, но я час за часом решительно отгонял его прочь. И все же настал момент, когда мои веки начали опускаться в безвольном протесте и разум мой стал погружаться в дремоту. Две силы боролись теперь за власть надо мной: первая из них была страстным желанием провести ночь, бодрствуя и глядя на мир вместе со Сфинксом; а вторая — все более растущей готовностью уступить желанию собственной мысли и плоти подчиниться

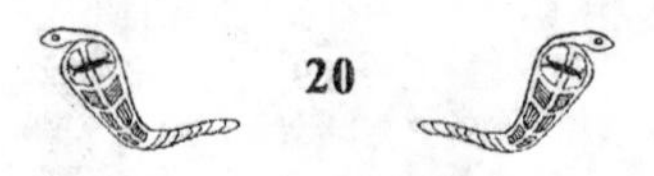

успокаивающим и усыпляющим ласкам окружавшей меня темноты. Наконец, мне удалось примирить их между собой, и я, в соответствии с достигнутым соглашением, остался сидеть, полузакрыв глаза, так что они стали похожи на две узкие, почти ничего не видящие щелочки, и погрузив свой разум в полудремотное состояние, в котором мысли мои были сосредоточены исключительно на галерее ярких красок, порожденных моим мысленным взором.

Некоторое время я провел в безмятежном полусонном состоянии, наступающем всякий раз, когда мысли замедляют свой быстрый полет и успокаиваются. Не знаю, как долго я пребывал в такой полудреме, но вдруг мои цветные грезы исчезли и передо мной вновь возникла огромная открытая долина. Она была залита тем таинственным серебряным светом, которым способна украсить ночной пейзаж только полная Луна.

А вокруг меня сновали сонмища темных фигур: некоторые несли на головах нагруженные корзины, прочие двигались вверх и вниз по скрепленным шестами строительным лесам, выстроенным вокруг огромной скалы. Некоторые из этих людей были явно иностранцами: они отдавали приказания рабочим и внимательно следили за тем, чтобы работавшие на скале молотками и резцами люди не отступали от намеченного плана. Воздух звенел от звуков их ритмичных ударов.

Лица у всех этих людей были вытянуты и суровы, кожа — красно-коричневого или серовато-желтого цвета, а верхние губы — заметно больше нижних.

И когда их работа была закончена, о чудо! — одиноко возвышавшаяся среди пустыни скала превратилась в огромную человеческую голову, сидящую на гигантском львином теле. А вся фигура оказалась лежащей на дне искусственно устроенной в

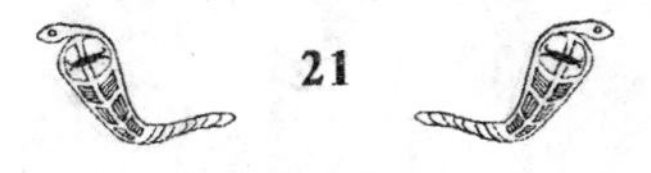

скальном грунте обширной ложбины, куда можно было спуститься по крутым и широким ступеням. Поверх причудливой прически, края которой были убраны за уши Сфинкса, был установлен огромный диск из чистого золота.

Сфинкс!

Люди вдруг исчезли, и долина опустела, как заброшенная могила. И тут я увидел море, воды которого охватили все, что находилось слева от меня, до самого горизонта. Расстояние до берега на взгляд было не больше лиги. Воцарилась зловещая тишина, которой, впрочем, я вовсе не замечал, пока из самых недр океана до меня не донесся какой-то рокочущий звук. Земля затряслась и заволновалась подо мною, и огромный вал воды с оглушительным ревом вздыбился до самого неба и, с безудержной силой ринувшись к нам — ко мне и к Сфинксу, — поглотил нас обоих.

Потоп!

Наступила тишина, длившаяся не то минуту, не то несколько тысячелетий, — я не знаю. И вновь я сидел у ног великой статуи. Я огляделся, моря нигде не было. Вместо него вокруг раскинулось полузасохшее болото, на фоне которого выделялись большие белые пятна высыхающих на Солнце солончаков. Солнце немилосердно палило землю, и солончаки становились все больше и многочисленнее. Так же безжалостно уничтожало Солнце и последние островки жизни, тянувшиеся вслед за отступающей болотной влагой, пока не превратило все вокруг в сухой, сыпучий, бледно-желтого от жары цвета песок.

Пустыня!

А Сфинкс все также смотрел вдаль. Его толстые исполинские неподвижные губы, казалось, готовы были расплыться в улыбке. Должно быть, его вполне устраивало это уединенное существование. Как

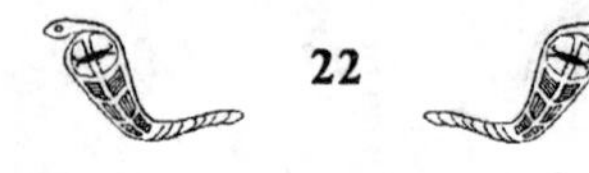

удачно вписывалась его одинокая фигура в окружавший его унылый ландшафт! Если бы дух одиночества решил воплотиться в какой-нибудь земной инкарнации, вряд ли он нашел бы для себя что-то более подходящее, чем этот флегматичный колосс.

И так продолжалось до тех пор, пока к берегу реки не пристала, наконец, небольшая флотилия утлых суденышек, из которых вышла группа людей, неспешно направившихся затем прямо к нему. Увидев его, люди пали ниц и начали возносить благодарственные молитвы.

С этого дня покой Сфинкса был нарушен. Совсем неподалеку, на низком берегу реки, появились человеческие жилища. И цари со священниками приходили к нему, чтобы отдать дань уважения тому, кто сам был одиноким царем пустыни.

С их появлением видение мое исчезло, погасло, как огонек лампады, когда в ней кончается масло.

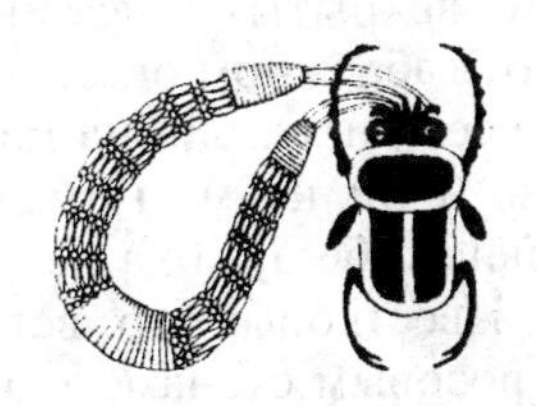

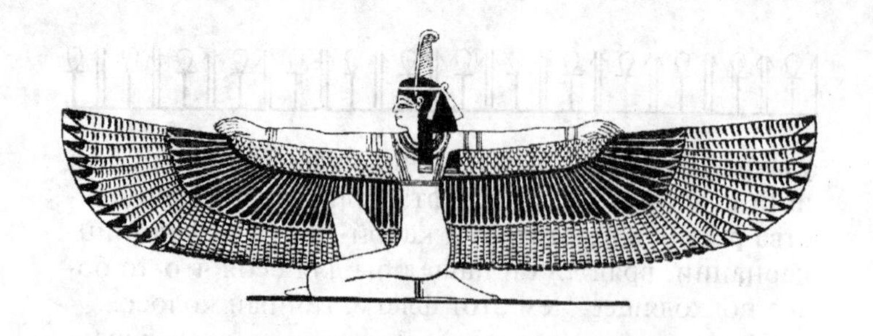

Глава 2

СТРАЖ ПУСТЫНИ

Когда я повернул голову влево — туда, где в моем видении было море, взбунтовавшееся, подобно злобному чудовищу, и, казалось, поглотившее весь мир — небо по-прежнему было усыпано звездами, молодая Луна все также игриво улыбалась нам обоим, и преображенный, величественный Сфинкс продолжал купаться в потоке ее серебряного света.

Летучая мышь, должно быть, ошибочно принявшая мое неподвижное тело за часть ландшафта, захлопала крыльями над самой моей головой и улетела прочь, заставив меня слегка содрогнуться от отвращения. Вероятно, она прячется в дневное время в одной из вскрытых подземных гробниц.

И я подумал о безбрежном океане песка, чьи волны охватывают все три миллиона квадратных миль пустыни Сахары и ни на минуту не прекращают своего медлительного бега, пока не достигнут длинной цепи голых известковых гор, вставших над пустыней подобно розовым стенам, чтобы оградить от нее Египет и по всей своей огромной протяженности защитить от ее испепеляющего дыхания долину Нила.

Кажется, что природа преднамеренно воздвигла эти Ливийские горы, дабы уберечь Египет от наше-

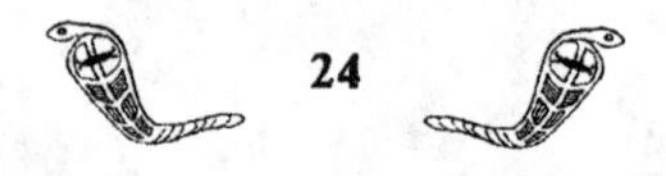

ствия пустыни, впрочем, тоже являющейся ее порождением.

И опасность эта вполне реальна. Каждый год ранней весной ветры разрушительной силы — ужасный циклон Хамсин — объявляют войну всей Северной Африке и с чудовищным свистом проносятся по всему континенту от самого Атлантического побережья. Они летят подобно варварской армии, жаждущей добычи и победы, и вместе с ними несутся тучи песка и пыли.

Безжалостные песчинки, собираясь в крутящиеся вихри, разлетаются повсюду, так что вся земля оказывается покрытой золотистым саваном. И там, где их вторжение не встречает никакого сопротивления, они способны уничтожить жизнь на многие годы, превратить землю в настоящее кладбище, ибо они в состоянии похоронить под собой хижины, дома, дворцы, храмы и даже целые города. Вот почему желтый песок обладает верховной властью и с помощью своего всепобеждающего скипетра правит всей страной. Эти Хамсины порой достигают такой силы, что небо скрывается из глаз и невозможно определить, где находится Солнце.

Крутящиеся столбы песка, очень часто так же непроницаемые для взора, как настоящий лондонский смог, быстро мчатся вперед, оставляя свои песчинки на всех попадающихся им на пути предметах. Таким образом, все выступающие объекты постепенно накапливают песок вокруг себя.

Я видел, как крестьяне, которые жили возле оазиса на самом краю Ливийской пустыни, вынуждены были оставить свои хижины и отстроить новые жилища на более высоких местах, — столь силен был натиск песков на стены их жилищ. Я видел в Верхнем Египте величественный древний храм, недавно раскопанный археологами — он был занесен песком по самую крышу.

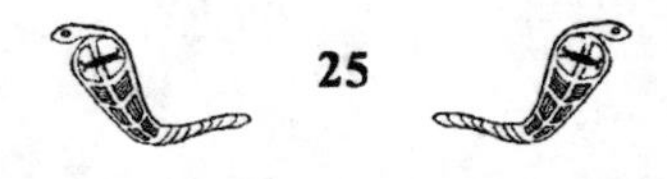

Резные изображения на стеле Тутмоса IV, установленной перед Сфинксом.

Я вновь поглядел на Сфинкса, на его патетический семифутовый рот, едва различимый в свете звезд, и заметил, что та улыбка, которую я видел у допотопного атлантического Сфинкса, сменилась теперь выражением легкой грусти. Ветры пустыни своей разрушительной силой обезобразили его лицо, но еще сильнее его изувечили непочтительные люди.

Но разве не должны были пески пустыни, пролетая мимо — то тихо и незаметно, то с воем и бешеным ветром — постепенно оседать на нем, с тем чтобы скрыть, в конце концов, под своей толщей? Так оно и было. Мне вспомнился мистический сон Тутмоса IV, о котором он повествует в причудливых иероглифических знаках на стеле из красного гранита, установленной между лапами Сфинкса. Я вспомнил слово в слово горестный плач покинутого и всеми забытого Сфинкса, к тому времени по самую шею засыпанного безжалостными песками.

«Песок пустыни приближается ко мне, — жаловался дух Сфинкса, — и я скоро совсем утону в нем.

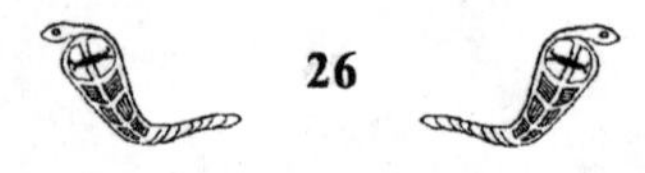

Спеши! Сделай так, чтобы убрали песок, и тогда я буду знать, что ты мой сын и помощник».

А после пробуждения Тутмос сказал себе: «Жители этого города и служители храма поклоняются этому богу, но никто из них даже не подумал о том, чтобы освободить от песка его образ».

На рельефном изображении вверху этой стелы запечатлен сам фараон, подносящий Сфинксу фимиам, а ниже следует самое подробное изложение, пожалуй, наиболее удивительного за всю историю сна и не менее удивительных его последствий. Молодой Тутмос был еще принцем, когда вместе с друзьями начал свои поиски на краю пустыни недалеко от Гизе.

«По дороге на юг, — повествуют далее иероглифы, — принц развлекался стрельбой по медной мишени, охотой на львов и других диких животных пустыни и гонками на колесницах, его кони летели быстрее ветра».

С коня он сходил только к полудню — усталый и утомленный своими забавами. Пообедав, он устраивался отдыхать, отослав помощников, чтобы те тоже отдохнули. Он приносил жертвы богам у алтаря и только тогда позволял себе ненадолго прилечь.

«Тяжесть сна одолела принца, в час когда Ра достиг зенита. И он услышал, как его божественное величество заговорило с ним своим собственным голосом, как отец говорит со своим сыном, и сказало:

“Воистину, я вижу тебя, я лицезрею тебя, сын мой. Тутмос, я твой отец Херу-Хут, и я передам тебе это царство. Ты поднимешь его красную корону, и земля эта станет твоей на всем ее протяжении. Божественная диадема будет сиять на тебе, всю пищу в Египте и драгоценные дары соседних стран принесут тебе!”»

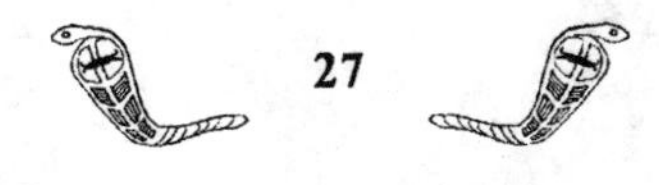

Сон завершился призывом освободить Сфинкса из песчаного плена, только тогда обещанная корона могла быть возложена на голову принца.

Тутмос послушно исполнил полученный во сне приказ, послав множество людей убирать засыпавший лощину песок. И вскоре им удалось освободить грудь Сфинкса.

А Херу-Хут — «Восходящее Солнце», дух или бог Сфинкса — честно выполнил свое обещание. Обойдя старших братьев, принц получил корону правителя, назвался Тутмосом IV и двинул армии за пределы Египта, где они одерживали победы на всем своем пути.

Его империя простерлась до далекой Месопотамии на востоке и второго нильского порога в Нубии — на юге; он победил ливийских бедуинов на западе, а бородатые эфиопы поднесли ему обещанные драгоценные дары. Под его властью Египет стал необычайно богат: и трудящиеся крестьяне, и праздные властители стали в нем сравнительно зажиточными. Цивилизация и культура Египта расцвели как никогда прежде. Предсказанная слава стала полностью сбывшейся реальностью.

Все это отнюдь не слухи, но подлинная история; не легенда, но факт; ибо египтяне вели свои летописи гораздо более тщательно, чем какой-либо другой народ древности, и к тому же многие записи глубоко высечены в твердом камне, что позволяет им жить много дольше документов, записанных на бумаге или пергаменте.

* * *

И это было далеко не единственный раз, когда человек был призван на помощь Сфинксу.

Семь раз неугомонные пески засыпали Сфинкса; и семь раз люди вызволяли его. И все это только в историческое время, ибо доисторические люди отно-

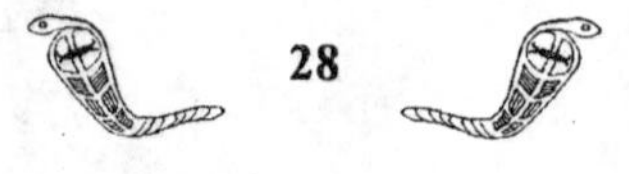

сились к нему с неизменным почтением, побуждавшим их самоотверженно заботиться о сохранности его тела.

Первым, кто откопал Сфинкса, был фараон Хафра из Четвертой династии, превративший Вторую пирамиду в гробницу и приказавший установить в ней свой гранитный саркофаг. Это случилось более пяти тысяч лет назад. Прошло около двух тысяч лет, прежде чем последовала вторая попытка спасти Сфинкса от песка, предпринятая Тутмосом IV, которого подвигнул на эту работу его знаменитый сон. Он даже постарался защитить Сфинкса от дальнейших вторжений пустыни, соорудив вокруг него мощную стену из необожженого кирпича, дабы она служила барьером.

Эти кирпичи сохранились по сей день, и на некоторых из них до сих пор можно различить имя фараона. Но даже стена не смогла остановить пески, и они вновь одолели каменного гиганта. На этот раз о нем позаботился чужеземный правитель — римский император-философ Марк Аврелий. Обнаружив Сфинкса вновь погребенным по шею, он в очередной раз освободил его. Не вырезанные из скалы, в отличие от головы и тела Сфинкса, но сложенные из камней, его лапы и часть груди пришли в плачевное состояние, и императору пришлось всерьез заняться их ремонтом; а восстановленные им фрагменты окружной кирпичной стены до сих пор выделяются черными пятнами на сером фоне пустыни.

При арабах о Сфинксе, разумеется, никто не заботился, и вскоре только бледно-серое лицо его выглядывало из золотой песочной пыли. Только в начале прошлого века нашелся человек, готовый прийти на помощь Сфинксу. Это был капитан Кавийя — увлеченный итальянский археолог и исследователь сверхъестественного, предпринявший попытку откопать верхнюю часть туловища Сфинкса.

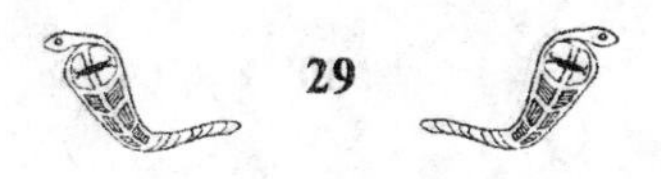

Но натиск песков был настолько силен, что даже раскопанные части ему лишь с большим трудом удавалось удерживать от повторного исчезновения под их толщей. В 1869 году Огюст Мариетт — основатель Египетского музея — предпринял по случаю открытия Суэцкого канала очередную, пятую по счету, попытку хотя бы немного уменьшить размеры песчаной горы, грозившей поглотить Сфинкса, но эта затея недолго увлекала его. А тридцать три года спустя Гастон Масперо — его преемник в управлении музеем — собрал по подписке во Франции изрядную сумму с той же самой целью. Благодаря этим деньгам ему удалось освободить из плена песков значительную часть тела Сфинкса.

Масперо надеялся отыскать у подножия Сфинкса какую-нибудь дверь, которая вела бы в скрытое внутри помещение. Он упорно отказывался верить в то, что у этой уникальной статуи нет никаких доселе не открытых архитектурных секретов. Но никакой двери или хотя бы лазейки он так и не нашел. Тогда он начал задавать себе вопрос: а не лежит ли Сфинкс на какой-нибудь насыпи, под которой и следует искать это скрытое помещение? Однако, масштаб запланированных раскопок явно превышал имевшиеся у него средства, и коль скоро он так и не смог привить американским миллионерам интерес к египтологии, ему пришлось завещать эту работу потомкам.

Седьмая и последняя попытка была предпринята несколько лет назад, когда египетское правительство решило полностью очистить Сфинкса от песка, дабы стали видны скрытые ранее части его основания, лежащие во впадине овальной формы. Землекопы полностью очистили нижнюю часть статуи, в течение долгого времени находившуюся под слоем песка, и убедились, что Сфинкс стоит на мощном скальном основании, выложенном каменными плитами удлиненной формы. Расчищена была и вся территория до защитной стены, а также значительное пространство перед Сфинксом. На поверхность выступили ступени лестницы шириной в сорок футов, ведущей к его подножию. И наконец Сфинкс предстал во всем своем истинном величии. И тогда вокруг него была возведена мощная отвесная стена из бетона, дабы раз и навсегда покончить с наступлением песков. Будем надеяться, что гора из желтых крупинок никогда более не сможет вырасти вокруг Сфинкса и сия достохвальная работа землекопов не будет сведена «на нет».

Но не следует слишком строго судить своего врага. Хотя пески пустыни и стремились похоронить под собой статуи и храмы Египта, они в то же время оберегали их, предохраняя от разрушения. Люди, пожалуй, еще не придумали лучшего средства сохранения каменных памятников старины, чем теплый и сухой африканский песок.

* * *

Незаметно и, казалось, неохотно бесчисленные звезды начали одна за другой исчезать с небосклона, и я понял, что мое долгое бдение близится к завершению. Я решил прекратить его в тот час, когда на индиговом небе станет уже полностью неразличим мистический парад созвездий, и трепещущий рассвет осенит окружающий мир своим розовым светом.

Воздух стал прохладным, но я чувствовал, что горло мое пересохло.

Я еще раз молча поприветствовал сурового каменного стража древних тайн, который в свете тускнеющих звезд напоминал Молчаливого Наблюдателя, приставленного к нашему миру. Неужели мне и вправду удалось заглянуть в летопись доисторического Египта, и я видел то, что было на самом деле?

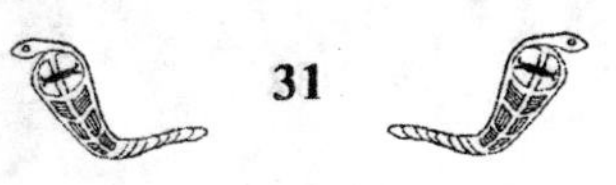

Кто осмелится определить точный возраст Сфинкса? Коль скоро даже его атлантическое происхождение трудно оспорить, как можно называть какую-либо точную дату?

И почему ночное видение, столь быстро промелькнувшее при свете звезд перед моим мысленным взором, не может оказаться правдой? Ведь Атлантида вовсе не была простой выдумкой греческих философов, египетских жрецов и американских индейцев: некоторым ученым удалось собрать более сотни различных подтверждений ее существования. Я заметил также, что при создании Сфинкса окружающая его местность никак не могла быть покрыта песком; ибо в противном случае его скальное основание, расположенное как раз у подножия горы, увенчанной пирамидами, тоже было бы занесено песком, что создало бы множество помех для строительства и сделало бы его удачное завершение почти невозможным. Нет, гораздо более вероятно, что статуя была создана еще до того, как в этих местах появились пески, когда Сахара еще была огромным морем, над чьими водами возвышался огромный, но трагически погибший континент Атлантида.

А люди, населявшие доисторический Египет, сотворившие Сфинкса и создавшие самую древнюю в мире цивилизацию, скорее всего, были теми, кому пришлось покинуть Атлантиду, чтобы поселиться на этой тонкой полоске земли, обрамляющей берега Нила[1]. Они успели сделать это до того, как их обреченный континент погрузился на дно Атлантического океана (катастрофа, высушившая Сахару, превра-

---

[1] «Все факты указывают на то, что египтяне были приобщены к цивилизации задолго до эпохи Менеса (первого фараона) и, возможно, даже до своего переселения в долину Нила», — таково убеждение сэра Дж.Г.Уилкинсона — одного из лучших египтологов, когда-либо взращенных британской исторической школой.

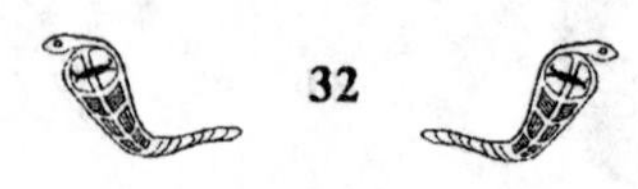

тив ее в пустыню). Ныне разбросанные по поверхности Сахары ракушки, а также окаменелые останки рыб, время от времени находимые в ее песках, доказывают, что раньше она была покрыта водами огромного океана.

Нельзя назвать иначе как грандиозной и захватывающей мысль о том, что Сфинкс являет собой зримую и нерушимую связь между нынешним человечеством и людьми из затерянного мира, неведомыми атлантами.

Но значение этого великого символа оказалось утерянным для нашего мира, и теперь Сфинкс — не более чем курьезная локальная достопримечательность. Любопытно, а что он значил для атлантов?

Ответ на этот вопрос следует искать в тех немногочисленных остатках культуры, что частично сохранилась у народов, чьи истоки могут быть связаны с Атлантидой. Надо изучить вырождающиеся ныне ритуалы таких народов, как инки и майя, ибо они восходят к более глубоким религиозным воззрениям их отдаленных предков. Это изучение позволяет убедиться в том, что самым почитаемым объектом их поклонения был, несомненно, Свет, олицетворяемый Солнцем. Отсюда и те пирамидальные храмы Солнца, что возводились по всей древней Америке. Эти храмы можно считать либо самостоятельными вариантами, либо слегка искаженными копиями храмов, построенных в свое время в Атлантиде.

Лишь после того, как Платон отправился в Египет и поселился там при древнем Университете Гелиополя (где он жил и учился тринадцать лет), всегда осторожные с иностранцами учителя-жрецы оказали молодому и искреннему греческому искателю честь, приобщив его к тому знанию, что хранилось в их тайных, скрытых от посторонних глаз анналах. И, помимо всех прочих открытых ему вещей, Платону было сказано, что в центре Атланти-

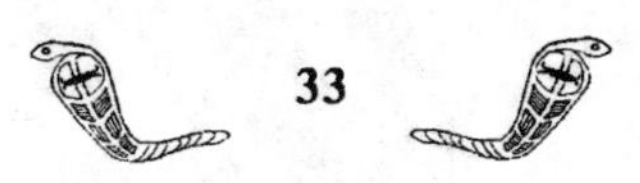

ды стояла огромная пирамида с плоской вершиной, и на этой вершине было построено главное святилище континента — храм Солнца.

Уплывшие в Египет беженцы принесли с собой свою религию и потому начали возводить аналогичного вида храмы. Таким образом, в огромных наклонных пилонах и в пирамидальных гробницах Египта мы можем видеть черты того самого атлантического наследия. Да и Солнце всегда занимало первое место в пантеоне египетских божеств.

И еще одно качество перенесли из-за моря эти люди — предрасположенность к строительству гигантских статуй, любовь к каменным колоссам. И теперь, глядя на полуразрушенные массивные (несомненно атлантического происхождения) храмы Мексики, Перу и Юкатана, сложенные из каменных блоков немыслимых размеров, с ювелирной точностью подогнанных друг к другу, без труда можно обнаружить их явное сходство с архитектурой Древнего Египта: те же циклопические фигуры и похожие друг на друга храмы, — все указывает на общность их истоков.

Каменные человеческие фигуры, найденные капитаном Куком на острове Пасхи — уединенном, заброшенном, покрытом горами осколке затонувшего континента — достигают всего лишь двадцати семи футов в высоту (это меньше, чем одна треть от высоты Сфинкса), но и их создатели имеют общих предков с архитекторами Древнего Египта.

Теперь назначение Сфинкса становится немного понятнее. Египетские атланты хотели создать главную статую своей новой страны, самый грандиозный памятный знак своего пребывания на этой земле и посвятить его своему богу Света, — Солнцу. И где-то неподалеку они должны были возвести главный храм, посвященный этому богу, подобный главному храму их прежней родины.

Сфинкс был почитаемым каменным идолом расы, считавшей свет самой близкой к Богу субстанцией в этом грубом материальном мире. Свет — это самый тонкий, самый неуловимый объект, который человек способен воспринимать с помощью пяти своих чувств. Это самый эфирный из известных ему видов материи. Это и самый эфирный элемент, известный науке, и даже различные невидимые лучи, обнаруженные ею, суть не более, чем разновидности все того же света, только частота их колебаний лежит за пределами диапазона, воспринимаемого сетчаткой нашего глаза. Также и в Книге Бытия говорится, что сначала был создан Свет — элемент, без которого невозможно было дальнейшее творение. «Дух Божий носился над водою, — писал воспитанный египтянами Моисей. — И сказал Бог: да будет свет. И стал свет». И дело не только в этом. Можно вспомнить еще и тот божественный свет, что восстает из глубин души, когда человек обращает к Богу свои сердце и разум; свет в этом плане служит еще и настойчивым напоминанием о том божественном озарении, что может исподволь прийти к человеку даже посреди самого беспросветного отчаяния. Инстинктивно обращая свое лицо к Солнцу, человек, таким образом, обращается к телу своего Творца.

Солнце дает свет, от него стремится он к земле. Не стань Солнца, мир охватила бы ужасная тьма, перестал бы созревать урожай на полях, человечество оказалось бы обреченным на голод и вымирание и вскоре полностью исчезло бы с лица земли.

И если это поклонение свету и его источнику — Солнцу — было центральным постулатом религии атлантов, то и в ранней египетской религии оно тоже должно было быть основополагающим. Бог Солнца Ра был первым — отцом и создателем всех прочих богов, Творцом всего сущего, единым и несотворенным.

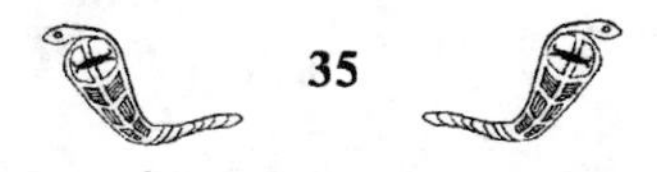

«Хвала тебе, ты — владыка небес, — поется в прекрасном древнем «Гимне Ра, Восходящему на Востоке Неба», — ты идешь по небу с сердцем, исполненным радости. У всех на лицах твои лучи. Приветствуем своего владыку, когда проходишь ты сквозь вечность, ты, чье существо беспредельно».

Но если Сфинкс связан с этой религией Света, значит, он должен быть каким-то образом связан и с Солнцем. Так и есть!

Я повернулся лицом к востоку, где во мраке уже явственно проступала светлая полоса надвигавшегося рассвета, широко разлившаяся над ровным горизонтом. И вдруг меня осенила мысль: золотой диск над головой Сфинкса, явившийся мне в ночном видении. Чтобы проверить свою догадку я наклонился и внимательно посмотрел на свою левую руку, на запястье которой был закреплен мой старый друг и надежный спутник — полевой компас. Сфинкс и в самом деле был обращен точно на восток, и его незрячие глаза были устремлены как раз в ту самую точку на горизонте, из которой Солнце начинало свое каждодневное шествие по небосводу!

Обращенность Сфинкса на восток должна была символизировать возрождение к новой жизни, в то время как царские гробницы Египта, выстроенные на западном берегу Нила, символизировали уходящую жизнь, по аналогии с заходящим светилом. Также как восходящее Солнце со временем достигает зенита, так и человек после воскресения возносится в духовный мир. И также как Солнце проходит сквозь небесные царские врата, чтобы незримо продолжить свой путь ниже линии горизонта, через оба мира проходит человек.

* * *

Я вновь повернулся к Сфинксу и продолжил наблюдение. По мере того как отступала ночь, лицо

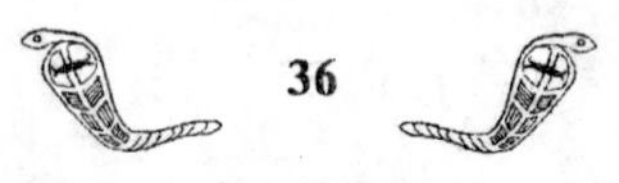

Сфинкса обретало все большую определенность, а окружавшая его массивная стена все яснее выделялась на фоне песков.

По небу длинными полосами разлилось розоватое сияние; казалось, его исчеркала цветным мелком чья-то невидимая рука. И над горизонтом показался, наконец, краешек восходящего Солнца, окутывая розовой дымкой дальние горы и возвращая привычный вид знакомому египетскому пейзажу.

В семи милях от меня муэдзины Каира уже взобрались на высокие минареты мечетей и, встав на предназначенные для этого круглые площадки, принялись будить последователей Пророка, ибо наступало время первой молитвы.

То же делал и Сфинкс, только беззвучно.

Глядя в профиль на его лицо, я изумлялся теперь безрассудству тех людей, чьи святотатственные пушки отстрелили половину его носа. Какие же мысли носились в голове у Сфинкса, когда эти варвары открыли огонь? Должно быть, сначала — удивление, затем — обида, но, в конце концов, к нему вернулось древнее философское смирение. Египтяне обвиняют в этом варварстве наполеоновских солдат, а французские археологи считают, что это дело рук солдат-мамелюков восемнадцатого столетия, для которых, по их мнению, нос Сфинкса служил мишенью во время учебных стрельб. Но Наполеон ни за что не допустил бы подобного осквернения самого древнего в мире изваяния. Низкорослый корсиканец был слишком великим человеком, слишком большим любителем искусства и слишком ревностным почитателем выдающихся творений древности, чтобы не оценить в полной мере все значение этого каменного стража пустыни. Мамелюки, без сомнения, были не столь щепетильны и к тому же, будучи магометанами, испытывали сильнейшее отвращение ко всякого рода идолам. У одного арабского ис-

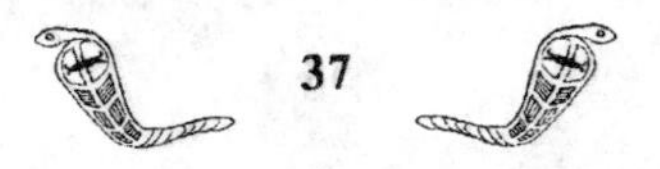

торика даже упомянут некий фанатичный шейх, пытавшийся в своем ревностном служении Аллаху сломать нос Сфинкса еще в 1379 году. Но правда заключается в том, что разрушение лица статуи началось гораздо раньше, задолго до французов и мамелюков, и последующие столетия всего лишь стали свидетелями его финальной стадии. Со времени падения последних фараонов и до конца девятнадцатого столетия суеверные путешественники не колеблясь пускали в ход зубила и молотки, чтобы отщипнуть себе от Сфинкса какой-нибудь маленький талисман или просто сувенир. Так была уничтожена часть рта скульптуры. В этом повинны путешественники, посещавшие Сфинкса в те времена, когда памятники старины охранялись далеко не так строго, как сейчас, когда гостям уже не позволено делать все, что им вздумается, и египетские власти неусыпно берегут самое древнее произведение монументальной скульптуры на своей земле.

Но не все путешественники вели себя столь варварским образом. Некоторые из них, посетившие это место еще во времена греческих и римских правителей, просто не устояли перед искушением вырезать свои имена на теле Сфинкса или же на одной из стен, окружающих глубокую чашу, в которой он покоится. Внимательный наблюдатель и сейчас еще может разглядеть эти имена и прочесть их. Например, на втором пальце левой задней лапы Сфинкса едва заметно просматривается адресованный ему великолепный сонет. Он настолько слабо различим, что наверняка ускользает от внимания публики, каждодневно любующейся здесь видом гигантской статуи. А ведь под этим сонетом стоит подпись самого Арриана, историка Александра Великого. Эти прекрасные греческие стихи заслуживают того, чтобы быть где-нибудь напечатанными, прежде чем они окончательно исчезнут.

Человек-птица —
символ освобожденной человеческой души

Великая пирамида и «Город мертвых»

«Вечные боги сотворили твое удивительное тело, — примерно так звучит грубый прозаический перевод этих строк, — в заботах своих об этой опаленной зноем земле, на которую бросаешь ты свою благословенную тень. Подобно скалистому острову воздвигли они тебя посреди широкого плато, чьи пески ты удерживаешь. Этот сосед, данный пирамидам богами, — не таков, как Сфинкс Эдипа из Фив, человекоубийца; этот — священный почитатель богини Латоны, благого Осириса страж, величественный предводитель страны Египта, царь небожителей, достигающих самого Солнца, равный Вулкану».

Возможно, самой значительной потерей, понесенной Сфинксом от людского варварства, стала утрата его знаменитой улыбки — той доброй, непостижимой и непроницаемой улыбки, некогда приводившей в изумление многие поколения людей. Еще семьсот лет тому назад процесс разрушения был гораздо менее заметен, и Абдул-Латиф — багдадский врач, философ и путешественник — смог оставить в своих обстоятельных и аккуратных дневниках следующую запись об огромной голове, увиденной им на расстоянии полета стрелы от пирамид: «Ее лицо красиво, а рот имеет благостное выражение». Сия похвала, исходящая от человека, чей труд «О человеческом теле» на протяжении нескольких столетий считался классическим среди арабских народов, безусловно заслуживает внимания. «Один ученый человек спросил меня, что более всего привлекло мое внимание в Египте и что из увиденного вызвало во мне самое сильное восхищение», — продолжает далее Абдул-Латиф, чье египетское путешествие началось незадолго до прихода 1200 года н.э.; и в качестве ответа он вынужден был назвать именно Сфинкса. К сожалению, сейчас справедливость его похвал уже невозможно проверить! Отстрелен нос, отвалилась массивная борода, безнадежно искалечен рот и даже прическа заметно повреждена по краям. Некогда «благостному» рту придано теперь довольно кислое — полупечальное, полупрезрительное — выражение.

Но даже если древний Сфинкс и не улыбается более, он все же остается на своем извечном месте, откуда, невзирая на досадные шрамы и повреждения, продолжает невозмутимо наблюдать за равнодушной сменой эонов.

* * *

И еще это странное создание, сочетающее в себе силу льва, разум человека и духовное спокойствие бога, безмолвно учит вечной истине, утверждающей необходимость самоконтроля, благодаря которому человек может преодолеть свою животную природу и подчинить ее себе. Может ли кто-нибудь, глядя на это огромное каменное тело с лапами и когтями хищника, но головой и лицом благородного человеческого существа, не извлечь для себя хотя бы один простой урок? Кто, задумавшись над символическим значением возвышающейся над его прической кобры-урея — символа власти фараона — не догадается, что это знак не только царской власти Сфинкса, но, прежде всего, власти над самим собой? Так этот немой каменный проповедник беседует со всяким, имеющим уши, чтобы слышать.

На то, что Сфинкс олицетворяет нечто божественное, указывают иероглифические надписи на стенах верхнеегипетских храмов — таких как храм в Эдфу, где бог изображен превращающимся во льва с головой человека, чтобы одолеть Сета — египетского Сатану. И на то, что Сфинкс прячет в себе некий архитектурный секрет, какую-то тайну, скрытую в камне, тоже указывает один любопытный факт. Во всех уголках Египта в древности были установлены уменьшенные копии Сфинкса, коим была поручена охрана посвященных им храмов. Там же,

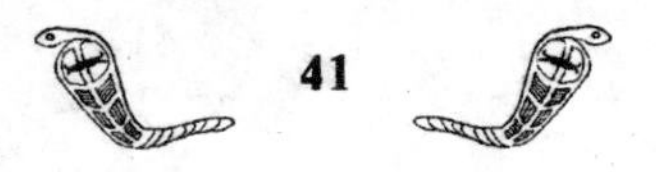

где вход в храм не защищал Сфинкс, на его воротах изображали льва, который также должен был выполнять обязанности охранителя. Даже *ключи* от храмов делались в форме львов. И лишь у Сфинкса из Гизе, похоже, нет собственного храма. Так называемый Храм Сфинкса — напоминающее крепость сооружение из колонн, сложенных из красноватых квадратных камней и массивных плоских стен — вовсе не имеет к Сфинксу никакого отношения, что было ясно и убедительно доказано последними раскопками профессора Селима Хасана. Теперь уже точно установлено, что это храм пирамиды Хафра (Второй пирамиды), и с ней его соединяет наклонная мощеная дорожка, ныне уже полностью раскопанная. И к тому же это странное святилище стоит впереди, а не позади Сфинкса.

Тот маленький открытый храм, который Кавийя обнаружил как раз напротив Сфинкса, между его передними лапами, сейчас уже почти полностью разрушился, но известно, что построен он был намного позже, чем сама статуя. Его составляли три стелы четырнадцати футов в высоту. Они служили чем-то вроде стен без крыши, но две из них сейчас почти исчезли под воздействием времени и неумеренно жадных человеческих рук. Даже жертвенный алтарь, некогда стоявший у входа в этот храм, а сейчас оказавшийся как раз «в лапах» у Сфинкса, установлен римлянами, хотя он и сделан из куска красного гранита, взятого из расположенного неподалеку гораздо более древнего храма Хафра.

Так где же искать настоящий храм Сфинкса?

Я немного приподнял голову, чтобы взглянуть за спину статуи. И увидел как раз позади нее сияющее в лучах раннего утра и достигающее чуть ли не центра небосвода своей усеченной вершиной самое высокое в мире сооружение, самую большую каменную тайну планеты, самое главное как для древних гре-

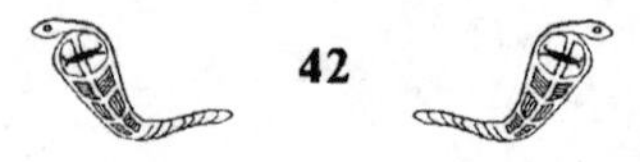

ков, так и для нас чудо света, загадку, не дававшую покоя ни древнему, ни нынешнему человечеству, неизменную спутницу Сфинкса. Великую пирамиду!

Оба они были построены во времена атлантов, и оба служат теперь постоянным напоминанием о загадочном континенте, молчаливым наследием расы, исчезнувшей столь же таинственно, как и ее прародина. Оба свидетельствуют перед преемниками атлантов о славе погибшей цивилизации.

* * *

А Солнце тем временем снова вышло навстречу Сфинксу, поддерживая тем самым порядок, заведенный бессчетное множество лет назад. Небо очень быстро проходило ту череду преобразований, которую предписывает ему египетский рассвет: горизонт перекрасился из розового цвета в цвет гелиотропа, из гелиотропа — в фиолетовый, а из фиолетового — в красный, чтобы обрести затем ту безоблачную, насыщенную бело-голубую окраску, которая обычно свойственна беспредельному египетскому небу. Теперь я знаю, что Сфинкс не только Страж Пустыни, но и символ Священной Четверки Молчаливых Стражей нашего Мира, Четырех Богов, творящих волю Высшего Божества, таинственных Хранителей Человечества и его судьбы. Люди, создавшие Сфинкса, знали о существовании этих возвышенных Существ, но мы, бедное современное человечество, уже полностью позабыли о них.

Немного утомленный своим ночным бдением, я решил попрощаться с титанической головой, возвышавшейся над песками. Ее хладнокровие, дух совершенного самообладания и аура духовного покоя отчасти передались и мне, вызвав у меня ощущение возвышенной отрешенности от мира, которое, впрочем, я вряд ли смогу передать словами. Этот погруженный в беспрерывные размышления Сфинкс стар

настолько, что помнит даже детство мира: он видел, как достигали расцвета цивилизации и как они постепенно приходили в упадок, увядая, подобно цветам; видел беснующиеся толпы захватчиков — некоторые из них приходили, чтобы сразу же уйти, а некоторые — чтобы остаться. Все это время он неподвижно лежал на своем месте, абсолютно спокойный и чуждый всем человеческим страстям. И мне показалось, что некоторая толика этого совершенного бесстрастия ко всем превратностям судьбы все же успела под покровом ночи впитаться мне под кожу. Оказывается, Сфинкс способен освобождать человека от тревожных мыслей о будущем и снимать тяжесть с его души; а прошлое он превращает в живую киноленту, предназначенную для одинокого, отрешенного от окружающего мира зрителя.

Под прозрачным темно-синим небом я в последний раз взглянул на широкий лоб, глубоко запавшие глаза, большие округлые щеки и пышную, массивную прическу Сфинкса — имитирующий настоящие волосы полотняный парик с горизонтальными складками (одна широкая складка между двумя узкими). Появившиеся на его щеках светлые розовые полосы напомнили мне о тех древних временах, когда статую покрывали отполированным известняком и окрашивали затем в монотонно-красный цвет.

В распростертом львином теле, олицетворяющем силу могучего зверя и разум человека, угадывалось и еще что-то: не звериное и не человеческое, но нечто превосходящее и то, и другое, нечто божественное! Хотя ни единого слова не было произнесено между нами, само присутствие Сфинкса оказывало на меня благотворное духовное воздействие. И хотя я сам не дерзнул ничего прошептать в его огромные, но невосприимчивые к мирской суете уши, я чувствовал, что он прекрасно меня понимает. Да, в этом каменном существе было заключено нечто сверхъес-

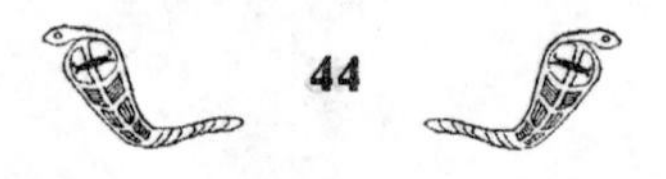

тественное, проникшее в наш двадцатый век подобно порождению неведомого мира. Но эти тяжелые плотные губы твердо хранят свои атлантические секреты. И чем ярче свет дня озарял облик Сфинкса, тем больший мрак окутывал хранимые им тайны.

Я высвободил из песка затекшие ноги и неспеша поднялся, обратив к бесстрастному лику Сфинкса свое краткое прощальное слово. И в его устремленном на восток взоре, всегда с нетерпением ожидающем появления первых лучей Солнца, я вновь увидел оптимистический символ нашего непременного воскресения, столь же несомненного, как и наступление нового рассвета.

«Ты принадлежишь не только изменчивому времени, но и Вечности, — прошептал, наконец, Сфинкс, прервав свое молчание, — ты вечен, ибо состоишь не только из бренной плоти. Душа не может умереть и не может быть убита. Окутанная саваном, ждет она в твоем сердце, как и я ждал окончания песчаного плена в твоем мире. Познай себя, о смертный! Ибо в тебе, как и в каждом человеке, живет Единое — то, что приходит и стоит у черты, свидетельствуя, что Бог ЕСТЬ!»

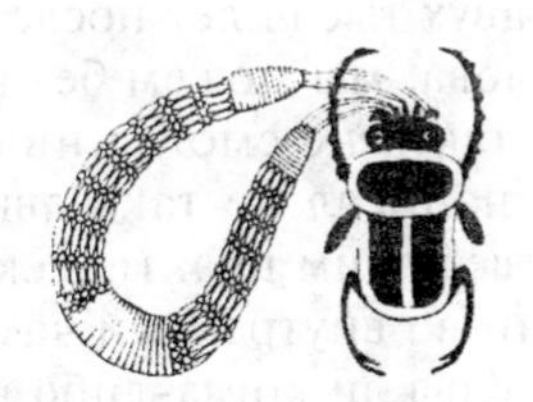

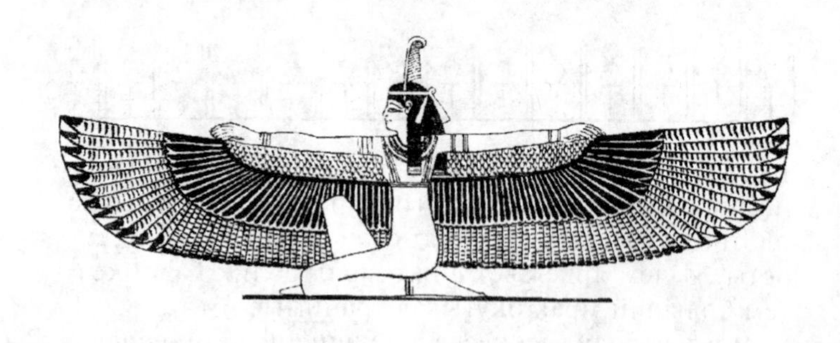

Глава 3

ПИРАМИДА

Фараоны Египта уже давно стали призраками, прозрачными бесплотными духами, населяющими Аменти, Скрытую страну; но пирамиды до сих пор остаются с нами — эти мощные циклопические сооружения, давно уже ставшие неотъемлемой частью каменистого горного плато, на котором они были когда-то выстроены. Древний Египет продолжает притягивать к себе внимание и интерес всего современного мира главным образом благодаря именно этим грандиозным свидетельствам своего существования — свидетельствам более весомым и осязаемым, нежели все, что сохранилось ныне от исчезнувших империй Востока.

Римлянин Плиний написал как-то, что три пирамиды исполнили своей славой всю землю; и теперь, по прошествии двух тысяч лет после того, как были написаны эти слова, мы можем без колебаний сказать, что время так и не смогло ничего поделать с этой славой. Я написал не так давно нескольким своим друзьям, ведущим практически изолированный образ жизни во внутренней части юга Индостана, — людям, едва ли когда-либо выезжавшим за пределы гор, окаймляющих их долину, никогда и ничем не беспокоившим мир и никогда за него не

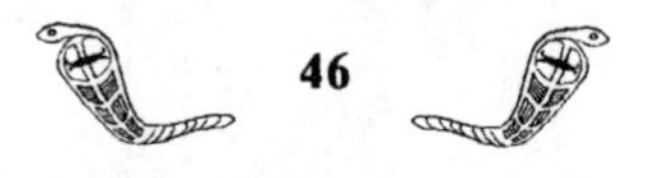

беспокоившимся, и рассказал им в этом письме о своих недавних исследованиях Великой пирамиды. Я не потрудился объяснить при этом, что такое Великая пирамида и где она находится, полагая, что они и сами это знают; и полученный на мое письмо ответ подтвердил, что мое мнение об этих простых индийцах было абсолютно справедливым. Слава пирамид теперь распространилась даже дальше, чем во времена Плиния.

В самом деле, их известность такова, что не один магнат туристического бизнеса, должно быть, взирал с тоской во взоре на эти наклонные треугольные склоны, с сожалением думая о том, что такой мощный рекламный стимул простаивает сейчас практически без всякой пользы! И возможно, недалек тот день, когда какой-нибудь предприимчивый бизнесмен предложит египетскому правительству сто тысяч пиастров ежегодно за одно только право воздвигнуть вокруг северного склона Великой пирамиды строительные леса; а когда нам будет предоставлена сомнительная честь полюбоваться на пирамиду в ее усовершенствованном виде, мы прочтем на ней на английском, французском и арабском языках надпись, призывающую нас умываться только тем мылом, чья слава теперь не уступает славе самих пирамид!

Эти древние, неподвластные времени сооружения вызывают неизменный интерес ученых и любопытство всех прочих людей отчасти из-за своего возраста, теряющегося в глубине веков, и отчасти из-за своих невероятных размеров, изумляющих даже нынешнее поколение людей, уже давно привыкшее к массивным конструкциям. При первом же взгляде на пирамиды мы сразу проникаемся духом той непонятной древней эпохи, чья отдаленность во времени подчеркивается непривычностью для нашего восприятия этих чуждых, странных форм; а мысль о том, как руки малоцивилизованных людей смогли

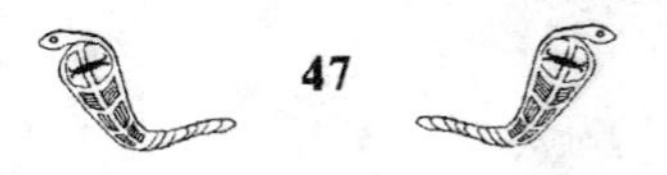

создать на пустынном плато эти чудовищные искусственные горы, бросающие вызов творениям самой природы, заставляет нас застыть в изумлении.

Когда греческие завоеватели впервые проникли в Египет и увидели эти умопомрачительные сооружения, подпирающие вершинами само небо пустыни, они долго стояли и молча смотрели на них, затаив дыхание и не веря собственным глазам; а когда греческие мудрецы эпохи Александра составляли свой список семи чудес света, на первое место в нем без колебаний были поставлены пирамиды. И теперь из всех этих семи они остаются единственными, сохранившимися до наших дней.

Но возраст и размеры, какими бы впечатляющими они ни были сами по себе, являются далеко не единственными причинами славы пирамид. О самой первой и самой большой из пирамид сейчас накоплено множество как широко, так и мало известных сведений, способных заставить нас изумляться не менее сильно, чем некогда древние греки.

Когда ученые и эксперты, прибывшие в Египет вместе с вторгшимся в эту страну Наполеоном, принялись за исследования, они решили условно признать долготу Великой пирамиды за центральный меридиан, от которого следовало отсчитывать все прочие долготы. И после того, как на карту был нанесен весь Нижний Египет, по какому-то курьезному совпадению оказалось, что этот центральный меридиан очень аккуратно делит Дельту Нила, образованную устьем этой реки и составляющую основу всей этой области, на две практически равные части.

Но еще большее изумление вызвало то, что двумя прямыми линиями, проведенными от Великой пирамиды под прямым углом друг к другу, можно было охватить нильскую дельту как раз всю целиком. И все-таки, самое большое впечатление про-

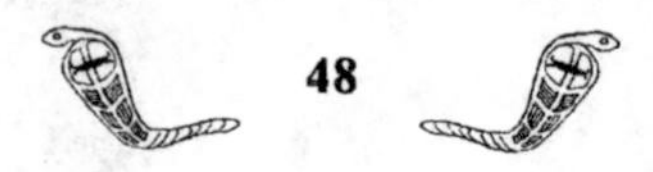

извел тот факт, что Великая пирамида является идеальной точкой для центрального меридиана при составлении географической карты не только Египта, но и всего мира, *поскольку на развернутой карте мира она оказывается как раз на той линии, которая делит всю земную сушу на две равные половины!*

Здесь имеется в виду уникальное местоположение пирамиды: если через нее провести вертикальную линию, то общая площадь суши к востоку от нее будет равна площади суши в образованном таким способом западном полушарии. Следовательно, Великая пирамида является естественной точкой для определения центрального меридиана всей планеты. Из чего можно сделать вывод, что ее положение на поверхности земли действительно *уникально.* И как бы подтверждая это заключение, ее четыре наклонных грани строго сориентированы по четырем сторонам света.

Такое неординарное географическое положение рукотворного монумента может быть объяснено только двумя способами: либо это просто ничего не значащее совпадение, либо решение, тщательно продуманное заранее. Но когда имеешь дело с такой проницательной и интеллектуальной расой, как древние египтяне, более правдоподобным выглядит все-таки последнее объяснение. Тот факт, что крупнейшее в мире каменное сооружение расположено как раз на центральной линии мира, иначе как поразительным не назовешь! Если самое замечательное из всех когда-либо воздвигнутых на земле зданий расположено, как выясняется, в столь знаменательном месте, это обстоятельство, безусловно, заслуживает самых серьезных размышлений!

Во всех путеводителях и справочниках велеречиво сообщается, что Великую пирамиду построил фараон Четвертой династии Хуфу, именуемый греками

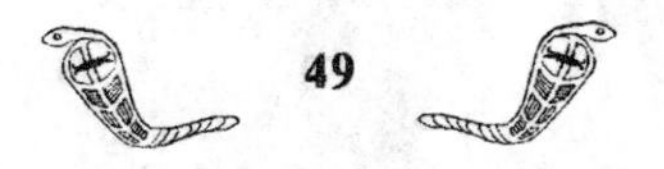

Хеопсом, который решил, что ему нужна первоклассная, абсолютно неподражаемая, истинно царская гробница; и что к сему, собственно говоря, уже более нечего добавить. Для удобной, шаблонной и ненавязчивой теории нельзя было придумать ничего лучшего, чем объявить пирамиду обычной, хотя и грандиозной, гробницей.

На это утверждение опираются теперь все крупнейшие светила египтологии, археологии и древней истории; так что склоните головы в глубоком почтении перед ортодоксами и примите как должное их авторитетный приговор.

Но существуют и неортодоксальные теории. Вокруг этого древнего сооружения бытует великое множество самых разных гипотез — от строго научных до абсолютно неправдоподобных, поскольку популярность и масштабы пирамид располагают к сочинению подчас совершенно безумных версий.

Ведущий австралийский инженер-железнодорожник не пожалел времени и сил на множество чертежей и измерений, чтобы доказать, что пирамиды предназначались для геодезических исследований! В Париже ко мне в руки попала «горячая» переписка одного французского профессора с двумя известными египтологами, в которой первый доказывал, что подлинным назначением пирамид было символическое увековечение того факта, что река Нил была искусствено создана в какую-то весьма отдаленную эпоху! А некоторые изобретательные историки увидели в пирамидах гигантские зернохранилища, в которых Иосиф, сын Иакова, хранил зерно, предназначенное для питания египтян в предсказанные голодные годы. Если бы эти историки потрудились хоть раз войти внутрь пирамид, они обнаружили бы, что пустого места в каждой из них достаточно разве что для хранения припасов для одной древнеегипетской улицы, и то не слишком большой.

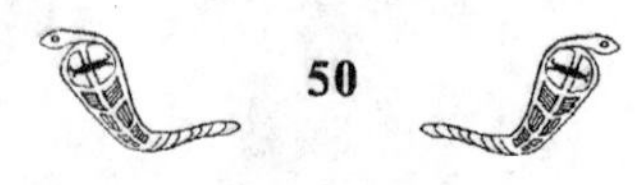

Пятьдесят лет назад астроном Проктор выдвинул оригинальную теорию, согласно которой пирамиды были выстроены для ведения астрономических наблюдений. Этот вывод он подтверждал их нахождением в подходящей для подобных наблюдений местности, а также положением и траекториями движения различных звезд и планет. Но боюсь, что таких дорогостоящих обсерваторий люди никогда не строили, и надеюсь, никогда не будут строить впредь!

Весьма остроумными и оригинальными выглядят и аргументы, доказывающие, что каменный саркофаг в Царской комнате представляет собою ничто иное, как купель для крещения, которую наполняли водой во время использования. Правда, есть и другое мнение, согласно которому этот саркофаг заполнялся не водой, а зерном, потому что он служил эталоном измерения объема для всех народов ойкумены.

Довольно сложно согласиться с тем, что в их тайниках хранились запасы золота и бриллиантов, поскольку строительство таких хранилищ потребовало куда больших затрат, чем стоимость всего того, что впоследствии могло бы в них храниться!

Прочие теоретики полагали, что пирамиды изначально служили гигантскими маяками, построенными для удобства передвижения судов по Нилу! А убежденность месье де Персиньи в том, что это — огромные защитные сооружения, призванные оборонить гробницы, дома и храмы от песков пустыни, может вызвать у современных египтян только улыбку.

* * *

Но встречаются и люди, усердно пропагандирующие иные теории — вполне правдоподобные и потому достаточно широко распространенные в оп-

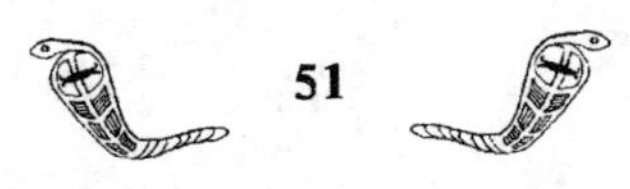

ределенных кругах американского и английского общества. Они довольно интересны, хорошо продуманы и увлекательны; только вот — насколько они верны?

Сторонники этих теорий придают особое значение внутренним пропорциям Великой пирамиды; в ее коридорах и комнатах они видят символическое изображение относящегося к нашему времени пророчества и считают, что им удалось найти верный ключ к его истолкованию. В длине, ширине и высоте ее комнат, пустот и переходов видится им безмолвное предзнаменование еще одного ужасного Армагеддона. Они оперируют невероятным набором самых различных цифр, смешивая при этом англосаксонскую расу, исчезнувшие колена израилевы, библейские книги и самих древних египтян.

«Измерив в дюймах длину внутренних коридоров и Большой галереи, получим точное число лет до начала того периода, в котором мы ныне живем, — утверждают они, — длина Большой галереи составляет 1883 дюйма; добавим к этому еще 31 год — подтверждаемая пирамидой продолжительность искупительного служения Господа нашего — и тогда получим число 1914 — год начала Мировой войны». Вот характерный пример их вычислений.

Они совершенно уверены в том, что древние люди построили эту пирамиду вовсе не для себя, но исключительно с благородной целью помочь грядущим поколениям, и что она связана с так называемым тысячелетним циклом. С уверенностью ждут они появления Того, чей приход на землю предсказан великим пророчеством пирамиды, — нового пришествия Мессии.

Хотелось бы и мне присоединиться к тем своим друзьям, кто верит во все эти вещи. И я был бы не прочь озарить свое сердце лучами великой надежды. Но этому препятствуют стремление быть неукосни-

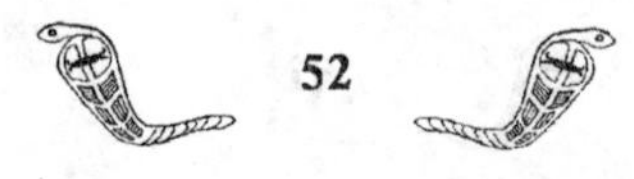

тельно объективным и опять-таки здравый смысл, который я должен беречь как зеницу ока.

Человеком, потратившим, пожалуй, больше, чем кто-либо еще, времени и сил на разработку этих теорий, был ныне покойный шотландский астроном Пьяцци Смит. Это был уникальный человек: его разум постоянно балансировал на грани вдохновенной гениальности, но его шотландский догматизм также постоянно вносил свои губительные коррективы во все попытки интуиции достучаться до его интеллекта.

Смит отправился в путешествие и целую зиму провел возле пирамиды, изучая все ее пропорции, замеряя углы и исследуя каждую деталь ее структуры. Однако все его теории к тому времени уже были сформулированы, и все замеры и вычисления преследовали единственную цель — подтвердить их. Теории, подобно пирамидам, были незыблемы; а вот расчеты, в отличие от пирамид, можно было интерпретировать таким образом, чтобы они в точности подтверждали заранее намеченные выводы. Смит, разумеется, был абсолютно честен в своих исследованиях, но его убежденность мешала ему быть объективным. Я знаю, что покойный сэр Эрнест Уоллис Бадж, бывший хранитель собрания египетских древностей Британского музея, не признавал этих вычислений.

Я знаю также, что сэр Флиндерс Петри — старейшина английских археологов в Египте — потратив опять же целую зиму на исследование Великой пирамиды, обнаружил расхождение в семьдесят один дюйм между собственным измерением самого главного элемента здания и вычислениями Пьяцци Смита. И, наконец, я знаю, что еще один человек — опытный инженер — совсем недавно заново измерил все внутренние и внешние пропорции Великой пирамиды, сравнив их с вычислениями не только

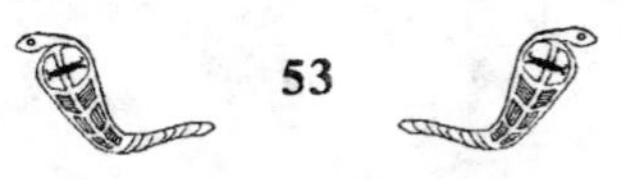

Пьяцци Смита, но и нынешних его последователей, и убедился, что некоторые выкладки этих джентльменов весьма неточны. Петри даже как-то поведал об одном анекдотичном случае, когда разочарованный последователь Смита пытался подпилить гранитный выступ в Вестибюле, ведущем в Царскую Комнату, чтобы его размеры соответствовали «пророческой» теории!

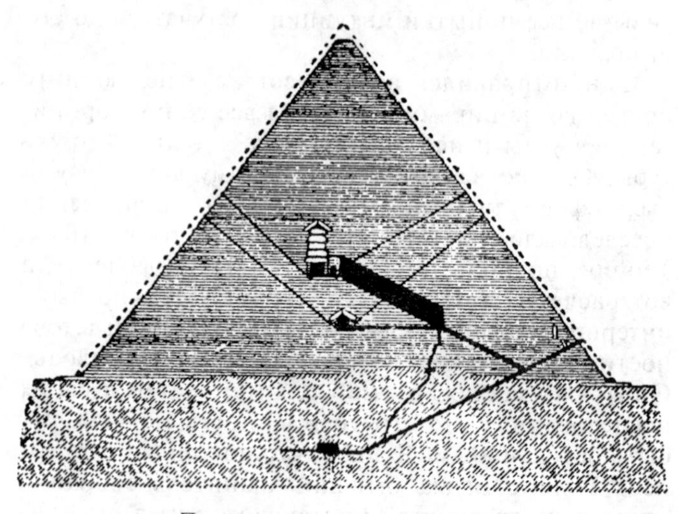

План внутреннего устройства
Великой пирамиды (в разрезе).

Но неточность вычислений — далеко не единственная причина, почему нам следует с осторожностью относиться к призывам этих энтузиастов разделить их точку зрения. Много лет тому назад они утверждали, что пирамида была построена в 2170 году до н. э., поскольку в этом году Полярная звезда находилась как раз напротив входа в пирамиду. И они полагали, что этот длинный темный тоннель был специально проложен под таким углом, чтобы

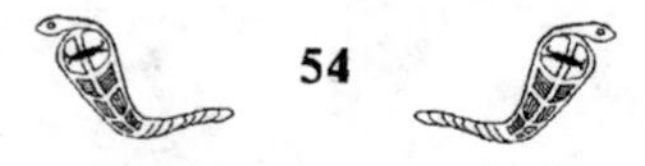

быть точно направленным на эту звезду. Но, благодаря тому постоянному смещению, которое именуется в астрономии прецессией точки равноденствия, звезды постоянно меняют свое местоположение относительно земли, так что на своем прежнем месте звезда может оказаться не ранее, чем через 25827 лет. Значит, следуя той же самой логике, с равным успехом можно предположить, что Великая пирамида могла быть построена и за 25827 лет до 2170 г. до н. э., когда Полярная звезда тоже находилась напротив ее входного коридора.

В действительности же об этом коридоре можно сказать, что в разное время он указывал на разные звезды, посменно занимавшие место Полярной. Так, например, если мы скажем, что коридор был изначально направлен на Альфу созвездия Дракона, эта версия будет так же неубедительна, как и все остальные, поскольку на эту роль с тем же успехом могут претендовать и многие другие звезды.

Просто более древняя цифра оказалась неприемлемой, поскольку в этом случае возраст человеческой расы пришлось бы признать гораздо более древним, нежели те пять-шесть тысяч лет, которые отмерили ему наши теоретики, опираясь на библейскую традицию. Потому-то и была принята самая близкая дата. Но каждый египтолог не колеблясь отверг бы эту дату, поскольку обнаруженные письменные источники ясно указывают на то, что пирамида не могла быть построена так поздно.

Библия представляет собой собрание книг гораздо более сложных и более глубоких, чем может показаться на первый взгляд. Первые пять ее книг — и в особенности книгу Бытия — никак нельзя правильно прочесть, если не иметь к ним ключа; а этот ключ, к сожалению, был утерян много веков назад.

Люди ложно истолковали Библию и причиняют теперь огромный вред своей собственной рассуди-

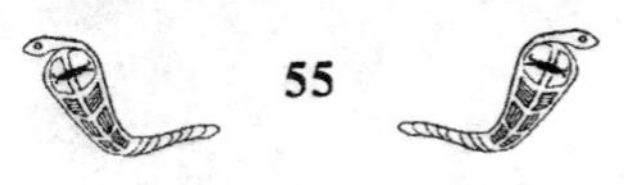

тельности, пытаясь следовать тому, чему эта книга на самом деле вовсе не учит. А закончилось все тем, что в прошлом веке сложилась восхитительная ситуация, когда геологи пришли к выводу, что сохранившиеся в недрах земли ископаемые останки животных однозначно свидетельствуют о гораздо более древнем возрасте мира, нежели приписываемые ему 6 000 лет, а не менее авторитетные теологи в то же время со всей серьезностью утверждали, что Бог намеренно захоронил в земле эти останки, чтобы испытать с их помощью крепость человеческой веры!

Если бы наши теоретики-пирамидоведы сами не шли на поводу у ошибочного истолкования Библии, они вполне могли бы предложить и более раннюю дату создания пирамиды, и тогда, возможно, оказались бы более близки к истине, ибо мощное каменное тело пирамиды способно выстоять и все три десятка тысячелетий: ее сила и прочность таковы, что она останется стоять, даже когда все прочие здания на земле уже обратятся в прах.

Популярность этой школы, возможно, отчасти объясняется ее пророческим уклоном. Речения еврейских пророков причудливо смешаны в ней с пропорциями Великой пирамиды, дабы с помощью этой смеси предсказывать войны и падения правительств, переустройство христианской церкви и возвращение Христа, мировые экономические катастрофы и божественную миссию англоязычных народов, крупномасштабные сдвиги моря и суши и многое, многое другое.

Не лишним будет вспомнить, что сам Пьяцци Смит датировал окончание тысячелетнего цикла 1881 годом. Можно вспомнить и то, что приверженцы этой школы долгое время утверждали, что май 1928 года станет самым судьбоносным месяцем в мировой истории, однако он прошел без особых происшествий. Тогда наступление рокового месяца

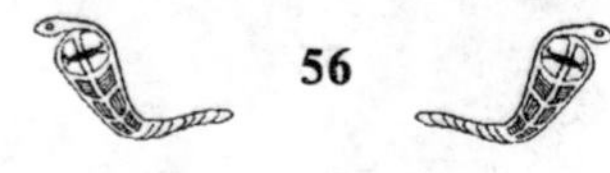

было перенесено на сентябрь 1936 года, поскольку именно на него, как нас убеждали, определеннее всего указывает пирамида. Однако мы и по сей день так и не стали свидетелями ни Армагеддона, ни начала нового тысячелетия. Впоследствии назначалась еще одна дата — 10 августа 1953 года, но предсказание вновь не сбылось.

И, потом, не так-то просто согласиться с утверждением, что вся эта огромная конструкция была построена ценой невероятных жертв и лишений вовсе не ради блага жившего тогда человечества, не ради ближайших потомков и даже не ради отдаленного будущего самих египтян, но исключительно для того, чтобы принести пользу людям, которые должны были прийти только через пять тысяч лет и жить на совершенно других континентах. Даже если допустить, что наши теоретики верно вычислили некоторые математические пропорции и размеры внутренних помещений Великой пирамиды, — похоже, что их при этом занесло слишком далеко в беспредельную область предсказаний, слабо связанных с конкретными фактами. Суть их теории заключается в том, что сам Бог посоветовал египтянам отправить в нашу эпоху это каменное послание. Но Богу было бы проще передать его непосредственно в наше время через какого-нибудь пророка, чем подвергать его риску так и остаться непрочитанным, как это было на протяжении всех прошедших веков, или же неверно понятым, что, похоже, и происходит сейчас.

Но даже если не принимать на веру все эти теории, все же можно, по крайней мере, с уважением относиться к искренности мотивов их сторонников, заслуживших нашу признательность хотя бы за то, что пробудили интерес общественности к духовному символизму этого уникального памятника — Великой пирамиды.

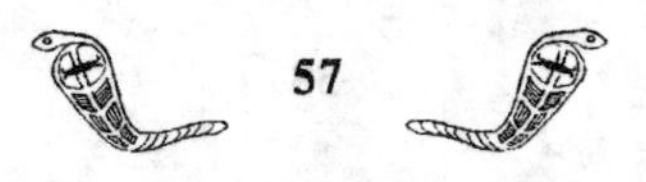

Истинное назначение пирамиды и символическое значение Сфинкса являются, пожалуй, самыми увлекательными загадками, оставленными древними египтянами нынешним обитателям этой страны, и не только им, но и всему современному человечеству. Но увлекательность этих загадок вполне соответствует их сложности.

Неужели этот египетский небоскреб и вправду возвели лишь для того, чтобы упокоить в нем мумифицированную плоть одного из фараонов, как это утверждают наши энциклопедии и внушают иностранным туристам облаченные в черные халаты арабские драгоманы? Неужели это огромное сооружение, сложенное из известковых блоков, привезенных из ближних каменоломен Туры, и гранитных глыб, выпиленных в дальних скалах Сиены, потребовалось только ради того, чтобы спрятать в нем одно завернутое в бинты мертвое тело? И более восьми миллионов кубических футов камня были с таким трудом доставлены к месту строительства и обтесаны под палящим африканским Солнцем только ради удовлетворения каприза одного царя? И два миллиона триста тысяч тщательно пригнанных друг к другу блоков, каждый из которых весит около двух с половиной тонн, нужны были только, чтобы спрятать под ними то, для чего хватило бы и дюжины таких камней? И, наконец, неужели прав был еврейский историк, назвавший пирамиды «величественными, но бесполезными монументами»?

Из того, что нам известно о власти фараонов и о представлениях египтян о загробной жизни, можно заключить, что такое объяснение вполне может соответствовать истине, хотя выглядит оно не очень-то правдоподобно. Но каждый историк знает, что внутри Великой пирамиды не было никакого гроба, нет трупа, не найдено никаких похоронных принадлежностей; хотя и существует предание, что один из

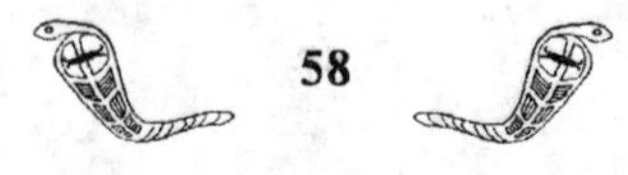

калифов установил возле входа в свой дворец резной деревянный ящик, в который была вложена мумия, и говорили, что этот ящик принесли из пирамиды. Но на внутренних стенах пирамиды нет ни длинных иероглифических надписей, ни резных барельефов и фресок, изображающих эпизоды из жизни усопшего, хотя подобные украшения встречаются во всех прочих каменных захоронениях Древнего Египта. Внутреннее убранство абсолютно бесцветно и лишено какого-либо орнамента, хотя фараоны обычно не скупились на подобные вещи, когда украшали свои гробницы. А от такого огромного погребального сооружения, разумеется, можно было ожидать поистине царского интерьера, но внутри нет почти ничего.

Очевидно, самым убедительным аргументом в пользу того, что это и в самом деле была гробница языческого монарха, послужил пустой, лишенный крышки ящик из красного гранита, лежавший на полу в Царской комнате. Это, судя по всему, и есть царский саркофаг, — заключают наши египтологи; и на этом вопрос полагается считать закрытым.

Но почему на стенках этого саркофага отсутствуют обычные в таких случаях тексты и картины на религиозные темы? Почему на нем нет ни единого слова и ни одной иероглифической надписи? Все прочие саркофаги, как правило, снабжены надписями или изображениями, посвященными их владельцам; так почему же пуст этот ящик, если он и вправду служил саркофагом одному из самых знаменитых египетских царей?

И для чего понадобились вентиляционные шахты, общей протяженностью свыше двух тысяч футов, соединяющие погребальную камеру, где находится этот предполагаемый саркофаг, с внешним миром? Мумиям не нужен свежий воздух, а рабочим не было нужды заходить в эту комнату после того,

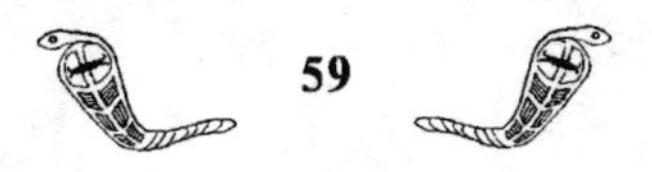

как они соорудили над ней крышу. Во всем Египте я не встречал более погребальных камер, предназначенных для царственных покойников, где были бы вентиляционные шахты.

И почему этот предполагаемый гроб был установлен в комнате, расположенной на высоте ста пятидесяти футов над землей, тогда как египетская традиция требовала, чтобы погребальная камера была вырублена где-нибудь в скале под поверхностью земли? В самом деле, практически во всем мире распространена практика хоронить покойников под землей, или, по крайней мере, на уровне земной поверхности. «Из праха рожденный в прах и отыдешь», — постоянно диктовала человеку Природа.

А зачем была построена Большая галерея, ведущая в Царскую комнату? Ее высота — свыше 30 футов, тогда как высота восходящего коридора, продолжением которого является эта галерея, всего лишь четыре фута. Для чего же понадобилась галерея, если доступ к гробнице вполне мог обеспечить все тот же восходящий коридор, конструкция которого, кстати сказать, намного проще (чем у галереи) и требует гораздо меньших затрат труда?

И еще — для чего рядом с первой комнатой была сооружена вторая, так называемая Комната царицы? Фараонов никогда не хоронили рядом со своими женами, а для одной мумии две комнаты не нужны. Если бы в Комнате царицы были традиционные для египетских гробниц фрески или надписи на стенах, ее можно было бы назвать вестибюлем перед Царской комнатой, но также как и последняя, она полностью лишена каких-либо украшений. И почему Комната царицы также снабжена вентиляционными шахтами (хотя их устья и были запечатаны на момент обнаружения)? Для чего строителям понадобилось утруждать себя подводом вентиляции к этим двум так называемым гробницам? Над этим следует

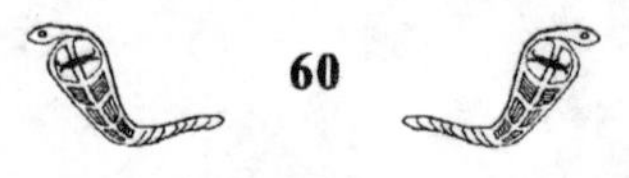

задуматься всерьез, поскольку напомним: покойники не дышат.

Нет! Человеку объективному и желающему узнать подлинную причину всех этих колоссальных затрат труда, времени, материалов и средств вряд ли следует ограничиваться теориями «царской гробницы» или «древнего пророчества», но необходимо найти какое-то иное объяснение.

* * *

Я часто и подолгу размышлял о тайне назначения пирамид, по многу часов подряд простаивая на окружающих их каменных развалинах или прогуливаясь по их мрачным залам и темным коридорам. Часто сидел я под палящим полуденным Солнцем на белых известковых блоках у подножия Великой пирамиды или же на мягком песке к востоку от нее, пытаясь разгадать ее загадку. Ряд за рядом изучал я каменную кладку в поисках хоть какого-нибудь ключа, исследовал пустоты и рассматривал общее расположение всех трех строений. Я распугивал крупных ящериц и огромных тараканов в редко посещаемых тоннелях Второй и Третьей пирамид. Короче говоря, я был столь упорен в своих исследованиях, что в конечном счете узнал эти древние строения, эти каменные монументы древнейшей египетской расы также хорошо, как комнаты своей собственной новой квартиры в Каире.

Чем ближе знакомился я со всеми деталями, тем большее восхищение они у меня вызывали; и чем понятнее становилось мне их строение, тем очевиднее было для меня их техническое совершенство.

То мастерство, с которым в эпоху, не знакомую еще с энергией пара и электричества, были осуществлены производство, транспортировка и установка огромных каменных блоков, из которых сложе-

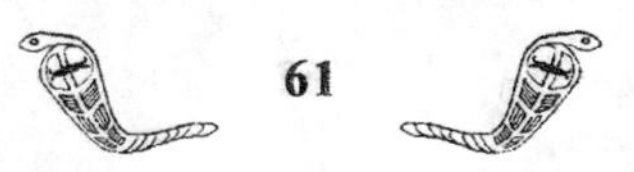

ны эти треугольные монументы незапамятной древности, не могло не вызывать моего восхищения. Здесь не катались по стальным рельсам паровые башенные краны, поднимая исполинские каменные блоки на положенную им высоту, ведь в те времена еще не было ни рельсов, ни башенных кранов.

По правде говоря, если бы какой-нибудь фараон и в самом деле решил оставить на удивление потомкам свою нестареющую гробницу, ему вряд ли удалось бы найти для нее более прочную архитектурную форму, чем пирамида. Широкое основание, покатые стены и сравнительно легкая вершина надежнее всего защитили бы его склеп от ветра, песка и времени, а заполненное многотонной каменной массой внутреннее пространство лучше всего сопротивлялось бы разрушительным намерениям людей.

И хотя нынешние небоскребы Нью-Йорка уже превзошли Великую пирамиду по высоте, неоспорим тот факт, что на протяжении всей известной истории и вплоть до самого недавнего времени она была самым высоким зданием, построенным руками человека. Все остальные здания выглядели в сравнении с ней просто лилипутами, к неописуемому восторгу древних и безграничному удивлению современных людей.

Подобно всем прочим, более ранним исследователям, я быстро заметил, что внутреннее устройство Первой пирамиды намного сложнее, чем двух других, и намного интереснее. Более того, сами ее размеры указывают на то, что именно она имеет наибольшую важность. Вследствие этого я очень скоро сконцентрировал свои исследования главным образом на ней, полагая, что именно в ней скрыта истинная тайна пирамид.

Я изучил Великую пирамиду при любом освещении, на различные формы и оттенки которого столь богата египетская природа. Первые лучи восходяще-

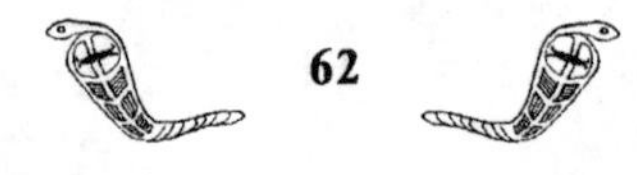

го Солнца окрашивают ее в серебристо-серый цвет, на закате она становится бледно-фиолетовой, а в мистическом свете полной Луны каждый камень — от основания до самой вершины — залит синеватым фосфоресцирующим свечением, опять-таки, с характерным серебряным оттенком.

И все же та Великая пирамида, которую мы видим сейчас, отлична от той, которую видели древние. Их пирамида была со всех четырех сторон покрыта ослепительно белым отполированным известняком, сиявшим ярким, отраженным солнечным блеском, физически обосновывая тем самым свое древнеегипетское название, которое как раз и означало *Свет*. Основания и боковые стороны этих облицовочных камней были обработаны с таким мастерством и с такой мозаичной точностью пригнаны друг к другу, что цементированные стыки между ними практически не были заметны. Это был каменный треугольник, причудливо и неожиданно возникавший на желтом ковре пустыни, сияющий, подобно гигантскому зеркалу, и потому видимый в лучах жаркого восточного Солнца на огромном расстоянии. И даже в конце двенадцатого столетия эти белые камни все еще оставались на своих местах, покрытые иероглифическими надписями, подвигнувшими мусульманина Абдул-Латифа на следующее восхищенное высказывание:

«Камни исписаны древними знаками, теперь уже никому не понятными. Я не встретил в Египте ни одного человека, который разбирался бы в них. Надписи столь многочисленны, что их копии, снятые с поверхности только двух пирамид, заняли бы не менее шести тысяч страниц».

Теперь ее некогда ровные грани похожи на ступени, и на них уже не осталось ни одной надписи, а из многих тысяч облицовочных камней на своем месте осталось лишь несколько голых блоков у са-

мого основания. По этим оставшимся камням можно судить, что облицовочный материал доставляли с гор Мокаттам, расположенных к юго-востоку от Каира. Через два года после визита Абдул-Латифа весь Египет был опустошен сильнейшим землетрясением, разрушившим до основания город Каир. И тогда арабы в поисках строительного материала для восстановления своего разрушенного города напустились на Великую пирамиду. Точно также в свое время турки и греки превратили гордый Парфенон в настоящую каменоломню и вывезли большую часть его камней для строительства собственных домов. Арабы алчно расхитили все отполированные белые блоки облицовки, несмотря на их скошенную форму, и увезли их в Каир. И сколько еще старинных домов, крепостей и мечетей египетской столицы по сей день скрывают в толще своих стен иероглифические надписи, некогда украшавшие все четыре грани Великой пирамиды? Часть великолепной мечети султана Хасана, признанной самой красивой из трехсот мечетей Каира, сложена как раз из этих облицовочных блоков.

Во всей пирамиде достаточно камней для того, чтобы выстроить из них средних размеров город — такое огромное количество материала ушло на ее сооружение. И арабы наверняка растащили бы ее всю, если бы не убедились в том, что на высвобождение каждого из титанических блоков, формирующих ее структуру, и его транспортировку уходит столько труда и времени, что это становится просто невыгодным, и не оставили эту затею как абсолютно безнадежную. Но прежде, чем они смогли это понять, они все же успели разобрать верхние ярусы кладки, лишив таким образом пирамиду ее вершины.

Даже тот вход, которым сейчас пользуются туристы, — вовсе не тот первоначальный вход, которым пользовались древние египтяне. Последний оставал-

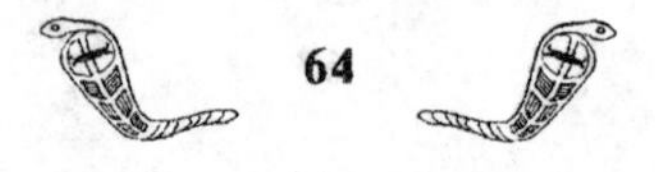

ся тайной — секретом, строго хранимым пирамидой, — на протяжении нескольких столетий, пока его вновь не открыл один настойчивый арабский правитель, потративший целое состояние и снарядивший целую армию работников для того, чтобы вырвать из цепких объятий пирамиды этот секрет ее запечатанного входа. Внутренние комнаты и переходы Великой пирамиды одинаково манили и греческих, и римских правителей, также как в свое время и непосвященных египтян, но с уходом римлян местоположение входа в нее было забыто, хотя и сохранилась легенда о его существовании.

Прошли века с того времени, как этот вход был закрыт и запечатан, пока его вновь ни открыли люди, привлеченные слухами о баснословных сокровищах, прервав тем самым безмятежный сон внутренних покоев пирамиды. Только в 820 году новой эры удалось снова отыскать его. Это произошло, когда калиф Аль-Мамун собрал своих лучших инженеров, архитекторов, строителей и мастеров на маленьком плато Гизе и приказал им открыть пирамиду. «О повелитель, сделать это невозможно», — сказали тогда его придворные. «Я непременно сделаю это», — ответил калиф.

Они работали, не имея ни плана, ни карты. Их направляла исключительно древняя традиция, утверждавшая, что вход находился на северной стороне. Для начала своего великого труда они, разумеется, выбрали центральную точку на северной стене пирамиды. И все время их подстегивало неусыпное присутствие самого калифа, желавшего проверить древнюю легенду о несметных сокровищах, скрытых внутри пирамиды забытыми фараонами. Видимо, не случайно отцом калифа был сам Харун Ар-Рашид, знаменитый персонаж «Тысячи и одной ночи».

Калиф Аль-Мамун не был обычным калифом. Он поручал своим ученым переводить на арабский язык

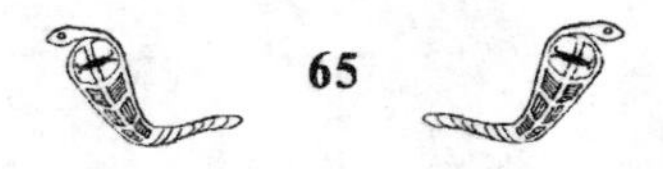

сочинения греческих мудрецов; он беспрестанно напоминал своим подданным о пользе учения, и сам с удовольствием участвовал в научных диспутах, устраивавшихся наимудрейшими мужами его страны.

Его имперской резиденцией был Багдад, но он покинул этот прославленный город, чтобы посетить Египет. Однако, вскоре после попытки открыть пирамиду, он вернулся в Багдад, где и завершил свой земной путь.

Видимо, строители Великой пирамиды заранее предчувствовали, что в один прекрасный день жадность человеческая попытается проникнуть внутрь возведенного ими сооружения, и потому сместили вход на несколько футов в сторону от центра стены и расположили его намного выше того места, где этого можно было бы ожидать по логике вещей. А в результате люди Аль-Мамуна несколько месяцев пытались проникнуть внутрь пирамиды, но так и не увидели ни единого намека на коридор или комнату; ничего, кроме сплошной каменной кладки. И если бы они надеялись только на силу молота и резца, их работа продлилась бы до конца царствования калифа, но так и не была бы завершена. Но им хватило смекалки разводить на камнях небольшие костры, а когда камни раскалялись докрасна, на них выливали холодный уксус. Так продолжалось до тех пор, пока камни не начинали трескаться. Даже сейчас можно заметить на поверхности пирамиды почерневшие, обуглившиеся блоки, которым удалось избежать молота и резца, но пришлось более тысячи лет назад претерпеть не менее тяжкие муки. Двое кузнецов ежедневно затачивали резцы, быстро тупившиеся от соприкосновения с огромными камнями, специальные деревянные машины помогали усталым людям пробиваться внутрь пирамиды, но настоящий вход, коридоры и комнаты так и не были обнаружены.

От работы в узком коридоре — на жаре и в пыли — люди задыхались, попытки пробиться сквозь несокрушимую толщу самой массивной в мире каменной кладки с помощью примитивных орудий того времени доводили их до полного изнеможения, а бесплодность этих попыток, ставшая единственной наградой за все усилия, вселяла в сердца уныние и отчаяние. Они прорубились внутрь пирамиды глубже чем на сотню футов и уже были готовы бросить свои инструменты, решившись на открытое неповиновение, чтобы не продолжать более эту бессмысленную работу, когда до их слуха донесся звук падающего тяжелого камня. Звук этот исходил изнутри пирамиды, совсем недалеко от того места, до которого им удалось довести свои раскопки.

В дело вмешалась судьба. Дальше люди работали уже с удвоенной энергией и вскоре нашли настоящий коридор. Великая пирамида была заново открыта.

Далее было уже несложно подняться вверх по коридору и найти потайную дверь: она была так искусно спрятана, что обнаружить ее с внешней стороны было бы практически невозможно. Разумеется, спустя столько столетий потайная дверь уже не открывалась, ее намертво заклинило. Сейчас этой двери уже нет, она исчезла во время тотального разграбления пирамиды, начавшегося после каирского землетрясения. А это была как раз одна из таких дверей, которые древние египтяне устанавливали у входа во многие возведенные ими здания мистического назначения. Это была подвижная каменная створка, всякий раз автоматически возвращавшаяся на свое прежнее место и с внешней стороны оформленная так, чтобы в точности походить на окружающую каменную кладку. Она представляла собою монолитный каменный блок, точно подогнанный к входному отверстию. Будучи закрытой, она была

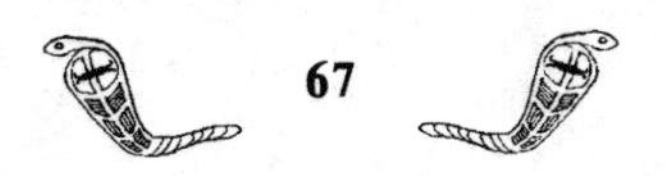

абсолютно неразличима с внешней стороны. Когда же ее открывали, она поворачивалась вокруг горизонтальной оси, открывая вход в коридор. Она была закреплена на стержне и идеально сбалансирована. Центр тяжести находился ниже стержня, но дверь была снабжена противовесом, иначе открыть ее было бы просто невозможно. Для того, чтобы открыть эту дверь, необходимо было толкнуть ее с одной стороны, а затем потянуть на себя с другой; причем толкать и тянуть надо было с большой силой, чтобы нижний край двери оторвался от пола и приподнялся во внешнюю сторону. Это позволяло посетителю на четвереньках проползти в пространство за дверью. Затем каменная створка возвращалась на прежнее место, полностью скрывая вход в потайной коридор.

Но даже это препятствие не было последним, потому что дальнейший путь наверх преграждала еще одна массивная, на сей раз деревянная, дверь, а следом за ней еще десяток дверей, и только пройдя их все, можно было попасть в Царскую комнату. Большинство дверей были деревянными, но среди них была и еще одна подвижная каменная створка с секретом. Сейчас из всех этих дверей не сохранилось ни одной.

* * *

Добравшись до настоящего коридора, люди Аль-Мамуна поняли, что их труд еще далек до завершения. Коридор заканчивался тупиком, его преграждала огромная гранитная глыба. Трудно было поверить в то, что вход в пирамиду и коридор были построены только для того, чтобы завести в тупик незваных гостей, и потому люди калифа попытались пробиться сквозь массивный гранитный барьер; но все их попытки закончились неудачей. Инструменты, которыми они располагали, ничего не смогли поделать

с каменной глыбой; строители пирамиды, должно быть, обошли весь Египет в поисках самого твердого камня, прежде чем остановили свой выбор на этом.

И вновь, к счастью для взломщиков, оказалось, что с одной стороны каменного блока к темному граниту был примешан белый известняк — гораздо более мягкий камень, через который легче было пробиться внутрь. Проходчики обратили на него свое внимание и с течением времени прорубили сквозь него тоннель параллельно гранитной глыбе. Пройдя таким образом несколько футов, они оказались по другую сторону барьера в следующем коридоре. И тут окончательно убедились, что вход в этот новый коридор был намеренно заткнут гигантской гранитной пробкой конической формы, весившей несколько тонн и тщательно подогнанной по форме к стенам.

Выяснилось, что новый коридор ведет вверх подобно тому, как первый вел вниз, то есть примерно под углом в двадцать шесть градусов. Слуги Аль-Мамуна поднялись вверх по этому узкому тоннелю — менее четырех футов в высоту и чуть более трех футов в ширину. И пока они не добрались до того места, где тоннель приобрел, наконец, горизонтальное направление, тусклый свет их факелов высвечивал лишь голые стены. Это место оказалось настоящим перекрестком, поскольку от него вел еще один восходящий коридор, в семь раз выше прежнего, а также нисходящая узкая шахта, терявшаяся где-то в глубине пирамиды.

Продолжая свой путь по горизонтальному коридору, согбенные и низко склонившие головы (из-за нависающего потолка) исследователи добрались, наконец, до большой комнаты, которая, к их глубокому разочарованию, была абсолютно пустой. Стены были совершенно голыми, лишенными каких бы то

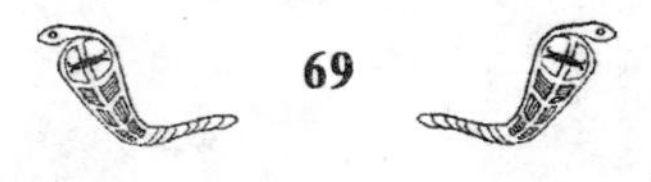

ни было изображений, и лишь проем с восточной стороны оставлял слабую надежду на то, что хоть какие-то сокровища здесь, возможно, удастся найти. Чтобы добраться до него, им пришлось соорудить некоторое подобие платформы. Только тогда они смогли протиснуться в грубо сработанный коридор — настолько низкий, что им пришлось ползти по нему, подобно змеям. Но проход вдруг оборвался, упершись в непроницаемую каменную сердцевину пирамиды, и хотя в более поздние времена его размеры были значительно увеличены, единственным сокровищем, которое там удалось отыскать, были все те же известковые блоки.

Тогда люди Аль-Мамуна вернулись к «перекрестку» и приступили к исследованию высокого коридора, впоследствии названного Большой галереей. Его покатая крыша была оригинальным образом сооружена из семи рядов положенных друг на друга внахлест каменных плит. Пол в высоком коридоре поднимался вверх под тем же самым углом, что и в предыдущем. Людям пришлось преодолеть сто пятьдесят футов непрерывного подъема по ровному скользкому полу между двумя отполированными гранитными стенами, по краям которых были выдолблены длинные каменные скамьи. Но в конце галереи путь им неожиданно преградил высокий уступ. Люди взобрались на него и, пройдя по ровному полу узкого и низкого коридора, достигли Вестибюля. Еще несколько шагов вперед, низкий поклон перед мощной подъемной решеткой, и первопроходцы оказались в большой комнате, расположенной в самом сердце пирамиды — на одинаковом расстоянии ото всех ее граней. Эту камеру они впоследствии назвали Царской комнатой, тогда как первое из найденных помещений окрестили Комнатой царицы. Однако сами древние египтяне никогда не пользовались такими названиями.

Стены Царской комнаты были выложены огромными прямоугольными плитами из темного гранита, а потолок ее составляли девять балок колоссальных размеров из того же самого материала — они и теперь считаются самыми большими камнями во всей пирамиде. Только один из них весит семьдесят тонн. Как же строителям пирамиды удалось установить здесь, в двухстах футах над землей, эти камни, не имея в своем арсенале нынешних — паровых и электрических — подъемных устройств? Над этой загадкой до сих пор ломают голову многие архитекторы, но пока безуспешно.

А калифа Аль-Мамуна и его людей ожидало новое разочарование. Ведь в этой комнате тоже было пусто, если не считать одного открытого каменного гроба. В гробу же не было ничего, кроме пыли.

Им казалось невероятным, что древние египтяне, построив такое циклопическое сооружение как пирамида, оставили его абсолютно пустым и бесполезным; и потому, гонимые неистовым желанием отыскать спрятанные сокровища, они в лихорадочной спешке искромсали в комнате часть каменного пола, прорубили нору в одном из ее углов и исполосовали киркой ее прочные стены, но все безрезультатно. Они так и не смогли перехитрить мудрых строителей пирамиды и в конце концов отступили — сбитые с толку, раздосадованные и разочарованные.

Для дальнейших исследований оставалось еще два возможных направления — подземное продолжение ведшего вниз входного коридора и уходившая в глубину пирамиды узкая шахта. Занявшись первым, они проникли в узкий, пробитый в скальном основании пирамиды тоннель, спуск по которому не занял много времени, так как их ноги сами скользили вниз по его гладкому полу. Протяженность тоннеля составляла не менее трехсот пятидесяти футов, а заканчивался он грубо отделанной комнатой с таким

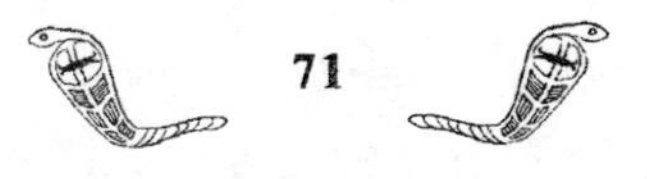

низким потолком, что до него можно было дотянуться рукой, а ее недоделанный каменный пол был таким неровным, что людям приходилось не идти, а карабкаться по нему. Это помещение исследователи назвали Ямой. В ней не было ничего, кроме пыли и обломков. В дальнем конце комнаты обнаружился еще один прорезанный в скале маленький коридор; в него можно было заползти только по-змеиному — лежа на животе, при этом лицо находилось всего лишь в нескольких дюймах от пола. Но и этот подземный тоннель никуда не вел, завершаясь опять-таки первозданной скалой.

Теперь оставалась только шахта. Она шла вниз почти отвесно, и потому исследовать ее можно было, лишь опустив в ее непроглядную тьму на веревке одного человека. В шестидесяти футах от начала ствола обнаружилась небольшая комната, по сути дела — просто грубо сработанное расширение в стволе шахты. Отверстие в полу комнаты оказалось продолжением шахты, которая вела вниз, казалось, до бесконечности. Она напоминала глубокий колодец, именно таковой ее и сочли люди Аль-Мамуна. Довести ее исследование до конца они так и не смогли.

А несметные сокровища, которыми, как они полагали, забита пирамида, оказались мифом.

Так завершилось грандиозное вскрытие Великой пирамиды, предпринятое калифом Аль-Мамуном. Начитанные арабы могут поведать вам множество вариантов этой истории, но то, что в основе своей она вполне достоверна, не оставляет сомнений.

* * *

Над изувеченной вершиной пирамиды пронеслось несколько столетий с тех пор, как сын Харуна Ар-Рашида пробил в нее вход с северной стороны. Событие это вскоре обросло всевозможными легенда-

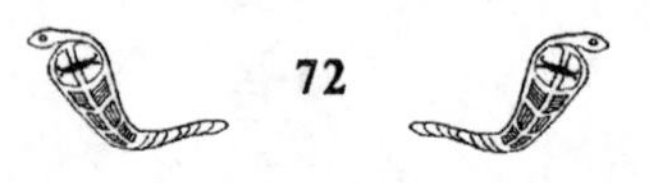

ми о потусторонних силах и суеверными страхами, и потому арабы избегали заходить внутрь пирамиды, как избегают близкого общения с прокаженным. Лишь немногие отчаянные храбрецы осмеливались заглянуть в ее глубины. Большинство же ее мрачных коридоров и пустых комнат так и остались непотревоженными, и ничто не нарушало их царственной тишины. Только во второй половине восемнадцатого столетия — после того как в окрестных песках стали появляться невозмутимые, практичные и свободные от предрассудков европейцы, в этом древнем сооружении вновь послышались звон резца и глухие удары молота, направляемые рукой исследователя.

Предприимчивый Натаниэль Дейвисон — консул Ее британского Величества в Алжире в шестидесятых годах восемнадцатого века — взяв длительный отпуск, отправился в Египет, где его внимание привлекла Великая пирамида. Он знал, что древние египтяне клали в гробницы своих знаменитых покойников некоторое количество драгоценностей. И знал также, что пирамиды принято считать гигантскими гробницами.

Ему удалось заметить странное эхо внутри пирамиды: когда он громко кричал, стоя на пороге Царской комнаты, эхо отвечало ему не один, а несколько раз. Он предположил, и вполне обоснованно, что где-то за гранитными стенами этой мрачной комнаты скрыто еще одно помещение. И вполне вероятно, что именно в этом помещении спрятана завернутая в бинты мумия с принадлежащими ей драгоценностями.

Он нанял несколько рабочих и приступил к исследованиям. Пол в Царской комнате уже был бессмысленно исковеркан людьми Аль-Мамуна много веков назад; и к тому же эхо голоса Дейвисона доносилось откуда-то сверху. Поэтому начать он решил с потолка. Тщательное обследование планиров-

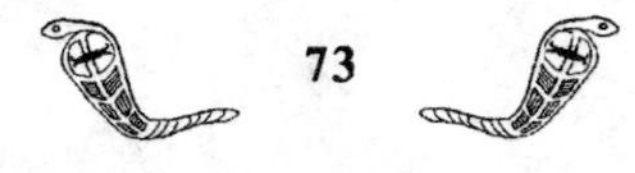

ки комнаты и прилегающих к ней коридоров подсказало ему, что наиболее простой путь наверх лежит через верхний ярус кладки в восточной стене Большой галереи. Там легче всего было проделать отверстие, чтобы затем проникнуть через боковую стену в верхнее помещение, если оно действительно существовало. Дейвисон раздобыл высокую лестницу, чтобы осмотреть это место, и к своему удивлению обнаружил, что там уже есть отверстие — достаточно широкое, чтобы он смог сквозь него проползти.

Оно вело как раз в то самое верхнее помещение, двадцати футов в длину, расположенное в точности над Царской комнатой. Потолок его был настолько низок, что Дейвисону приходилось ползать по нему на коленях в поисках манивших его сокровищ. Но, увы, и эта комната была абсолютно пуста.

Дейвисон вернулся в Алжир, не обретя ничего, кроме сомнительной славы первооткрывателя этой новой комнаты, которой присвоили его имя пришедшие вслед за ним археологи.

Его последователь появился в пирамиде лишь к началу девятнадцатого века. Это был довольно необычный исследователь, сочетавший в себе качества мистика, археолога и мечтателя. Итальянец — капитан Кавийя — провел в этом древнем сооружении столько времени, что даже сам, по его же собственным словам, уподобился пирамиде. Лорд Линдсей встретил его во время своей поездки в Египет и написал домой в Англию:

«Кавийя сообщил мне, что довел свои познания в области магии, животного магнетизма и прочего до такой степени, что это едва не убило его. Он приблизился, по его собственным словам, к самому порогу того, что запрещено знать человеку, и только чистота помыслов помогла ему спастись... У него возникают какие-то странные, не от мира сего,

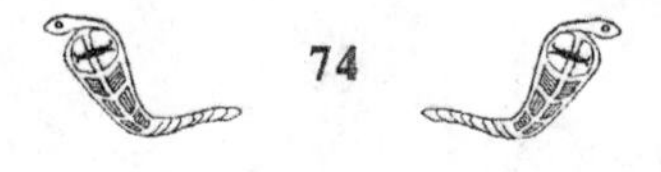

идеи. Он сказал мне, что приобщение к ним чрезвычайно опасно».

Занимаясь своими археологическими изысканиями, Кавийя даже жил некоторое время в Комнате Дейвисона, превратив таким образом этот зловещий тайник в свою резиденцию!

Но Кавийя не ограничил свою деятельность Великой пирамидой. Он изучил также и Вторую, и Третью пирамиды, обследовал захоронения, расположенные между ними и Сфинксом, откопав несколько интересных саркофагов и мелких реликвий древнего Египта.

А примерно в то самое время, когда одна молодая красивая девушка совершенно неожиданно для себя вдруг оказалась коронованной как английская королева Виктория, судьба послала в Египет галантного британского офицера, типичного английского джентльмена и состоятельного покровителя Британского музея. Единой во всех этих трех лицах персоной был полковник Говард Вайз. Он нанял сразу несколько сот рабочих и с их помощью произвел самые крупномасштабные раскопки из всех, что все три пирамиды и прилегающие к ним территории могли видеть за последнюю тысячу лет, то есть со времен калифа Аль-Мамуна. На первых порах он попытался воспользоваться помощью Кавийи, но темперамент экзальтированного итальянца и врожденная чопорность англичанина не могли не вступить в конфликт, и эти двое вскоре расстались.

Полковник Вайз не задумываясь выложил 10000 фунтов на эти египетские раскопки, а все их вещественные результаты подарил Британскому музею. Ящики с уникальными реликвиями отправились за моря, но самое интересное открытие полковника так и осталось в Египте. Хотя и не без труда, и с риском для жизни, он все же смог обнаружить еще четыре комнаты в Великой пирамиде: они были рас-

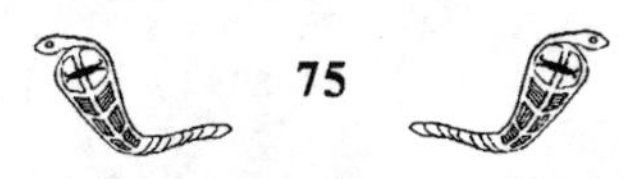

положены одна над другой и непосредственно над Комнатой Дейвисона. Пробивая снизу вверх через каменную кладку узкий коридор, его рабочие ежеминутно подвергались риску падения с высоты тридцати футов. Все эти комнаты были такими же маленькими и низкими, как и комната Дейвисона. И все они были также пусты, в них не было ничего, кроме пыли.

После того, как все комнаты были открыты и исследован сложенный из наклонных известковых балок островерхий потолок самой верхней из них, назначение всего этого сооружения из пяти низких помещений стало понятным. Их построили для того, чтобы облегчить нагрузку, которую необходимо должен был испытывать потолок Царской комнаты под тяжестью нескольких тысяч тонн положенных на него сверху каменных блоков: верхние комнаты играли роль амортизирующего устройства. И не только это: они также предохраняли пол в Царской комнате от падения на него камней с потолка в маловероятном случае сильнейшего землетрясения, которое смогло бы расплющить тело пирамиды. В этом случае они сыграли бы роль идеального буфера, который принял бы на себя оседающие при землетрясении плиты и спас бы таким образом Царскую комнату от гибели под тяжестью огромной каменной массы. И тысячи лет, прошедшие со времени построения пирамиды, явились достаточно долгим испытательным сроком для подтверждения надежности и гениальности этого архитектурного решения.

Но самым интересным открытием, которое сделал Вайз в пирамиде, стала первая и единственная серия иероглифических надписей. До сих пор внутри пирамиды не было найдено ни единой надписи, тогда как иероглифы на внешних гранях пирамиды исчезли вместе с ее облицовкой. В пяти вспомогательных комнатах на грубой каменной поверхности сохранились надписи-клейма, оставленные каменотесами, работавшими в каменоломнях. В состав этих надписей входят картуши — группы иероглифов, заключенные в овальные рамки — с тремя царственными именами: Хуфу, Хнем-Хуфу и Хнем. Эти надписи не были высечены в камне, а просто нарисованы красной краской, как и большинство подобных же клейм древнеегипетских каменотесов.

Египтологи могли лишь строить догадки относительно имени Хнем, они никогда не слышали о египетском фараоне с таким именем. И появлению этого имени на камнях пирамиды они не могли дать никакого вразумительного объяснения. Но им было хорошо известно имя Хуфу — этого фараона Четвертой династии, которому последующие греческие историки, к несчастью, присвоили имя Хеопс. Это открытие Вайза позволило египтологам окончательно установить для себя время создания пирамиды — ее построил Хуфу, и никто другой.

Но нигде во всей пирамиде мумия Хуфу так и не была найдена.

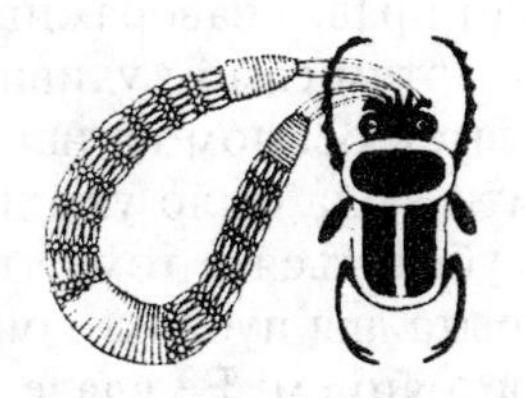

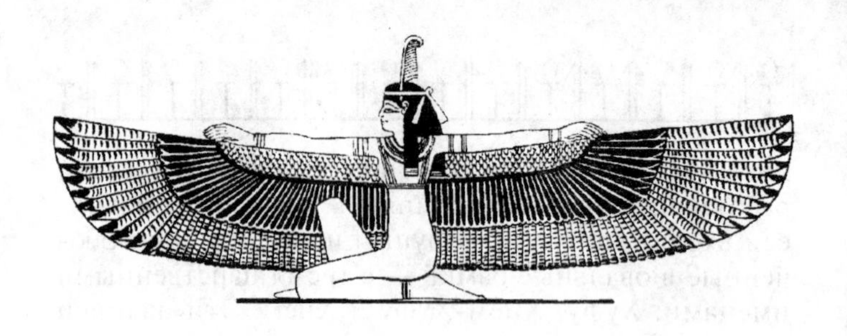

Глава 4

НОЧЬ В ВЕЛИКОЙ ПИРАМИДЕ

Пробудившись ото сна, каирские кошки раскрыли зеленые глаза, широко зевнули и грациозно вытянули мягкие лапы на максимально возможную длину. Надвигались сумерки, а вместе с ними начиналась настоящая жизнь — задушевные беседы, поиски пищи, ловля мышей, уличные драки и, конечно же, любовь. И я с наступлением сумерек вовсе не собирался отходить ко сну, но занялся до крайности странным, хотя и не слишком беспокойным делом.

Я решил провести всю ночь в Великой пирамиде — сидя в Царской комнате и непрерывно бодрствуя на протяжении всех тех двенадцати часов, когда африканским миром правит завораживающая темнота. И вот я здесь — в этом самом удивительном убежище, когда-либо выстроенном на нашей планете.

Просто прийти сюда было уже делом нелегким. Мне пришлось убедиться в том, что хотя Великая пирамида и открыта для публики, она все же не стала всеобщим достоянием. Ее владельцем было египетское правительство. Оказалось, что прийти сюда и провести по своему разумению целую ночь в одной из ее комнат было столь же недопустимым, как вломиться в чужой дом, чтобы провести ночь по собственному выбору в одной из его спален.

Просто для того, чтобы войти внутрь пирамиды, необходимо было сперва приобрести в департаменте древностей соответствующий билет, стоимостью в пять пиастров. И аз грешный тоже направился в департамент древностей и, ничтоже сумняшеся, обратился там за разрешением провести ночь в Великой пирамиде. Обратись я за разрешением слетать на Луну, и тогда на лице беседовавшего со мною чиновника, пожалуй, не возникло бы такой гримасы полного непонимания.

Мне пришлось дать краткое, но вдохновенное обоснование своей просьбы. Изумление чиновника сменилось благодушной веселостью, он улыбнулся. Я почувствовал, что выгляжу в его глазах готовым претендентом на отдельную койку в известном заведении, завсегдатаем которого мало кто согласился бы стать по доброй воле. И вот наконец:

— Ко мне еще никто не обращался с подобной просьбой. Боюсь, что выдача такого разрешения не в моей компетенции.

Он направил меня к более важному чиновнику того же самого департамента, и комическая сцена, сыгранная в первом кабинете, повторилась заново во всех подробностях. Я почувствовал, как мой оптимизм начал понемногу высыпаться через края моих ботинок.

— Это невозможно! — добродушно, но твердо заявил второй чиновник в полной уверенности, что к нему явился тихо помешанный. — Неслыханная вещь. Я сожалею.., — здесь ему не хватило слов, и он просто пожал плечами, после чего поднялся со стула, чтобы отвесить мне поклон и тем самым выпроводить за дверь.

Но тут оказалось, что хотя моя журналистская и редакторская выучка и пребывала последние не-

сколько лет в спячке, все же пока не умерла и более того — решила учинить настоящий бунт. Я начал спорить с чиновником, искать другие обоснования своей просьбе. Я настаивал и даже пообещал, что никуда не уйду из его кабинета. Наконец, он попытался выпроводить меня, заявив, что решение этого вопроса не входит в компетенцию департамента древностей.

Тогда я спросил, кто же, в таком случае, в состоянии решить мою проблему. Он не смог дать мне вразумительного ответа, но на всякий случай посоветовал обратиться в полицию.

Я понимал, что моя просьба в лучшем случае выглядит несколько эксцентричной, а в худшем — похожа на бред сумасшедшего. И все же я не мог от нее отказаться. Видимо, эта идея и в самом деле стала для меня навязчивой.

В полицейском управлении я отыскал отдел разрешений, где в третий раз за день мне пришлось просить позволения провести ночь в пирамиде. Но и здесь чиновник не знал, что со мной делать и тоже отправил меня к своему начальнику. Последний попросил у меня немного времени для консультации. Когда же я вернулся к нему на следующий день, он направил меня в департамент древностей!

Я вернулся домой, уже почти потеряв надежду когда-либо достичь своей цели.

Но какой бы избитой ни была поговорка — «Для того и созданы трудности, чтобы их преодолевать» — она, по всей вероятности, не стала от этого менее справедливой. Моим следующим шагом стал поиск встречи с добродушным комендантом каирской полиции. Его звали Аль-Лева Расселл-паша. Из его кабинета я вышел вместе с письменным распоряжением начальнику полиции того округа, к которому была приписана пирамида, оказывать мне всяческое содействие в реализации моего проекта.

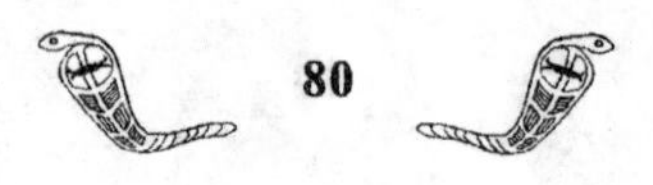

И вот однажды под вечер я предстал перед начальником отделения полиции Мины майором Маккерси. Я расписался в предложенной мне книге, что обязывало теперь местную полицию нести ответственность за мою безопасность до самого начала следующего дня. Участковому констеблю было приказано сопровождать меня до самой пирамиды, где он должен был дать необходимые инструкции другому вооруженному полицейскому, охраняющему пирамиду ночью с наружной стороны.

— Оставляя Вас внутри на всю ночь одного, мы идем на определенный риск, — с притворной серьезностью заявил майор Маккерси, подавая мне на прощание руку, — но надеюсь, Вы не собираетесь взрывать пирамиду?

— Более того, я даже могу обещать Вам, что не попытаюсь скрыться вместе с ней! — ответил я.

— Боюсь, нам все же придется запереть Вас снаружи, — добавил майор, — мы всегда запираем пирамиду на ночь железной решеткой. Так что для Вас это будет двенадцатичасовой арест.

— Прекрасно! О такой камере я мог только мечтать.

* * *

Дорога, ведущая к пирамидам, прячется в тени деревьев *леббек*. Время от времени между ними проглядывают дома. Наконец, дорога сворачивает по направлению к плато пирамид и круто взбирается вверх по его склону. Приближаясь к пирамидам, я думал о том, что за последние несколько столетий лишь очень немногие люди из бесконечного потока паломников направлялись к ним со столь же необычной целью, что и я.

Я взобрался на невысокую гору на западном берегу Нила и увидел Великую пирамиду и ее верного Сфинкса — молчаливых стражей Северной Африки.

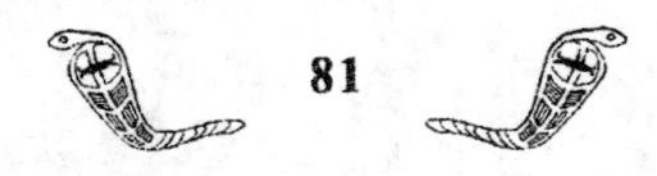

И пока я шагал по смеси камней и песка, впереди все время маячил темный силуэт гигантского монумента. Я еще раз внимательно посмотрел на треугольный пик самого древнего из известных ныне архитектурных сооружений, на его огромные блоки, уменьшающиеся по мере приближения к вершине по законам перспективы. Абсолютная простота конструкции, полное отсутствие каких-либо украшений или изогнутых линий отнюдь не уменьшают его царственного великолепия.

Я вошел в безмолвную пирамиду сквозь зияющее отверстие, пробитое в ее стене по приказу калифа Аль-Мамуна, и принялся за изучение циклопической каменной кладки — по правде говоря, уже далеко не в первый раз, но впервые со столь необычной целью, побудившей меня вновь приехать в Египет. Через несколько шагов горизонтальный тоннель закончился, и я вступил в настоящий коридор Великой пирамиды.

Согнувшись в три погибели и с фонариком в руках, я направился вниз по длинному, низкому, крутому, узкому и скользкому коридору. Двигаться в такой позе было крайне неудобно, но идущий под уклон каменный пол настойчиво увлекал меня вниз, все более ускоряя мои шаги.

Я решил начать свое пребывание в пирамиде с обследования нижнего ее этажа, доступ в который был уже в наше время перекрыт железной решеткой, чтобы, проникнув туда, посетители не пострадали от недостатка воздуха. Мне вспомнилась вдруг древняя латинская фраза — «Facilis descensus Averni»[1] — но на сей раз эти слова показались мне исполненными мрачного сардонического юмора. В желтоватом све-

[1] «Facilis descensus Averni» (*лат.*) — «Легок спуск через Аверн», то есть путь в подземное царство (Авернское озеро у города Кумы в Кампании считалось преддверием подземного царства).

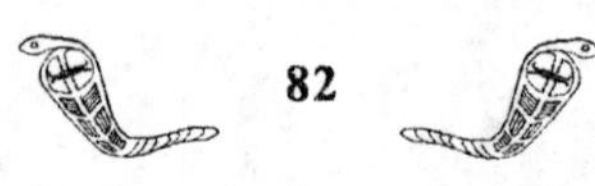

те фонарика я видел лишь обтесанный каменный пол у себя под ногами — ровную поверхность скалы, в которой был пробит этот проход. Когда же, наконец, справа от меня показалась небольшая ниша, я сразу же поспешил свернуть туда, чтобы выпрямиться во весь рост хотя бы на пару минут. Я быстро догадался, что эта ниша была на самом деле устьем почти перпендикулярной шахты, так называемого Колодца, вершина которого находилась у перекрестка восходящего коридора и Большой галереи. Это старое название шахты сохранилось по сей день, поскольку на протяжении почти двух тысячелетий считалось, что на дне ее действительно есть вода. Только когда Кавийя очистил этот спуск от набившихся в него обломков, стало понятно, где находится дно шахты и что никакой воды в ней нет.

Шахта была еще более узкой, чем тот коридор, из которого я только что выбрался, и напоминала безобразную, грубо сработанную нору, зиявшую во чреве скалы. Я разглядел небольшие углубления по обеим сторонам шахты, расположенные параллельно друг другу. Вероятно, они должны были служить опорами для рук и ног на тот случай, если бы кто-то, подобно мне, решился на опасное восхождение по ее стволу.

Поднимаясь вверх, шахта была поначалу довольно неровной и извилистой, пока не достигла высеченной в скале комнаты, имевшей форму чаши. Теперь эту комнату называют Гротом, она отмечает тот уровень, где Колодец достигает поверхности плато, на котором выстроена пирамида. Говорят, что Грот представляет собою лишь слегка расширенное естественное углубление, находившееся некогда на поверхности этого плато. Последующее продолжение Колодца, похоже, было пробито сквозь каменную кладку, а не оставлено строителями заранее. (Этим Колодец отличается от прочих надземных переходов

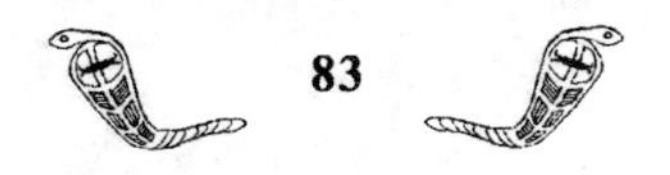

пирамиды). Надземная часть Колодца гораздо шире нижней в диаметре, и потому взбираться по ней вверх было намного сложнее, чем по более узкой шахте книзу от Грота.

Но вот, наконец, я выбрался наверх из неровного, с изломанными краями отверстия, служившего верхним входом в шахту, и очутился возле северо-западной оконечности Большой галереи.

Когда и для чего прорыли этот тоннель сквозь каменную толщу пирамиды? Этот вопрос возник у меня непроизвольно. Я начал размышлять над ним, и вдруг меня осенило. Эти древние египтяне завершили целую эпоху в жизни пирамиды, когда перекрыли вход в верхние комнаты и в Большую галерею тремя огромными гранитными пробками; но они должны были предварительно приготовить для себя путь к отступлению, в противном случае они сами не смогли бы потом выбраться из пирамиды.

Мои прежние исследования привели меня к выводу, что шахта и Грот были построены одновременно со всей пирамидой, однако тогда Колодец достигал только Грота и не спускался ниже. На протяжении тысячелетий прямого сообщения между верхними и подземными коридорами не существовало.

Когда пирамида выполнила свое таинственное предназначение, те, кто нес за нее ответственность, просто запечатали ее. Такая возможность, очевидно, была предусмотрена строителями с самого начала, ибо они заблаговременно приготовили для этого все необходимые материалы и даже оставили небольшое сужение в нижней части восходящего коридора, чтобы оно удерживало три гранитные пробки.

Запечатывая пирамиду, ее последние посетители одновременно пробили сквозь скалу нижнюю часть Колодца, через которую потом покинули пирамиду сами. Когда же работа была закончена и они выбрались из внутренних комнат, оставалось лишь надеж-

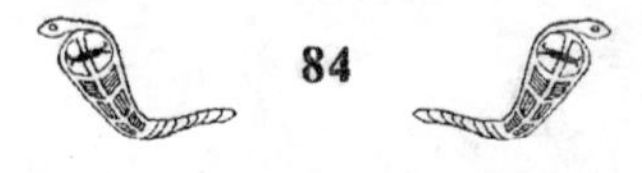

но замуровать выход из только что пробитого тоннеля — в той точке, где он пересекался с нисходящим коридором, а затем подняться вверх по этому 300-футовому наклонному коридору прямо к выходу. Таким образом Колодец, первоначально построенный для нисхождения в Грот, стал впоследствии служебным выходом из запечатанной пирамиды.

Более простым и коротким путем я вернулся назад к наклонному тоннелю, соединяющему внутренние помещения пирамиды с внешним миром, чтобы еще раз повторить свой путь вниз, вглубь каменного плато Гизе. Но возле развилки дорогу мне преградила огромная тень. От неожиданности я попятился назад и только тогда понял, что это моя собственная тень. В этом загадочном месте можно было ожидать чего угодно. Здесь ничто не показалось бы чересчур сверхъестественным. С трудом преодолев оставшуюся относительно небольшую часть пути (временами мне приходилось двигаться по скользкому полу даже на четвереньках), я все же добрался до окончания спуска и вышел на ровную поверхность. Правда, тоннель в этом месте стал еще более низким. Я прополз вперед еще ярдов десять и оказался, наконец, у открытого входа в самое необычное помещение из всех, что мне когда-либо доводилось видеть. Это был так называемый Провал. В самой вытянутой своей части он не превышал пятидесяти футов в длину от стенки до стенки.

Этот мрачный склеп, лежащий точно под центром пирамиды, производил впечатление так толком и не доведенного до ума начинания. Все здесь выглядело так, будто строители только начали высекать в скале помещение, но неожиданно бросили свою работу. Потолок был доведен до конца, но пол был похож скорее на фронтовую траншею, подвергшуюся ожесточенной бомбардировке. Древнеегипетские каменщики обычно начинали строить подземные склепы

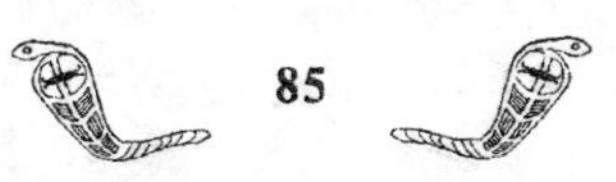

с потолка, добираясь до пола лишь к концу работы. Отчего же строительство этого подвального помещения так и не было завершено, если впоследствии все равно была произведена колоссальнейшая работа по сооружению верхней, надземной части пирамиды? Этот вопрос и по сей день остается крепким орешком, который не под силу раскусить ни одному археологу. Но, по правде говоря, абсолютно вся пирамида представляет собою точно такой же орешек.

Я попытался осветить фонариком густую темноту склепа, сфокусировав луч в самом центре пола. Придвинувшись ближе, я застыл над краем глубокой зияющей ямы — молчаливого подтверждения давнего визита искателей сокровищ, настойчиво, но напрасно выдалбливавших эту яму внутри Провала. Тут я почувствовал на затылке неприятное прикосновение крыла пролетавшей мимо летучей мыши, огласившей безмолвное пространство подземелья своим пронзительным криком. Заглянув в яму, я заметил, что свет моего фонарика потревожил сон еще трех летучих мышей: они висели вверх ногами, зацепившись коготками за ее грубо обработанные края. Я отодвинулся в сторону и тем разбудил еще двух мышей, висевших на потолке. Растерянные и испуганные немилосердно направленным прямо на них светом фонаря, они принялись носиться из угла в угол по комнате, пока, наконец, не пропали во тьме коридора.

С трудом пробираясь по неровному полу, я коекак добрался до дальней части комнаты, где увидел уходящий вглубь стены маленький горизонтальный тоннель. Его ширины было достаточно только для того, чтобы пропустить внутрь одного человека, а высота позволяла только ползти, вжавшись всем телом в его каменный пол. Этот пол был покрыт толстым слоем тысячелетней пыли, так что путешествие по нему не обещало быть приятным. И я отважился на него лишь для того, чтобы довести свое исследование до самого конца. Углубившись в скалу ярдов на двадцать, я увидел перед собой тупик, — и этот тоннель, по всей видимости, тоже не был достроен до конца.

Задыхаясь от недостатка воздуха, я выбрался обратно и вновь оказался в душном Провале. Оглядев еще раз напоследок это помещение, я начал повторное восхождение на верхние ярусы пирамиды. Достигнув снова входа в низкий тоннель, на сей раз ведущий под углом вверх, я растянулся прямо на каменном полу и посмотрел в его жерло. Это был прямой, как стрела, коридор, протяженностью в триста пятьдесят футов, проложенный сквозь толщу скалы в нижней его части, и далее — достроенный в самой пирамиде. На другом конце тоннеля я увидел, как сквозь огромный, но лишенный линз телескоп, черное ночное небо. На этом кусочке индигово-синего небосвода ясно выделялась мерцающая серебристая точка — Полярная звезда. Я сверил направление по ручному компасу, тоннель был ориентирован строго на север. Эти древние строители работали не только много, но и аккуратно.

Я долго карабкался вверх по крутому склону и наконец добрался до горизонтального коридора, ведущего в Комнату царицы. Еще дюжина или чуть более шагов, и я уже стоял под ее треугольной крышей, две наклонных половины которой сходились как раз в центре потолка. Я внимательно осмотрел две вентиляционные шахты, поднимавшиеся под углом вверх — к южной и к северной стене. Они являются самым убедительным доказательством того, что эта комната никогда не служила гробницей, но предназначалась для иных целей. Когда эти шахты были обнаружены в 1872 году, факт их существования очень многих привел в замешательство. Но еще более удивительным было то обстоятельство, что они

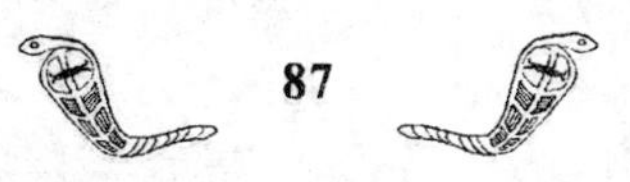

прерывались всего лишь в пяти дюймах от стены комнаты и, видимо, поначалу вовсе до нее не доходили. Следовательно, в том состоянии, в котором их обнаружили, они никак не могли служить для доступа свежего воздуха; поэтому было решено, что они выполняли какую-то иную функцию, но вот какую — пока неизвестно. Но самое правдоподобное объяснение выглядит так: в свое время эти вентиляционные шахты использовались по назначению, но затем, как и все верхние коридоры, были тщательно замурованы каменными блоками соответствующей формы.

Уэйнман Диксон — гражданский инженер, в то время работавший на строительстве где-то возле Великой пирамиды, — случайно обнаружил эти трубы, когда из простого любопытства обследовал Комнату царицы. Он заметил на стене небольшую трещину и обратил внимание на то, что в этом месте стена гулко отзывалась на стук, словно за ней была пустота. Он начал долбить стену и в пяти дюймах от поверхности обнаружил вход в шахту. А затем точно таким же способом отыскал и второй ствол на противоположной стене. Обе шахты пронизывали пирамиду насквозь: этот факт был доказан позже при помощи зондов, которые пришлось вытянуть на расстояние почти двухсот футов.

Я вернулся в горизонтальный коридор и дошел до его пересечения с Большой галереей. А затем последовали сто пятьдесят футов медленного восхождения к вершине галереи вдоль ее оснащенных «скамейками» стен. Во время подъема я ощутил легкую слабость — следствие трехдневного поста, но остановился на несколько секунд передохнуть, только когда достиг трехфутовой высоты ступени, отмечавшей конец подъема. Эта ступень была сооружена как раз на вертикальной оси пирамиды. Несколько шагов через Вестибюль, вынужденный поклон перед уста-

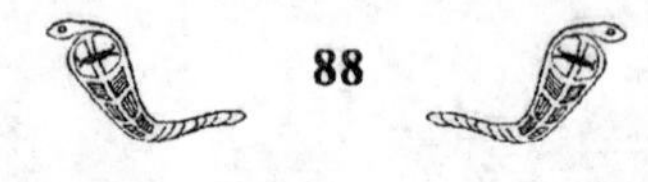

новленной в пазах боковых стен гранитной глыбой, замыкающей выход из этого горизонтального помещения, и я очутился в самом знаменитом внутреннем сооружении пирамиды — в ее Царской комнате.

* * *

И здесь погребальная теория была «похоронена» стараниями двух вентиляционных труб, толщиной примерно в девять квадратных дюймов каждая. Их входящие в комнату устья не запечатывались, в отличие от Комнаты царицы, но были наглухо забиты каменной крошкой, так что полковнику Вайзу пришлось расчищать их, когда он решил выяснить предназначение этих стволов. И есть все основания полагать, что засыпаны они были как раз в то время, когда были замурованы и спрятаны все прочие внутренние каналы и переходы в надземной части пирамиды.

Я осветил фонарем голые стены и плоский потолок и в очередной раз подивился той ювелирной точности, с которой эти громадные отполированные гранитные блоки были подогнаны друг к другу, после чего приступил к неспешному обходу стен, тщательно изучая каждый отдельный камень. Чтобы изготовить такие блоки, привезенные из Сиены розоватые глыбы приходилось распиливать пополам. Стены и пол комнаты были покрыты шрамами, оставленными искателями сокровищ в их бесплодных стараниях. Возле восточной стены исчезли несколько плит, и на их месте была насыпана каменная крошка, а глубокая прямоугольная яма с северо-западной стороны так и осталась незаполненной. Продолговатый грубый каменный блок, некогда составлявший часть пола и заполнявший эту яму, стоял теперь возле стены, где его оставили, должно быть, раннесредневековые арабы. А параллельно ему, на расстоянии всего лишь нескольких дюймов, стоял

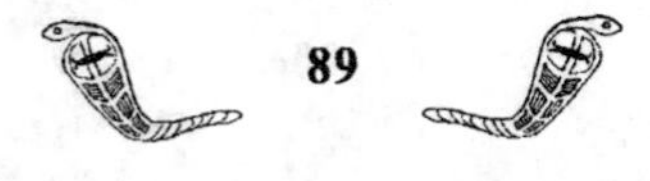

ровный, напоминающий гроб ящик без крышки — единственный предмет в этой пустой комнате. Он был строго ориентирован с севера на юг.

Вынутый из пола каменный блок был в этой комнате самым удобным сидением, и я уселся на него, скрестив ноги, как турецкий портной, решив провести на нем остаток ночи.

Справа от себя я положил шляпу, куртку и ботинки, а слева пристроил все еще зажженный фонарик, флягу-термос с горячим чаем, пару бутылок с охлажденной водой, блокнот и свою паркеровскую авторучку. В последний раз я обвел взглядом комнату, в последний раз осмотрел стоящий неподалеку мраморный сундук и погасил фонарь.

На всякий случай я положил свой мощный электрический фонарь рядом, чтобы в случае необходимости мгновенно осветить всю комнату.

Быстрое погружение в кромешную тьму настроило меня на ожидание всевозможных сюрпризов, которые могла принести с собой ночь. Единственное, что мне оставалось делать в столь неординарной ситуации, это ждать... ждать... и ждать.

Минуты медленно ползли одна за другой, но мне довольно быстро удалось «ощутить» особенную, весьма своеобразную атмосферу, присущую Царской комнате — атмосферу, которую я мог бы назвать «психической». Я намеренно старался сделать свое сознание как можно более восприимчивым, а чувства — пассивными, чтобы уловить любое сверхординарное проявление, если бы оно в действительности имело здесь место. Но мне не хотелось также, чтобы личные предчувствия и предубеждения каким-то образом могли повлиять на восприятие всего того, что могло прийти ко мне из сфер, недоступных пяти обычным физическим чувствам. Одну за другой я отбрасывал роящиеся в голове мысли, пока мой разум не погрузился в полудрему.

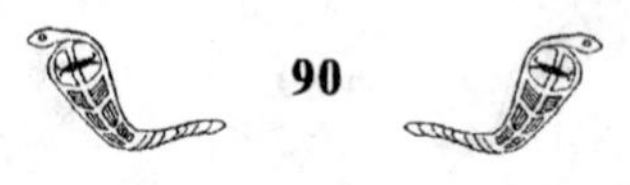

Благодаря тому покою, в который я привел свои мысли, я стал более явственно ощущать и покой, царивший вокруг. Мир с его шумом и суетой казался таким далеким, будто и вовсе не существовал. Ни единого звука не доносилось до меня из темноты. Тишина — вот истинный повелитель Великой пирамиды; тишина, установившаяся еще в доисторические времена и которую не в силах победить даже разноязыкий гомон туристов, ибо каждую ночь она возвращается вновь и вновь, вселяя благоговейный страх своим безраздельным могуществом.

И тут я решил загадку необычной атмосферы Царской комнаты. Люди с повышенной чувствительностью всегда реагируют подобным образом на обстановку древних зданий, и я тоже, судя по всему, не стал исключением из этого правила. Это ощущение становилось все более отчетливым, постепенно погружая меня в беспредельную древность и изгоняя из моей памяти всякие воспоминания о двадцатом столетии. Я же, следуя своему первоначальному намерению, вовсе не пытался противостоять этому ощущению, но напротив, позволял ему беспрепятственно нарастать.

Но тут в меня исподволь закралось еще одно странное ощущение — мне показалось, что я здесь не один. Я почувствовал, что под покровом непроглядной тьмы рядом со мной пробуждается еще что-то одушевленное, что-то живое. Это было смутное, но вполне различимое ощущение. Должно быть, именно «оно», вместе с иллюзией возвращения в прошлое, настроило мое сознание на «психический» лад.

Однако это смутное ощущение непонятной, чужой, пугающе пульсировавшей в темноте жизни со временем так и не стало ни на йоту определеннее. Час проходил за часом, а ночь, вопреки всем моим ожиданиям, не принесла мне с собой ничего, кроме холода. Три последних дня я постился, чтобы уси-

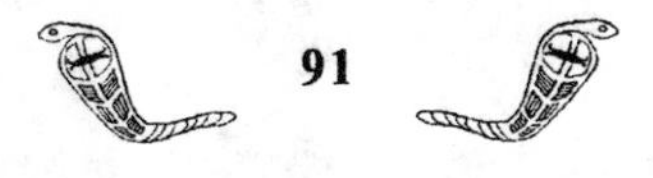

лить этим свою чувствительность, но следствием моего воздержания стало только то, что я очень быстро замерз. Сквозь узкие вентиляционные шахты в Царскую комнату проникал холодный воздух, и моя легкая одежда была отнюдь не самой надежной защитой от него. Все мое озябшее тело сотрясала мелкая дрожь. Мне пришлось подняться и надеть на себя куртку, снятую всего лишь несколько часов назад оттого, что в пирамиде было слишком жарко. Таким бывает климат на Востоке в определенные времена года: днем стоит тропическая жара, а ночью наступает сильное похолодание.

По сей день еще никому не удалось отыскать выходы вентиляционных каналов на поверхности пирамиды, хотя предположительное их местонахождение известно. Некоторые египтологи даже сомневаются в том, что эти каналы вообще выходят на поверхность, но тот факт, что я совершенно замерз в пирамиде ночью, надеюсь, развеет их сомнения.

Я снова уселся на свой камень и попытался во второй раз подчиниться подавляющей мертвенной тишине и всепоглощающему мраку Царской комнаты. С умиротворенной душой я ждал и надеялся. Почему-то вдруг совершенно некстати вспомнилось, что где-то к востоку от меня проложен сквозь пески и озера Суэцкий канал, и величавый Нил течет с юга на север, образуя спинной хребет всей этой страны.

Могильная тишина и присутствие поблизости пустого каменного гроба плохо способствовали успокоению нервной системы, да еще и кратковременный перерыв в неподвижном ночном бдении, сделанный мной, чтобы одеться, словно нарушил покой этой комнаты, ибо я очень скоро заметил, что смутное ощущение присутствия рядом какой-то невидимой жизни переросло в абсолютную уверенность. Возле меня и *в самом деле* пульсировало что-то жи-

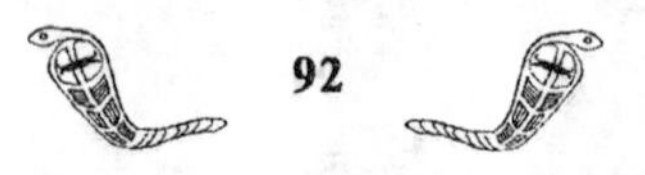

вое, хотя я и не видел в темноте абсолютно ничего. Мысль об этом заставила меня в полной мере ощутить всю неприкаянность и беспомощность своего нынешнего положения. Я сидел в полном одиночестве в этой жуткой комнате, вознесенной над поверхностью земли более чем на две сотни футов — выше всех в миллионном Каире, окруженный беспросветной темнотой, брошенный и покинутый в этом странном здании, стоящем на самом краю пустыни, простирающейся далее на запад на сотни миль. А вокруг этого здания — очевидно, самого старого во всем мире — раскинулся мрачный, загроможденный могилами некрополь древней столицы.

Обширное помещение Царской комнаты вдруг представилось мне — человеку, глубоко проникшему в тайны психики и оккультизма и в секреты магии и колдовства Востока — наполненным невидимыми существами — духами, охранявшими это древнее здание. Казалось, что вот-вот из мертвой тишины раздастся какой-нибудь призрачный голос.

Теперь я был даже благодарен тем древним строителям за то, что они оставили здесь эти узкие вентиляционные шахты, обеспечивавшие хоть и слабый, но постоянный приток холодного свежего воздуха в эту древнюю комнату. И даже то обстоятельство, что воздух, прежде чем добраться сюда, проходил почти триста футов сквозь толщу пирамиды, не делало его менее желанным. Я — человек, привыкший к одиночеству, и даже более того — любящий одиночество, но в уединении этой комнаты было что-то пугающее и сверхъестественное.

Темнота начала физически давить на меня, как железная наковальня. Тень нечаянного страха легла мне на сердце, но я тут же отогнал ее. Для того, чтобы сидеть внутри этого пустынного монумента, не требовалось особого физического мужества, но необходима была некоторая моральная стойкость. Вряд ли из какой-нибудь щели могла выползти змея; и еще менее вероятно, что среди ночи сюда забредет по ступенчатым склонам пирамиды какой-то беззаконный бродяга. И в самом деле, единственными живыми существами, встретившимися мне здесь, были: перепуганная мышь, которую я увидел вечером в горизонтальном коридоре, — она металась между плотно прижатыми друг к другу гранитными глыбами, отчаянно пытаясь найти хоть какую-нибудь лазейку, чтобы спрятаться от устрашающего света фонаря; две невероятно древние желтовато-зеленые ящерицы, прилепившиеся к потолку небольшой ниши в Комнате царицы; и, наконец, летучие мыши в подземном склепе. Справедливости ради надо отметить, что мое появление в Большой галерее приветствовал целый оркестр сверчков, но он вскоре умолк. Теперь ничего этого не было, и непроницаемая тишина полностью поработила всю пирамиду. Вокруг не было ни единого существа, способного причинить мне вред, и все же меня не покидало смутное беспокойство, ощущение того, что за мной непрестанно следят чьи-то невидимые глаза. Всюду царила призрачная неопределенность, стиравшая границу между мистикой и реальностью...

* * *

Существуют колебания силы, звука и света, недоступные нашему нормальному восприятию. Веселые песенки и серьезные речи разносятся радиоволнами по всему свету, где их с нетерпением ожидают благодарные радиослушатели; но не будь у них правильно настроенных радиоприемников, они так никогда и не смогли бы все это услышать. Я постарался выйти из состояния пассивного восприятия и усилием воли сконцентрировать разум и чувства, побуждая их уловить хоть что-нибудь в окружающей мертвой тишине. Если бы мне и в самом деле уда-

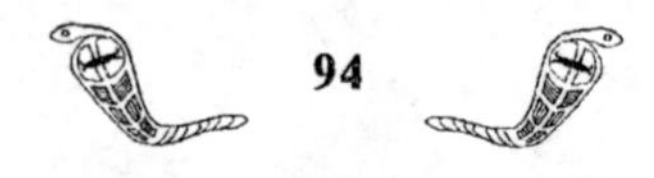

лось на какое-то время, посредством максимальной внутренней сосредоточенности, аномально усилить свою способность к восприятию, кто знает, может, я смог бы тогда уловить присутствие в этой комнате каких-либо незримых сил?

Уже в процессе собственной «настройки», которую я проводил методом усиления внимания к своим внутренним ощущениям (этот метод я успел освоить задолго до второго визита в Египет), я понял, что неведомые силы, заполнившие комнату, настроены далеко не дружелюбно. Я явственно ощущал, что они несут в себе зло и угрозу. Безымянный страх закрадывался в мое сердце и возвращался туда вновь и вновь до тех пор, пока мне не удалось окончательно изгнать его прочь. Я по-прежнему продолжал действовать методом интенсивной, целеустремленной и обращенной внутрь концентрации мыслей, но несколько изменил его направленность, попытавшись переключиться со слуха на зрение. И тогда в абсолютно темной комнате замелькали тени. Они носились повсюду, обретая все более определенные очертания, их злобные лица мелькали прямо у меня перед глазами. Один из ужасных призраков придвинулся прямо ко мне, посмотрел мне в глаза холодным ненавидящим взглядом и угрожающе поднял вверх руки, будто силясь меня напугать. Казалось, что это древние призраки выбрались из соседнего некрополя — такого старого, что даже его мумии уже рассыпались в прах в своих каменных саркофагах; выбрались, чтобы устремиться сюда, к месту моего уединения. В памяти сразу всплыли легенды о злых духах, населяющих окрестности пирамид, со всеми их малоприятными подробностями, слышанными мною от арабов из близлежащей деревни. Когда я сообщил одному своему молодому арабскому другу о намерении провести ночь в пирамиде, он, как мог, старался отговорить меня от этой затеи.

— Там на каждом дюйме скрывается привидение, — предупреждал он, — там обитает целая армия призраков и джиннов.

Теперь я воочию убедился в том, что его предостережение не было напрасным. Призрачные фигуры отовсюду проникали в темную комнату и носились вокруг. Постоянно беспокоившее меня смутное и необъяснимое ощущение дискомфорта превратилось теперь в жуткую реальность. Я чувствовал, как где-то в центре моего неподвижного тела бешено бьется сердце, растревоженное всем этим кошмаром. Меня вновь одолел таящийся в глубинах каждой человеческой души страх перед сверхъестественным. Ужас и страх попеременно являли мне свои перекошенные дикой злобой лица. Ладони непроизвольно сжались так, что хрустнули пальцы. Все же я решил не сдаваться, и хотя этим наводнившим комнату призракам поначалу удалось внушить мне чувство тревоги, в конце концов, я смог, собрав всю силу и мужество, отогнать его прочь. Глаза мои были закрыты, но все же эти серые, бесшумные и невесомые тени оставались видимыми для меня. И от каждой из них веяло неумолимой свирепостью, безудержным желанием отвратить от намеченной цели.

Меня окружал целый рой враждебно настроенных существ. Но с этим легко было покончить в любую минуту, включив свет или же ринувшись прочь из этой комнаты — туда, где в нескольких сотнях футов находился забранный решеткой выход и где общество вооруженного охранника придало бы мне уверенности. Это было испытание, своего рода утонченная форма пытки, оставлявшая неприкосновенным тело, но изводившая душу. И все же какой-то внутренний голос неотступно шептал мне, что я должен претерпеть все это до конца.

И развязка действительно наступила. Жуткие элементальные создания, злые духи преисподней,

нелепые, безумные, грубые и дьявольские образы столпились вокруг меня, заставив испытать невыразимое отвращение. За несколько минут я пережил то, чего не смогу забыть до конца дней своих. Эта неестественная сцена, подобно фотоснимку, навсегда запечатлелась в моей памяти. И никогда больше я не решусь на повторение подобного эксперимента, никогда уже не осмелюсь провести ночь во чреве Великой пирамиды.

И вдруг все кончилось. Злобные призрачные существа растворились во мраке, вернулись назад — в свое мрачное царство мертвых — унося с собой созданную ими атмосферу испепеляющего ужаса. Мои измученные нервы испытали, наконец, облегчение, какое, наверное, испытывает солдат после прекращения жестокого артобстрела.

Не знаю точно, сколько с тех пор прошло времени, но вдруг я ощутил присутствие в комнате нового существа — на сей раз спокойного и благожелательного. Оно стояло у входа и смотрело на меня добрыми глазами. С его появлением атмосфера комнаты полностью изменилась, причем к лучшему. Новое существо принесло с собой ощущение чистоты и разума, и мои измученные чувствительные нервы подверглись новому воздействию — на сей раз ласковому и успокаивающему. Существо подошло к моему каменному креслу, и я заметил, что за ним следует еще одна призрачная фигура. Оба приблизились, и я ощутил на себе их выразительные, исполненные пророческого предвидения взгляды. Я понял, что приближается один из самых важных моментов всей моей жизни.

Появление этих двух существ я тоже запомню до конца своих дней. Их белые одежды, обутые в сандалии ноги, мудрые лица и рослые фигуры всплывают в моей памяти во всех подробностях, стоит мне только подумать об этом происшествии. Их регалии

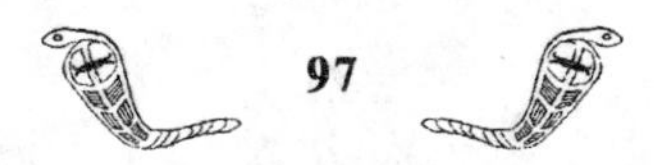

явно свидетельствовали о принадлежности к верховным жрецам религии Древнего Египта. Они излучали вокруг себя едва заметный мерцающий свет, непостижимым образом освещавший окружавшее их пространство. На лицах застыло умиротворенное выражение, делавшее их похожими скорее на полубогов, чем на людей.

Они стояли неподвижно, как статуи, скрестив руки на груди в молчаливом приветствии.

Неужели я смог проникнуть в некое четвертое измерение, сквозь которое перенесся теперь в далекое прошлое? Неужели моя иллюзия ухода от настоящего привела меня в Древний Египет? Нет, все было не так, ибо эти двое тоже видели меня и, казалось, собирались заговорить со мной.

Оба наклонились ко мне, так что лицо одного из духов оказалось как раз напротив моего. Его глаза сияли духовным огнем, губы чуть пошевелились, и я услышал его голос:

— Для чего ты пришел сюда и пробудил тайные силы? Разве недостаточно тебе тех путей, коими ходят смертные? — спросил он.

Эти слова я никак не мог услышать физически, ибо тишина комнаты не была нарушена ни единой вибрацией звука. Скорее, я услышал их так, как слышит глухой с помощью электрического слухового аппарата, служащего ему посредником — искусственной барабанной перепонкой. С той лишь разницей, что мои барабанные перепонки тоже остались совершенно непотревоженными. Эту речь можно было бы назвать и телепатической, поскольку звучала она не в моих ушах, а проникала непосредственно в мое сознание. Однако, такое сравнение может создать ложное впечатление, что это был всего лишь обмен мыслями. Нет, ничего подобного. Это был настоящий, живой голос.

И я ответил:

— Да, недостаточно!

— Шум городской толпы успокаивает мятущееся сердце человека, — сказал он тогда, — вернись назад, к подобным себе, и вскоре ты забудешь пустые фантазии, приведшие тебя сюда.

Но я снова ответил:

— Нет, это невозможно.

И все же он продолжал настаивать:

— Преследуя мечту, ты все больше будешь удаляться от царства разума. Многие из следовавших за ней возвращались обратно, лишившись рассудка. Вернись сейчас, пока еще есть время, и ступай, как прежде, по пути, указанному смертным.

Но я лишь покачал головой и прошептал в ответ:

— Я должен следовать этим путем. Теперь у меня нет иного выбора.

Тогда жрец подошел еще ближе и вновь склонился ко мне.

Его немолодое лицо резко выступило на фоне окружающей тьмы. Он прошептал мне прямо в ухо:

— Соприкоснувшийся с нами, потеряет ощущение родства со своим миром. Способен ли ты идти далее в одиночестве?

— Не знаю, — ответил я.

— Да будет так, — прозвучали во тьме его последние слова, — ты сделал свой выбор. Оставайся верным своему решению, ведь обратной дороги уже не будет. Прощай.

И призрак исчез.

Я остался один на один со вторым духом, который до сих пор оставался лишь безучастным свидетелем происходящего.

* * *

Теперь он приблизился ко мне, встав между мной и мраморным саркофагом. Я посмотрел ему в лицо и увидел перед собой очень-очень старого человека.

Я даже не рискнул предположить, сколько ему может быть лет.

— Сын мой, могущественные повелители тайных сил обратили на тебя свое внимание. Сегодня тебе предстоит попасть в Чертог Познания, — бесстрастно произнес он. — Тебе следует лечь на этот камень! В прежние времена это происходило бы там, на ложе из папируса. — И он указал на каменный саркофаг.

Даже не потрудившись задуматься над услышанным, я сразу же повиновался таинственному гостю и вытянулся, лежа на спине, на поверхности камня.

То, что произошло сразу после этого, непонятно мне до сих пор. Призрачный жрец словно ввел мне дозу неведомого, медленно действующего анестезирующего препарата. Все мои мускулы напряглись, после чего тело начала охватывать странная парализующая летаргия. Конечности стали наливаться тяжестью и коченеть. Сначала холод сковал мои стопы. Их будто кто-то заморозил. Постепенно непонятное оцепенение добралось до колен, но не остановилось на этом, продолжая захватывать все мое тело. Я как будто увяз по пояс в снежном сугробе во время восхождения на горную вершину. Мои ноги потеряли всякую чувствительность.

Я начал впадать в забытье, и в мой разум закралось смутное предчувствие надвигающейся смерти. Однако я не боялся, поскольку уже давно смог освободиться от первобытного страха смерти и теперь с философским спокойствием относился к ее неизбежности.

А непонятный холод тем временем уже сковал мой позвоночник, мое дыхание становилось все слабее, а сам я, казалось, стал проваливаться куда-то в глубины сознания, в некую центральную точку собственного мозга.

Когда же холод достиг груди, практически полностью парализовав тело, я ощутил нечто похожее

на сердечный приступ. И хотя он скоро прошел, я догадывался, что самый жуткий момент еще ожидает меня впереди.

В голову мне пришла на удивление нелепая мысль, и если бы мои окаменевшие челюсти были в состоянии пошевелиться, она, возможно, даже заставила бы меня рассмеяться. А подумал я вот что:

«Утром в пирамиде будет найден мой труп — на этом и закончатся все мои оккультные искания».

Я не сомневался в том, что все мои ощущения были вызваны переходом моего собственного духа от физической жизни к посмертному состоянию.

Но хотя я и знал, что чувствую сейчас приближение смерти, я даже и не думал сопротивляться.

Наконец наступил момент, когда все мое сконцентрированное сознание сосредоточилось исключительно в голове, и последние отчаянные его всплески постепенно погасли в глубинах мозга. Мне показалось, словно меня подхватил мощный тропический ураган и сквозь узкий коридор потащил куда-то вверх; затем последовал пугающий своей неожиданностью прорыв в безграничное пространство, и вот — я обрел *Свободу*!

Ни одним другим словом невозможно описать того безмятежного состояния легкости, в котором я оказался. Я превратился в ментальное существо, состоящее лишь из мыслей и ощущений и полностью свободное от обременяющей тяжести физической плоти, сковывавшей меня до сих пор. Я сбросил земное тело, подобно призраку, подобно усопшему, восставшему из гробницы, но мое сознание ни на йоту не пострадало от этого. Напротив, я стал ощущать реальность своего существования еще яснее, чем прежде. Но самое главное — после исхода из физического мира, в том неведомом четвертом измерении, где я теперь оказался, я обрел ощущение безмерной и самой безмятежной *свободы*.

Сперва я чувствовал, что продолжаю горизонтально лежать на спине, как и мое только что оставленное тело, лишь приподнявшись чуть выше над своим каменным ложем. Затем мне показалось, что чья-то невидимая рука, слегка подтолкнув меня вперед, вернула меня в вертикальное положение, и я смог снова встать на ноги. В конце концов, во мне осталось странное смешанное ощущение того, что я и стою и лежу одновременно.

Я посмотрел вниз и увидел свое покинутое тело, все также неподвижно распростертое на поверхности каменной глыбы. Я увидел в перевернутом изображении равнодушное лицо: глаза были наполовину прикрыты, но блестевшие из-под век зрачки свидетельствовали, что я, возможно, продолжаю внимательно вглядываться в темноту. Руки были сложены на груди, хотя я точно помнил, что оставил их вытянутыми вдоль туловища. Неужели кто-то скрестил мои руки за меня, когда я уже перестал их ощущать? Ноги оставались вытянутыми и плотно сдвинутыми вместе. Я напоминал себе покойника, мертвую форму, которую уже покинул дух.

Я заметил, что от меня теперь исходит едва заметное серебристое свечение — от меня *нового*, прямо к тому безжизненному существу, что покоилось внизу на каменном ложе. Это было поразительно, но еще более поразительным было то, что эта замеченная мною загадочная психическая пуповина освещала своим сиянием ту часть Царской комнаты, над которой я теперь воспарил; стали видны даже отдельные камни в стене, будто озаренные лунным светом.

Я превратился в привидение, бесплотное существо, подвешенное в пространстве, и понял, наконец, почему эти мудрые древние египтяне изображали освобожденную душу человека в своих иероглифических надписях в виде птицы. Я почувствовал, что

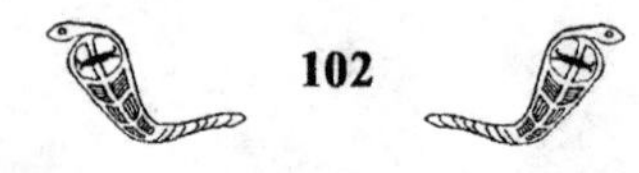

могу теперь охватить гораздо больший объем пространства и перемещаться в нем намного свободнее, словно за спиной у меня выросли крылья. Я поднялся в воздух и завис над своим брошенным телом точно также, как птица поднимается в небо и кружит затем над своим гнездом. А это ощущение окружающей меня великой пустоты? Несомненно, для этого состояния трудно было найти образ более подходящий, чем птица.

Да, я взвился ввысь, освободив душу от бренных оков. Разделившись на две одинаковые с виду части, я покинул привычный мне мир. В своем новом теле-двойнике я ощущал необычайную легкость, воздушность своей новой природы. Глядя вниз на холодный камень, где распростерлось мое тело, я вдруг осознал одну важную вещь, надолго овладевшую моим сознанием, и беззвучно сказал самому себе:

«Ведь это и есть состояние смерти. И теперь я знаю, что я — душа и что я могу существовать отдельно от тела. Я всегда буду помнить об этом, ибо видел все собственными (пусть не физическими) глазами».

Это открытие настойчиво напоминало о себе все то время, что я провел в невесомом состоянии над своей опустевшей материальной оболочкой. Я доказал себе реальность бессмертия самым надежным, по моему мнению, способом — я просто умер, а затем воскрес! Я продолжал смотреть на покинутые мною горизонтально лежащие останки и не переставал удивляться: неужели эта пустая оболочка и есть то, что я на протяжении многих лет считал самим собою? Только сейчас я с предельной ясностью осознал, что это всего лишь масса неразумной, бессознательной и грубой материи. Глядя в свои незрячие бессмысленные глаза, я невольно ощутил нелепость и даже комизм общепринятого человеческого само-

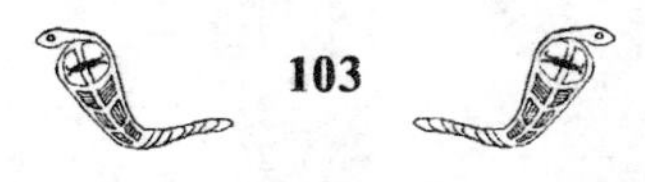

восприятия. На самом деле мое тело было всего лишь темницей, в которую был заточен настоящий «Я», но теперь я вырвался на свободу. Время от времени я рождался на этой планете, благодаря очередному физическому организму, который я долгое время ошибочно принимал за свою истинную и главную сущность.

Сила притяжения на меня теперь совершенно не влияла, и я в буквальном смысле парил в воздухе со странным ощущением, что я не то пребываю в подвешенном состоянии, не то чувствую твердую опору у себя под ногами.

Неожиданно рядом возник все тот же старый жрец — по-прежнему серьезный и невозмутимый. Подняв вверх глаза и придав лицу еще более возвышенное выражение, он благоговейно произнес:

— О Амон, о Амон, сущий на Небесах, обрати лик свой на мертвое тело своего сына и прими его к себе в мир духа. Да будет так. — А затем обратился уже ко мне:

— Теперь ты усвоил этот великий урок. *Человек не может умереть, ибо душа его рождена из Бессмертия.* Передай же эту истину людям доступным им языком. Смотри!

И тут рядом со мной прямо из пустоты выступило уже почти забытое лицо женщины, на чьих похоронах мне пришлось присутствовать более двадцати лет тому назад; а потом появилось знакомое лицо мужчины, который был мне больше чем другом и которого я в последний раз видел двенадцать лет назад, когда его тело положили в гроб; и, наконец, улыбающееся лицо ребенка, погибшего случайно упав с высоты.

Все трое умиротворенно смотрели на меня, и вновь я услышал их добрые голоса. Совсем немного длился мой разговор с так называемыми «умершими», чьи лики вскоре вновь растаяли в темноте.

— Они живы, также как и ты, и как жива пирамида, которая видела на своем веку гибель половины мира, — сказал верховный жрец. — Знай же, сын мой, что в этом древнем храме хранится забытая летопись древнейших рас человеческих и Завет, заключенный ими со своим Творцом через Его первых великих Пророков. И еще знай, что во все времена сюда указывали дорогу избранным, дабы показать им этот Завет, и они, вернувшись к ближним своим, становились с тех пор хранителями этой великой тайны. Вернись и ты и унеси с собой наше предостережение: если люди забывают своего Творца и начинают смотреть друг на друга с ненавистью, как это делали вожди Атлантиды — во времена которых и была построена эта пирамида — они гибнут под тяжестью своих собственных беззаконий. Так погибли и люди Атлантиды. Не Творец утопил Атлантиду, но себялюбие, жестокость и духовная слепота тех, кто жил на этих обреченных островах. Творец любит всех, но жизнью людей управляют незримые законы, которые Он установил для них.

Разумеется, я сразу же загорелся желанием увидеть этот Завет, и дух, должно быть, прочел мои мысли, поскольку поспешно сказал:

— Для всякой вещи есть свое время. Не сейчас, сын мой, не сейчас.

Я был обескуражен.

Несколько секунд он молча смотрел на меня.

— Еще ни одному человеку из твоего народа не было позволено взглянуть на него, но поскольку ты — человек, сведущий в этих материях и пришел к нам с доброй волей и пониманием в сердце, ты получишь за это награду свою. Иди со мной!

И тут начались еще более странные вещи. Мне показалось, что я проваливаюсь в забытье, мое сознание на миг погасло, и следующее, что я потом увидел: мы — я и жрец — находились уже в совсем

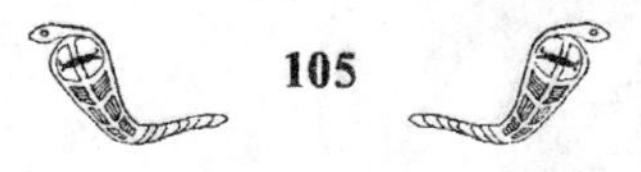

другом месте. Это был длинный коридор, освещенный мягким светом, хотя вокруг не было видно ни окон, ни каких-либо светильников. Я подумал поначалу, что свет исходит от моего окруженного ореолом попутчика и от тянувшейся за мной мерцающей эфирной полосы, но вскоре понял, что только нас двоих было бы явно недостаточно для освещения всего коридора. Его стены были сложены из яркого камня, похожего на розоватого цвета терракоту, с едва заметными стыками между отдельными блоками. Пол коридора вел вниз под точно таким же углом, что и входной тоннель пирамиды. Всю конструкцию можно было без преувеличений назвать совершенной. Коридор имел прямоугольную форму; потолки были не слишком высоки, но никаких неудобств это не создавало.

Мне так и не удалось обнаружить таинственный источник света, и все же в тоннеле было светло, будто сами его стены обладали фосфоресцирующими свойствами[1].

---

[1] Д-р Аббат-Паша, вице-президент Института египтологии, и м-р Уильям Гроф, сотрудник того же института, провели однажды целую ночь в пустыне, неподалеку от пирамид. В официальном отчете об этом исследовании последний сообщает: «Около восьми часов вечера я заметил свет, источник которого медленно перемещался вокруг Великой пирамиды возле самой ее вершины; он напоминал невысокое пламя. Огонек трижды обошел вокруг пирамиды, а затем исчез. После этого я практически всю ночь внимательно наблюдал именно за этой пирамидой, и около одиннадцати свет появился снова, только на сей раз он приобрел голубоватый оттенок. Он медленно поднялся вдоль склона пирамиды практически по прямой линии, завис ненадолго над ее вершиной, после чего опять исчез». Благодаря настойчивым расспросам местных бедуинов, м-ру Грофу удалось обнаружить, что загадочный свет более или менее часто наблюдали в прошлом — рассказы о нем уходят своими корнями вглубь столетий. Арабы приписывают его духам-охранителям пирамиды. А м-р Гроф, хотя и пытался найти естественное объяснение этому явлению, так и не преуспел в этом начинании.

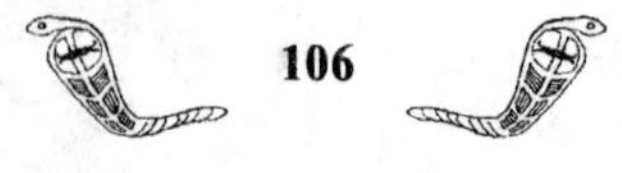

Верховный жрец приказал мне следовать за ним вниз по коридору.

— Не оглядывайся назад, — предупредил он, — и даже не поворачивай головы.

Мы немного спустились вниз, и я увидел перед собой в дальнем конце тоннеля вход в большую, похожую на храм комнату. Я не сомневался в том, что нахожусь где-то внутри пирамиды или же под нею, но я никогда раньше не видел ни этого коридора, ни этой комнаты. Очевидно, они были хорошо спрятаны, и по сей день их так никто и не смог найти. Я был ошеломлен этим открытием, и единственным моим желанием стало — узнать, где же расположен вход в этот коридор. Мне все же *пришлось* повернуть голову, чтобы хоть мельком взглянуть назад, где я надеялся увидеть какую-нибудь потайную дверь. Я не помнил, как очутился в этом коридоре, но в дальнем его конце увидел нечто, похожее на выход, заложенный прямоугольными блоками и, как мне показалось, замурованный цементом. Некоторое время я пристально смотрел на голую стену, но затем меня словно отбросила в сторону какая-то непреодолимая сила, видение коридора исчезло, и я снова повис в пустоте. И вновь услышал слова:

— Не сейчас, не сейчас, — прозвучавшие как эхо.

А несколько мгновений спустя я опять увидел свое лежащее на камне неподвижное и бесчувственное тело.

— Сын мой, — донесся до меня тихий голос верховного жреца, — не так важно, найдешь ты эту дверь или нет. Главное, чтобы ты отыскал скрытый коридор, ведущий в твой собственный разум, и по нему добрался до тайного храма своей собственной души. Там ты найдешь нечто поистине великолепное. Тайна Великой пирамиды — это тайна твоей собственной сущности. Все потаенные комнаты и

древние летописи заключены в тебе самом. В том и заключен урок Великой пирамиды, что каждый человек должен стремиться проникнуть в самого себя, добраться до неведомого средоточия собственного существа и найти в нем свою душу, достичь невидимых глубин собственного храма и открыть для себя его самые сокровенные тайны. Прощай!

Тут мысли мои смешались в каком-то неведомом, подхватившем меня водовороте; казалось, он затягивает меня, заставляя спускаться все ниже и ниже. Меня охватило странное оцепенение, и я почувствовал, что снова погружаюсь в физическое тело; я напряг всю свою волю, пытаясь пошевелить окаменевшими мускулами, но безрезультатно, и, наконец — потерял сознание...

Когда я опять открыл глаза, то все равно не увидел вокруг ничего, кроме сплошной темноты. Оцепенение понемногу прошло, и я, нащупав рукой фонарик, зажег свет. Я был по-прежнему в Царской комнате, и все еще под сильным впечатлением от только что пережитого (скажу больше — эмоции настолько переполняли меня, что я даже вскочил со своего каменного ложа и закричал, заставив всю пирамиду оглушительным эхом отозваться на мой возглас). Но вместо того, чтобы ощутить под собой знакомый каменный пол Царской комнаты, мои ноги провалились в пустоту. Хорошо еще, что в самый последний момент я успел уцепиться обеими руками за край каменного блока и всем телом прижаться к его поверхности. Только это и спасло меня от падения. Я сразу же понял, что произошло. Не осмотревшись как следует, я соскочил с каменной глыбы с дальней ее стороны и как раз угодил в яму, выдолбленную в северо-западном углу комнаты.

С трудом я выбрался наверх, взял в руки фонарь и поднес к нему свои часы. Стекло циферблата треснуло в двух местах, когда я ударился ладонью и за-

пястьем о стену во время падения, но механизм попрежнему продолжал непринужденно тикать; и когда я разглядел который час, то едва не рассмеялся, несмотря на всю величавую серьезность окружавшей меня обстановки.

Ибо часы показывали как раз тот самый драматический момент, который традиционно считается кульминацией для каждой ночи — обе стрелки сошлись на числе двенадцать, не больше и не меньше!

* * *

Когда на рассвете вооруженный полицейский снял замок с запиравшей вход железной решетки, из темных глубин Великой пирамиды ему навстречу, спотыкаясь, вышло изможденное, запыленное, с запавшими от усталости глазами существо. Выйдя из пирамиды, оно медленно побрело по высоким каменным блокам прямо навстречу восходящему Солнцу, спустилось вниз и, щурясь от неяркого утреннего света, принялось разглядывать давно знакомый пейзаж. А затем, сделав несколько глубоких вдохов, инстинктивно обратило свое лицо навстречу Ра — Солнцу и молча возблагодарило его за этот бесценный дар света, пожалованный человечеству.

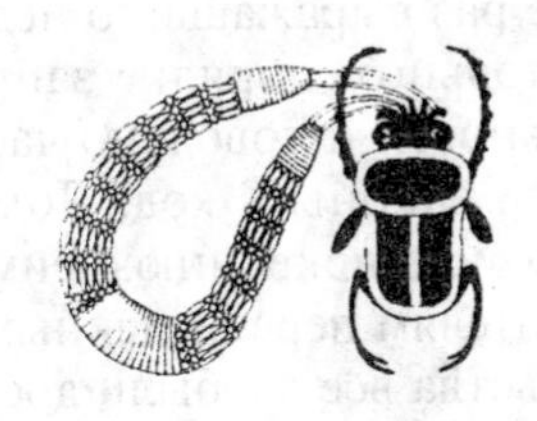

Глава 5

МАГ ИЗ КАИРА

Жить в Каире — значит жить одновременно в двух мирах. Отправившись с его центральной площади Атаба Аль-Хадра на восток, сразу же оказываешься в старинном арабском городе, но если пойти на запад, то попадаешь уже в современный европейский мир. В этом городе кипит удивительная жизнь, где сталкиваются и смешиваются, подчиняясь неумолимому велению времени, Запад и Восток, современность и средневековье, многокрасочная азиатская нищета и унылая опрятность Европы.

Здесь в Каире я встретил великое множество самых разномастных магов и медиумов, ясновидящих и астрологов, колдунов и предсказателей судьбы, факиров и святых. Они присутствовали в городе во всех пятидесяти семи своих разновидностях, несмотря на все запреты и строгие предупреждения правительства, уже не раз выражавшего недовольство тем, что в законодательном порядке запрещало многие виды их деятельности и довольно часто без колебаний пускало эти законы в ход. Должен признать, что несмотря на мою искреннюю симпатию к некоторым представителям перечисленных выше профессий, у правительства все же были достаточно веские основания для подобной суровости. Немало шарла-

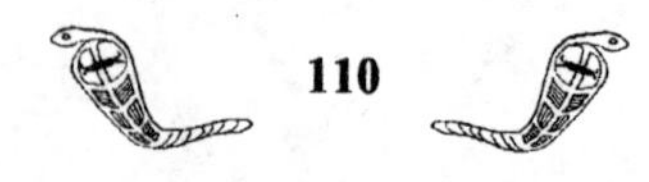

танов делало свой бизнес на доверчивых простаках, безответственные болтуны пытались завоевать чужое доверие, а самозваные пророки выдавали свои собственные бредни за откровения. Невозможно в полной мере оценить вред, причиняемый гадальщиками и предсказателями, чьи прогнозы воспринимаются как руководство к действию. Но даже того, что поддавалось определению, вполне хватило для придания власти решимости в принятии строгих мер. И всетаки среди них нашлось несколько человек, заинтересовавших меня не столько своей профессией, сколько личными качествами. Например: маг, убивший на моих глазах курицу своими чарами и заклинаниями; ведьма-знахарка — негритянка из Судана — точно указавшая на Индию как на страну, где меня ждет большая удача, и сделавшая еще несколько предсказаний (на сей раз абсолютно неточных); молодой египтянин, предками которого были христиане-сирийцы, непоколебимо убежденный в том, что он — перевоплощение пророка Илии (даже его образ жизни, исполненный презрения к бренному миру, был точным подражанием образу жизни этого пророка); одна женщина-француженка из европейского квартала, способная в состоянии гипнотического транса уверенно читать печатные тексты сквозь плотную повязку на глазах; прелюбопытный старик, живший вместе со своими последователями в огромном доме, примыкавшем к еще более огромной мечети (он настолько отрешился от мира сего, что большую часть времени проводил, беседуя вслух с окружавшими его духами); одна отважная женщина, которая, не взирая на запрет короля Ибн-Сауда, вела киносъемки в священной Мекке, а теперь постигает не менее священные науки под руководством ангельских учителей; знаменитый факир Тара-Бей, запросто протыкающий себе кинжалом горло или грудь (над самым сердцем), оставаясь при этом це-

Каирский маг и его дом

Суданская знахарка

Сирийский «Илия»

лым и невредимым и даже не пролив ни капли крови; и еще несколько человек, обративших на себя мое внимание и пробудивших во мне интерес. Мне, конечно, не удастся рассказать подробно о каждом из них в этой книге, но я, по крайней мере, смог упомянуть их в этом абзаце.

В жизни Каира есть еще одна сторона, тоже весьма любопытная для меня, — это сторона религиозная, ибо этот город свыше тысячи лет был одним из крупнейших центров исламской культуры. Большинство людей на Западе так мало знает о великой магометанской религии или же имеет о ней столь смутные представления, что, по моему мнению, было бы нелишним посвятить ей главу, дабы изложить ее суть так, как она представляется мне самому.

* * *

Называть имя мага, продемонстрировавшего тот странный трюк с курицей, я не стану, поскольку обещал одному высокопоставленному правительственному чиновнику не делать его достоянием гласности. Вряд ли стоит излагать здесь причины подобной скрытности; скажу лишь, что мне они показались достаточно вескими, и потому я оставляю его безымянным, а заодно и изымаю из книги великолепные фотоснимки, запечатлевшие самого мага, его дом и произведенный им трюк.

Я познакомился с ним в один знойный полдень после того, как изрядно проплутал по каирским улочкам. Сначала я шел по главной улице, все еще вымощенной древнеегипетским камнем, а затем свернул в сторону и оказался в типичном для Каира старом квартале — живописном, но шумном, тесном и с очень узкими переулками. Этот квартал лежит как раз между мечетью Аль-Азхар и мрачным кладбищем Баб Аль-Вазир. Мимо по городу проходил караван верблюдов. К шее каждого животного был

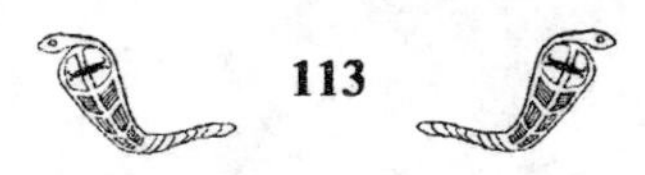

привязан колокольчик, и вся процессия издавала веселый перезвон. Под эту музыку я шел вперед по темным переулкам — пешком и без сопровождающих — стараясь отыскать дом мага.

Я пробирался сквозь лабиринт улочек — столь узких, что небо над головой представлялось лишь узкой голубой полоской, зажатой между крышами противоположных домов, и солнечный свет, проникая сквозь нее, создавал на земле и на стенах некое подобие причудливых чертежей.

Наконец, я вышел на длинную извилистую улочку, ведущую к двери дома мага. Дорога была покрыта толстым слоем белой пыли, принесенной ветром с голых холмов Мокаттам, возвышавшихся неподалеку и замыкавших границу города в этом направлении.

Это был большой средневековый дом с фасадом, выложенным из продолговатых камней, раскрашенных в яркие цвета. В верхней части стены было несколько окон, но все они — плотно закрыты ставнями. Две больших и тяжелых резных двери, открываясь внутрь, вводили в узкий, но высокий вестибюль, вдоль стен которого стояли два стула и маленький кофейный столик, но увидеть там кого-либо из хозяев мне так и не удалось. Я приоткрыл еще одну дверь и заглянул в соседнюю комнату, но и там никого не оказалось. Тогда через маленький мощеный коридор я вышел во внутренний дворик, настолько заваленный разными бумагами и большими свитками, уже покрывшимися толстым слоем пыли, что я предположил поначалу, что этот открытый дворик маг использует в качестве склада для самых старинных своих архивов. Минут пять я безутешно скитался по этому бумажному кладбищу, ожидая, что кто-нибудь все же войдет и заметит меня. Но так никого и не встретив, я опять вышел на улицу, чтобы вернуться в сопровождении одного из соседей, который сам отправился на верхние этажи дома. Через пару минут он вернулся вниз в сопровождении молодого человека лет семнадцати.

Увидев меня, юноша настороженным тоном спросил:

— Пожалуйста, что Вы хотите?

А когда я назвал имя мага, он даже отпрянул от удивления. Было очевидно, что до сих пор европейцы не входили в число его клиентов.

— Мой отец! — воскликнул он. — Пожалуйста, для чего Вы хотите его видеть?

Я объяснил ему цель своего прихода и даже написал карандашом что-то вроде своей визитной карточки. Когда он прочел написанное на листке имя, его лицо приобрело более приветливое выражение.

— Входите! Присаживайтесь.

Он провел меня в примыкавшую к вестибюлю комнату и пригласительным жестом указал на застеленный чистым белым покрывалом диван.

Снова удалившись на верхний этаж, он тут же вернулся в сопровождении грузного мужчины лет шестидесяти: шаркающей походкой тот подошел к двери и коснулся рукой лба, приветствуя меня.

Его голова и плечи были обернуты белой шалью, из под которой выбивался локон черных как смоль волос. Его благородное массивное лицо было украшено пышными усами и маленькой бородкой. У него, вероятно, были большие глаза, но он постоянно смотрел в пол и, судя по всему, намеренно опускал веки так, чтобы глаза казались маленькими щелками. Он жестом предложил мне оставаться на своем месте, а сам уселся в массивное мягкое кресло.

* * *

Я огляделся по сторонам: комната была высокой и прохладной, но заваленной всяким хламом, непонятно для чего предназначенным. Стены были укра-

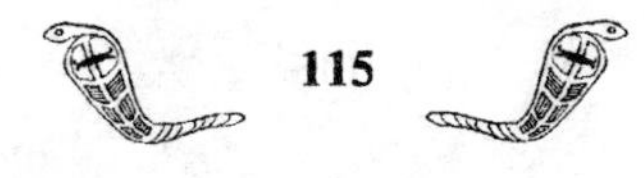

шены листами пергамента, на которых каллиграфическим почерком красными буквами на желтом поле были выписаны стихи из Корана. Из ниши в стене выглядывали чучела двух коричневых выдр; на подоконниках валялись кучи бумаг, к которым, судя по покрывавшей их густой пыли, годами никто не прикасался; рядом со мной на подушке был брошен Арабский альманах; повсюду виднелись пустые бутылочки из-под чернил.

Несколькими односложными словами маг сообщил мне, какая честь для него принимать меня в своем доме, и предложил восстановить силы освежающими напитками, прежде чем перейти непосредственно к делу. Я поблагодарил его, но, зная обычаи египетского гостеприимства, попросил не беспокоиться насчет кофе, который я не пью вовсе. Но он предложил мне персидский чай — восхитительный напиток — и я без колебаний согласился. А пока расторопный слуга бегал на ближайший базар, я постарался вовлечь старца в разговор. Однако мои попытки полностью провалились, поскольку кроме односложных ответов, предписываемых египетским этикетом, я так ничего и не услышал, а о себе он предпочитал вовсе ничего не рассказывать. Напротив, он решил обратить против меня мое же собственное оружие и подверг меня чему-то вроде допроса. Я отвечал на все его расспросы честно и открыто, и к тому времени, когда слуга принес на маленьких подносах обычные для Египта сладости — крупное печенье из жареной пшеничной муки, смешанной с медом, бананы, бисквиты и тонкие чашки с персидским чаем — мой радушный хозяин выглядел уже не так настороженно. И в самом деле, когда он убедился в том, что я вовсе не собираюсь подвергать осмеянию его методы или же разоблачать его как шарлатана, его отношение ко мне заметно изменилось. Но все же, за внешней любезностью я безошибочно угадывал неизменную сдержанность и нежелание рисковать, допуская в свою жизнь незнакомца, к тому же приехавшего из чужой страны.

Впрочем, он согласился составить мой гороскоп, если я пожелаю назвать ему свое имя, имя отца, а также дату и место своего рождения. Я намекнул, что пришел к нему вовсе не за этим и что разные предсказатели, как правило, дают такие противоречивые прогнозы, что я предпочел бы блаженное неведение всем безнадежным попыткам найти хоть какое-то рациональное зерно в том, что выглядит абсолютно невероятным. Но старца не так-то просто было отговорить от своей затеи, и он, заявив, что я ему очень интересен, все же выразил желание (даже если этого не желаю я сам) узнать расположение звезд в день моего рождения и составить мой гороскоп для удовлетворения если не моего, то хотя бы собственного любопытства. В конце концов, я уступил его настоятельным просьбам и сообщил всю необходимую для этого информацию.

Потом он попросил меня положить ладонь на бумагу и обвел карандашом контур. Внутри получившегося рисунка он записал несколько слов по-арабски. Для чего он это сделал, я не знаю до сих пор.

Я попытался расспросить его о сути этого священнодействия, но он отделался уклончивым ответом. Я слышал, что он, возможно, самый могущественный маг во всем Каире, но подтвердить подлинность этих рекомендаций, разумеется, довольно сложно.

Ему удалось изящно перевести разговор в другое русло, так что мне пришлось рассказывать ему о жизни в Европе.

— Приходите через пять дней, — сказал он наконец, поднимаясь с кресла.

Я вернулся в указанное время, и после обязательных приветствий маг вручил мне несколько больших

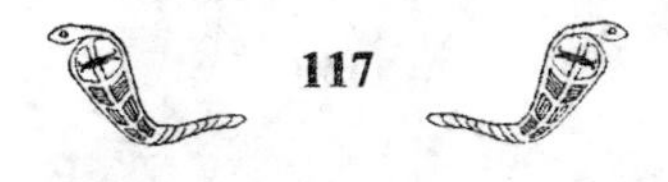

листов бумаги с арабским текстом, который и был, по его словам, моим гороскопом, написанным в стихах. Таким образом, мне пришлось взять то, о чем я вовсе не просил, и предложить ему за это плату, которую он, после недолгих уговоров, согласился принять.

Но затем события приобрели неожиданный оборот. Он сам предложил мне присутствовать на сеансе своей магии.

— Дайте мне свой платок, — сказал он.

Но когда я выполнил его просьбу, он вернул платок практически в ту же секунду.

— Хорошо! Теперь разорвите его пополам.

Я повиновался. Тогда он взял одну из двух половинок и написал на ней что-то пером, которое предварительно окунул в стоявшую на столе чернильницу. Закончив писать, он свернул свою половинку платка и вернул мне, попросив положить ее в медную пепельницу, лежавшую рядом со мной на диване.

Я с интересом ждал, что же будет дальше. Старец взял лист бумаги и изобразил на нем большой треугольник, а затем в треугольнике появились какие-то загадочные знаки и арабские буквы. Передавая листок мне, он попросил положить его поверх свернутого кусочка платка. Так я и сделал. На минуту воцарилась тишина: только маг, закрыв глаза, пробормотал себе под нос несколько фраз на непонятном жаргоне. Вдруг глаза его широко раскрылись.

В ту же секунду лежавший в пепельнице разорванный платок вспыхнул. Пламя взметнулось высоко вверх и, к моему безграничному изумлению, превратилось в густое облако дыма, заполнившего всю комнату. Стало трудно дышать, заболели глаза, и я поспешил к выходу. Но маг успел выскочить раньше меня, позвал слугу и приказал ему открыть в комнате все окна.

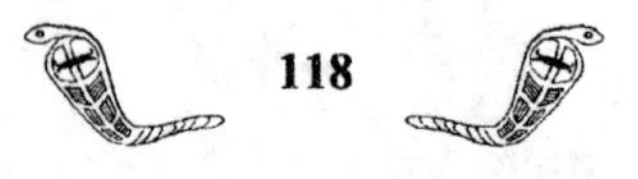

Меня тогда мало беспокоило, была ли это настоящая магия или же обычный фокус с использованием самовоспламеняющихся химикатов, поскольку я еще не видел никакого смысла во всех этих действиях. Но старец был, очевидно, доволен собой.

— Как вам удалось зажечь платок? — спросил я.

— С помощью своих джиннов, — сказал он, ничего при этом не пояснив. Но я решил удовлетвориться и таким ответом. Так в Египте говорят обо всем, что кажется хоть чуточку сверхъестественным.

— Приходите снова через три дня, — сказал он, — и не забудьте захватить белую курицу. Я вижу в вас нечто такое, что мне очень нравится, и потому хочу оказать вам бесплатно одну услугу. Принесите мне белую курицу, и с ее помощью я смогу подчинить джинна вашей воле. Не забудьте, курица не должна быть слишком молодой или слишком старой и, кроме того — должна быть абсолютно белой.

Сразу же вспомнив африканских знахарей, перерезающих горло белым цыплятам, а затем поливающих кровью головы своим клиентам, я попытался отказаться от этого великодушного предложения, но он настаивал, непрестанно повторяя, что задуманное им колдовство должно привлечь могущественного джинна, и этому джинну придется послужить мне. Я упорно отказывался, но в конце концов ему все же удалось «припереть меня к стенке», и мне пришлось прямо заявить ему, что такие церемонии вызывают у меня отвращение, и потому меня не очень привлекают якобы приносимые ими блага. Тогда маг немедленно пообещал мне, что никакого кровопролития не будет, и я принял его предложение.

* * *

И снова мне пришлось взбивать ногами фонтанчики пыли, пробираясь узкими переулками к старому и странному дому, в котором живет такой же ста-

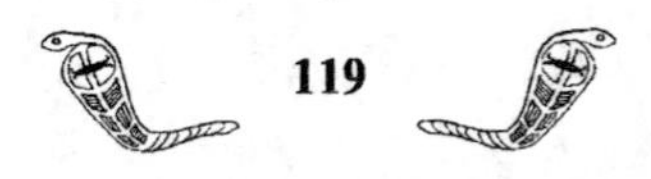

рый и странный маг. На сей раз я шел со стороны Птичьего рынка, что находится недалеко от площади Атаба Аль-Хадра, пряча под правой рукой пухленькую белую курочку. Я ощущал тепло ее маленького тела и частое биение сердца и размышлял о том, какую ужасную участь уготовил ей этот старик.

С моим появлением всегда суровое лицо мага расцвело в улыбке. Он выразил свое удовлетворение тем, что я все же откликнулся на его просьбу, и попросил меня поставить птицу в центр лежавшего на полу коврика, а самому трижды перешагнуть через стоявшую в углу комнаты дымящуюся медную курильницу. Оставив курицу и прогулявшись в клубах благоуханного дыма, я устроился на диване и стал с любопытством наблюдать за магом и птицей. Первый взял листок бумаги и нарисовал на нем маленький квадрат, который разделил затем на девять еще более маленьких квадратиков. В каждый из этих квадратиков он поместил каббалистический знак или арабскую букву. Сделав это, маг принялся вполголоса бормотать какие-то тайные заклинания, пристально глядя на курицу. Время от времени его шепот прерывался выразительным движением указательного пальца правой руки — маг вытягивал его вперед, будто отдавал кому-то неведомые приказания. Бедная курица убежала со страху в угол комнаты и забилась под стул. Маг попросил меня поймать ее и снова поставить на коврик, но мне не хотелось бегать по всей комнате за непослушной птицей, и я отказался. Тогда сын мага, присоединившийся к нам к тому времени, поймал ее и вернул на прежнее место.

Курица собралась было снова удрать под стул, но маг строгим голосом приказал ей вернуться.

Курица сразу же замерла.

Тут я заметил, что она начала дрожать всем телом, так что даже перья на ней зашевелились.

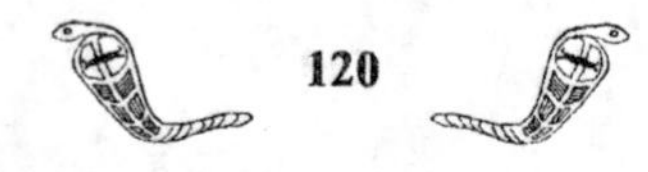

Маг попросил меня еще раз трижды перешагнуть через курильницу, и когда я опять вернулся на свой диван, то заметил, что птица не смотрит более на мага, но повернула голову в мою сторону и ни на миг не спускает с меня глаз.

А потом началось самое невероятное. Я услышал, как тяжело задышала курица — каждый ее вдох сопровождался шумом и хрипом, а клюв был постоянно разинут, словно ей приходилось прилагать постоянные усилия для того, чтобы не задохнуться.

Маг положил на пол свои каббалистические записи и медленно попятился к выходу из комнаты, пока не оказался в дверном проеме. Тут он снова начал бормотать свои странные заклинания, пристально глядя на курицу. Он нараспев произносил непонятные слова, и его голос постепенно становился все громче, приобретая повелительные интонации. При этом курица все ниже опускала голову, и было заметно, что жизнь покидает ее.

В конце концов, курица ослабела настолько, что ее ноги подкосились, и она осела на пол, хотя ей и удавалось пока сохранять вертикальное положение. Но через пару минут даже это оказалось ей не под силу. Она завалилась набок и затихла на полу. Тут дух ее, словно не желая покоряться своей печальной участи, восстал, и она вновь встала на ноги, но тут же упала во второй раз, совершенно обессилев. Прошло еще несколько минут, и перья птицы беспомощно затрепетали, а тело задергалось в спазматических конвульсиях.

Постепенно подергивания ослабели и вскоре прекратились совсем. Курица затихла, ее тело безжизненно обмякло, и я понял, что это маленькое теплое существо, которое я только полчаса назад принес сюда с базара, теперь мертво. Я изумленно смотрел на ее труп, не в силах произнести ни слова. Мне стало дурно.

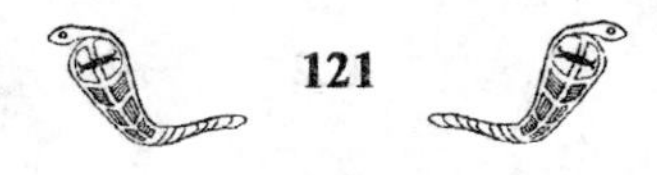

Старик предложил мне положить на мертвую курицу свой платок.

— Мне удалось колдовство, — настаивал он, — джинн, убивший курицу, сделал это для того, чтобы заявить Вам о своем присутствии и своей готовности служить Вам. Иногда во время этой церемонии курица остается живой, и это значит, что джинн отказывается повиноваться.

Я заметил, что на протяжении всего своего чародейства маг постоянно смотрел в пол, так ни разу и не подняв глаз. Поначалу я счел это необходимым условием колдовства. Но следующее замечание мага все прояснило.

— Пока я творю заклинания, стараясь вызвать джинна, и отдаю ему затем приказания, я не должен смотреть на него. Это одно из правил, которые необходимо соблюдать. Но жертвоприношение еще не окончено. Слушайте! Вы должны завернуть курицу в платок и отнести домой, и пусть она лежит там, завернутая, до завтра. А когда наступит полночь, взойдите на мост Каср Ан-Нил и бросьте тушку в воды Нила. Перед тем как бросить ее через перила моста, загадайте желание, и в один прекрасный день джинн исполнит его.

Мой носовой платок оказался слишком мал, чтобы завернуть в него всю тушку целиком, и потому я, внимательно оглядев комнату, прихватил с собой экземпляр популярной каирской газеты «Аль-Ахрам» («Пирамида»), чтобы полностью обернуть им чуть прикрытую платком курицу. Вернувшись домой, я передал этот сверток своему слуге-арабчонку с указанием не только не разворачивать его, но даже и не прикасаться к нему без особой надобности вплоть до завтрашнего вечера. Однако это предостережение было излишним. Стоило мне только упомянуть, что эта курица не предназначена для еды, потому что ее принес в жертву маг, как мой слуга тут же отшатнулся от нее в испуге и впредь старался держаться как можно дальше.

В тот вечер я обедал в ресторане вместе с двумя своими знакомыми — американцем и египтянином — и рассказал им эту историю о курице и загадочном жертвоприношении. Оба сошлись во мнении, что она была убита каким-то иным способом, но ни в коем случае не колдовством. Я же предпочел не делать пока никаких окончательных выводов. Когда я изложил им все подробности происшествия, они разразились громогласным хохотом, и до конца обеда единственным предметом нашей беседы оставалась злосчастная курица. Должен признаться, что я и сам несколько раз не смог сдержать улыбки, выслушивая их шпильки в адрес отсутствующего мага, которого они подвергли настоящему обстрелу своими язвительными замечаниями. Но вдруг во всем ресторане погас свет, и мы остались в полной темноте над своим недоеденным обедом. Несмотря на все старания хозяина, наладить освещение ему так и не удалось. В конце концов, ему пришлось послать за свечами, так что остаток обеда мы провели в потемках.

Я заметил, что остроумие моего приятеля — выпускника Сорбонны и убежденного скептика — понемногу стало иссякать, уступая место недоумению.

— Это все твой маг устроил! — пожаловался он, наконец, и за шутливым тоном этой фразы я заметил скрытое опасение.

Разумеется, причиной сему вполне могло быть и самое тривиальное короткое замыкание, но произошло все при таких странных обстоятельствах, что в тот момент мне невольно вспомнились еще два похожих и не менее загадочных происшествия. Первое из них имело место при моем непосредственном участии, а о втором я услышал из уст Роберта Хиченза — известного романиста, который был лично знаком с его главным действующим лицом.

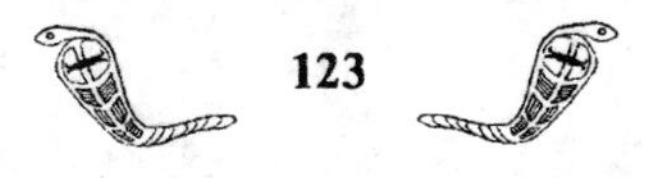

Первый случай произошел много лет назад, когда я занимался изучением различных культов, распространившихся в последнее время в Европе и Америке. Одну из таких сект возглавляла довольно сомнительная личность — бывший священник, отлученный от церкви, весьма начитанный и властный. Мои исследования привели меня к выводу, что этот человек обладает сильными гипнотическими способностями и что он использует эти способности в неблаговидных целях, в частности — выманивает деньги у доверчивых людей. Я не стал предавать свои выводы широкой огласке, ограничившись лишь предупреждением известных мне людей, ставших жертвами его обмана, поскольку считал, что каждый негодяй рано или поздно все равно столкнется лицом к лицу с Немезидой. Развязка наступила в тот день, когда я, как бы совершенно случайно, встретил на улице около десяти часов вечера одну даму, с чьим мужем я был хорошо знаком. Поведение женщины показалось мне столь странным, что я вскоре перестал задавать ей какие-либо вопросы, но весь обратился в слух и с удивлением услышал, что она направляется к тому самому расстриге, с которым — спокойно сообщила мне она — ей предстояло провести ночь. Я подвел ее к ближайшему фонарному столбу, чтобы осмотреть белки и зрачки ее глаз, и в результате осмотра убедился в том, что женщина полностью загипнотизирована, после чего счел своим долгом немедленно вывести ее из состояния транса и убедить вернуться домой.

На следующий день я зашел к своему другу, дабы расспросить о случившемся с его женой. Мой друг — индиец — тот самый человек, о котором я писал во второй главе своей книги «Путешествие в тайную Индию». Я рассказал ему во всех подробностях об известных мне неблаговидных поступках этого отставного священника и о его стремлении к власти над слабовольными людьми, добавив при этом, что считаю недопустимым позволять ему и дальше безнаказанно вершить свои грязные дела. Индиец согласился со мной. Более того, он был настолько разгневан, что предложил наложить на нечестивца какое-нибудь страшное проклятие. Я знал, что мой друг хорошо знаком со своей национальной йогой и обучался искусству восточных факиров, а потому его проклятие обещало быть не просто пустым звуком. Сочтя эту меру излишне суровой, я сказал ему, что оставляю право окончательного решения за ним самим, но предлагаю более гуманное наказание — просто приказать ему убраться и более никогда не выступать в роли духовного наставника. Индиец согласился с моим предложением, предоставив мне заняться этим самому, но все же сказал, что со своей стороны присовокупит-таки к этим мерам небольшое проклятие. Так он и поступил.

Когда дело с проклятием было улажено, я немедленно приступил к реализации своей части плана и отправился на поиски проклятого злоумышленника. Я застал лжепророка в окружении большого числа его учеников в маленьком зале, где уже царил переполох.

Поначалу я ничего не мог понять из-за непроглядной темноты.

Люди давили друг друга, продираясь к выходу. Охали и верещали те, кто, споткнувшись, растянулся на полу. А над всем этим шумом и гамом дребезжал исполненный страха и отчаяния скрипучий голос проповедника:

— Здесь дьявол, — вопил он, — это дело рук дьявола.

Я зажег спичку и увидел его лежащим на какомто помосте в состоянии полнейшей истерики.

Наконец принесли свечи, и ученики отнесли своего учителя в ближайшую гостиницу, где вернули к

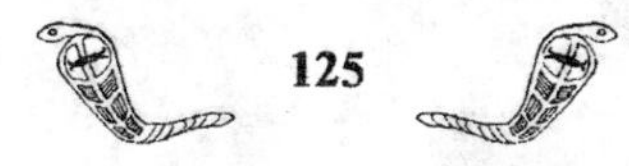

жизни с помощью его любимого напитка — виски. Я же тем временем узнал от очевидцев, что произошло.

Прихожане, как обычно, мирно сидели на своих стульях, внимая речи учителя, как вдруг *все* электрические лампочки разом взорвались, подобно бомбам, разбросав по всей комнате осколки битого стекла. Весь зал тут же погрузился во тьму, и в возникшем мраке и хаосе все услышали, как их учитель рухнул на помост, на котором только что сидел, и завопил от ужаса.

Я проводил его до гостиницы, вошел вместе с ним в холл и оставил там небольшую записку, которую вложил в конверт и запечатал. Вручив ее одному из обманутых последователей лжепророка, я попросил его передать это послание своему наставнику, как только он будет в состоянии его прочесть.

В конверт был вложен ультиматум. Пророку предписывалось покинуть город в двадцать четыре часа и больше никогда сюда не возвращаться, в противном случае я пригрозил ему пустить по его следу полицию.

И он уехал. А двенадцать месяцев спустя я услышал о его смерти в какой-то богом забытой деревне.

Расскажу теперь о самом важном моменте всего происшедшего.

Лекционный зал погрузился во тьму в тот самый миг, когда церемония наложения проклятия, устроенная моим индийским другом, достигла своего апогея!

Вторая же история связана со злополучным лордом Карнарвоном, финансировавшим раскопки, в ходе которых была открыта знаменитая гробница Тутанхамона. История этого уникального открытия известна всему миру. Общеизвестно и то, что несчастный пэр вскоре после этого получил заражение

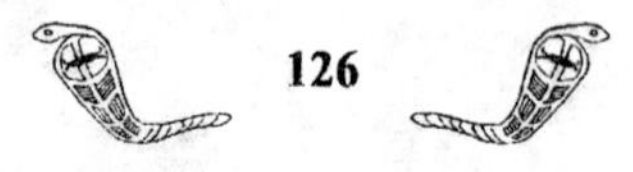

крови. Некоторым известно также, что древние египтяне наложили проклятие на возможных осквернителей этой гробницы. Болезнь лорда быстро прогрессировала, так что пришлось отправить его в Каир, где ему могли оказать сравнительно квалифицированную медицинскую помощь.

Больного привезли в «Континенталь-Савой» — самую большую гостиницу города. Но однажды вечером, вскоре после его приезда, вышла из строя электросеть, и во всем отеле перегорели лампочки. Почти целый час «Континенталь-Савой» был погружен во тьму. Когда же освещение починили, сиделка лорда Карнарвона увидела, что он лежит в своей постели мертвый!

Вернусь, однако, к своей курице.

На следующий день, ровно в полночь, запоздалые прохожие могли видеть подозрительного типа, крадучись пробиравшегося на мост Каср Ан-Нил с жертвенной курицей в руках. Но выбросить ее в воду оказалось вовсе не таким уж простым делом, как казалось поначалу. Ведь мост находится в самом центре европейского квартала Каира, и с одной стороны к нему примыкают огромные казармы британских солдат, а с другой — всегда охраняемое здание штаб-квартиры британского генерального консула. Выбросить с такой высоты в черную воду странного вида сверток, да еще в такое время суток, означало бы вызвать у всех случайных свидетелей самые мрачные подозрения. Например, что это убийца пытается избавиться от какой-то части расчлененного тела своей жертвы! И все же в момент, когда поблизости никого не было видно, дело было сделано, и сверток с легким шлепком упал в воду, а подозрительный тип, облегченно вздохнув, заспешил восвояси.

Мой слуга-арабчонок возблагодарил Аллаха, когда я целым и невредимым вернулся домой. Он был

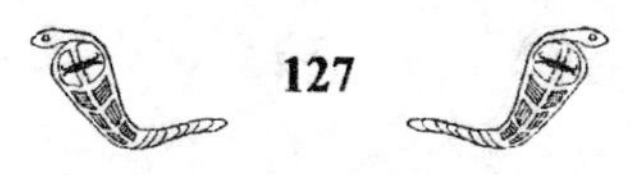

счастлив, как котенок, которому удалось поймать свою первую мышь.

* * *

В последующие свои визиты я пытался уговорить мага более подробно рассказать мне о своем мастерстве, чтобы проверить, есть ли в них и вправду что-либо сверхъестественное или же это обычные фокусы. Однако старик предпочитал не распространяться на эту тему и зачастую просто надолго умолкал, когда я заговаривал об этом — словно уносился в какой-то иной мир. Возможно, он пребывал в это время в мире своих джиннов. Я быстро понял, что для достижения своей цели — разговорить мага — мне придется немало потрудиться. Его собственный сын доверительно сообщил мне однажды, что его отец ни с кем не делится своими секретами, и когда он сам несколько лет назад изъявил желание перенять его опыт, чтобы следовать потом по отцовским стопам, старый маг отказал ему на том основании, что эта профессия очень трудна и опасна. Родители рассказали ему историю одного мага, который однажды вызвал джинна, а потом не смог прогнать его, и джинн, набросившись на беднягу, нанес ему жестокие увечья. Подобные вещи — подчеркнули родители — довольно часто случаются с магами; и потому молодому человеку посоветовали заняться изучением относительно безопасной дисциплины — юриспруденции.

Я понял, что убедить мага поделиться своими секретами (неважно, подлинно ли его колдовство или нет) невозможно, поскольку именно загадочность его ремесла приносит ему такую власть и репутацию; и решил более не настаивать. Не было ничего удивительного в том, что он вовсе не горит желанием сделать достоянием гласности знание, приносящее ему славу и деньги.

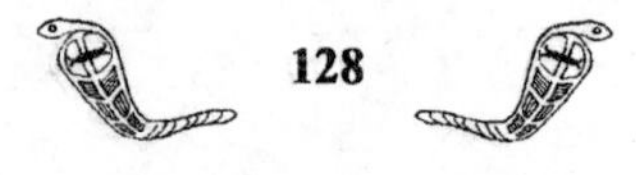

Мне не под силу преодолеть его скрытность, — думал я, сидя уже в который раз в его пыльной комнате, — но возможно мне удастся убедить его прояснить хотя бы общие теории, лежащие в основе его мастерства. Ведь я вполне мог бы узнать из этого авторитетного первоисточника, что значат все эти разговоры о джиннах, которые я то и дело слышал в Египте. Пока я беседовал с ним, сквозь забранное решеткой окно до нас доносился с улицы мерный и неугомонный стук тамтама: это в доме по-соседству колдун-знахарь более скромного ранга пытался с помощью барабанного боя и заклинаний изгнать из тела больного человека джинна, который, как считалось, вселился в него и навел болезнь.

— Ваши люди не верят в нашу древнюю магию, — прервал мои размышления маг, — и все потому, что в ней используются силы, в коих они ничего не смыслят, силы джиннов.

Я ничего не ответил. Мне не составляло труда поставить себя на место восточного человека, в противном случае меня вряд ли так интересовал бы Восток.

Джинны вездесущи. Если человек болен, невезуч или несчастлив, то считается, что в его тело или в его жизнь вторгся какой-то злой джинн; а если человек богат и удачлив, значит здесь не обошлось без доброго джинна.

— Кто такие джинны? — наконец спросил я мага.

Старик воспринял мой вопрос благодушно.

— Я знаю, что это незримые, но вполне реальные существа, хотя в наше время люди уже почти полностью потеряли способность замечать их, — пояснил он, — также как в нашем мире существуют животные, так и в ином мире обитают духовные создания, которые никогда не были духами смертных людей и никогда не покидали пределов духовного мира. Это и есть джинны. Но не следует смешивать

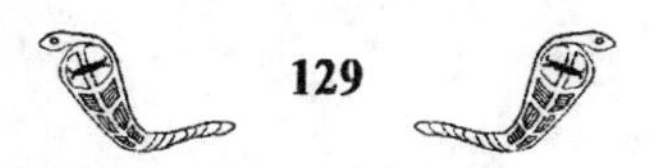

их с душами животных, поскольку это абсолютно разные виды существ. Некоторые джинны разумны также, как очень мудрые люди; некоторые — исполнены любви, подобно святым; но есть и много таких, кто поистине «подобен своему отцу — дьяволу». Обитателей мира духов можно разделить на три разряда: джинны, люди и ангелы. Ангелы в большинстве своем хорошие и никогда не живут на земле. А джинны могут быть и хорошими, и плохими, но тоже никогда не живут на земле. А люди — это те, кто жил на земле в образе мужчины или женщины, но покинул тело после смерти.

Еще я знаю, что джиннов некоторых видов можно заставить служить человеку как в видимом, так и в невидимом мире, точно также, как здесь, на земле, человеку служат некоторые виды животных, например, — собаки, лошади или верблюды, подчиненные человеческой воле. Разумеется, далеко не всех джиннов человек может заставить исполнять свои желания. Но древняя магия основывается главным образом именно на знании того, как можно подчинить себе этих поддающихся приручению джиннов. И некоторые истинные маги до сих пор не забыли это искусство. Одним словом, это можно назвать разновидностью спиритизма.

— Какими же методами достигается власть над джиннами?

— Прежде всего, перед тем, как приказывать что-либо джиннам, необходимо узнать их имена. Во-вторых, на бумаге с записанным на ней именем джинна следует написать заклинание, определенный стих из Корана и определенную последовательность чисел внутри диаграммы. Диаграммой обычно бывает двойной квадрат, но иногда используется и треугольник. В-третьих, обязательно надо использовать необходимые воскурения и ароматы — различающиеся по своему составу в зависимости от то-

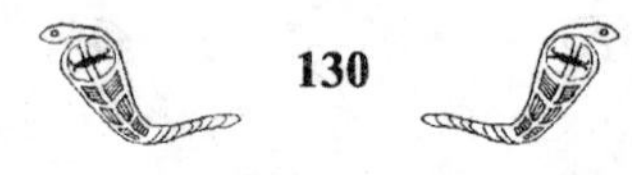

го, какого именно джинна вы хотите вызвать. В-четвертых, нужны заклинания или «магические слова». И, наконец, необходимо пройти посвящение у учителя, это придает человеку особую силу.

С минуту он сидел молча, но потом продолжил:

— Но перед тем, как освоить это мастерство, необходимо пройти трудное и опасное обучение. Магия всегда была и будет уделом немногих. Я могу рассказать Вам о том, во что мы верим; именно это я сейчас и делаю; но я никогда не открою Вам никаких секретов нашей магической практики, поскольку обещал своему учителю никому не говорить о них, кроме как своему избранному ученику, да и то лишь после многих лет обучения. Если наши секреты станут известны всем, от этого пострадает все человечество, потому что злые люди смогут тогда, следуя на поводу у своей злобы, причинять вред другим, а мы сами лишимся своей традиционной власти. Скажу вам, что сам я до сих пор еще не взял себе ни одного ученика. В конце концов, мне все же придется это сделать, ибо таков закон нашего братства: я должен посвятить еще кого-то в тайны своего ремесла, прежде чем умру, дабы наше знание не исчезло на земле. Но я уверен, что в свое время еще успею сделать это, поскольку знаю точную дату своей смерти.

Старик опять замолчал. Я был рад тому, что мне наконец-то удалось сокрушить стену его молчания. Но я ждал продолжения. Пришлось подтолкнуть его снова — на сей раз вопросом о его собственном посвящении.

— Тогда я должен рассказать Вам кое-что о себе, — ответил старик, — я родился шестьдесят лет назад в городке под названием Суаг, в провинции Гирга. Мой отец тоже был профессиональным магом и астрологом. С тех пор как я себя помню, меня всегда влекло его искусство. Скажу даже

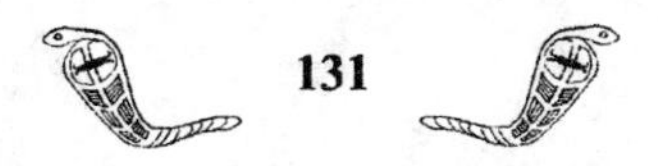

больше — оно приводило меня в восторг. Отец заметил это и сказал мне, что когда-нибудь посвятит меня в тайны своей профессии, чтобы я смог стать его продолжателем. У него было много древних арабских рукописей и редких книг, которые он посоветовал мне прочесть и изучить. Как только я прошел посвящение (а мне было тогда восемнадцать лет), я покинул дом и ушел в Каир, где поступил учиться в Университет Аль-Азхар. Там я посвятил себя изучению литературы и религии, но никому не рассказывал, кто я. С собой я привез некоторые книги из тех, что дал мне отец, и продолжал читать их у себя дома. Я хорошо усвоил, что люди могут быть очень разными, и в конце концов достиг такого мастерства, что с первого взгляда мог определить, каков у человека характер и каковы его желания.

Университет я закончил в возрасте двадцати восьми лет и с тех пор жил большей частью один, продолжая совершенствоваться в магии, пока, наконец, не научился управлять своими джиннами. Я стал настоящим мастером и приобрел известность. Если маг не может обрести достаточной силы, то лучше ему вовсе отказаться от своего занятия. Мои сыновья просили меня передать им свои знания, но я отправил их учиться другим наукам, ибо видел: нет в них достаточного мужества для того, чтобы заниматься магией.

Я еще занимаюсь астрологией, и многие знатные египтяне посылали за мной в свое время или даже сами приходили ко мне, чтобы узнать свою судьбу. Князья, министры, паши и богатые купцы спрашивали у меня совета. У меня был придворный министр из Абиссинии, а в прошлом году ко мне приезжала дочь самого абиссинского императора. А султан Марокко отправлял ко мне специального посланника, он привозил мне султанские письма.

Раз ко мне в дом забрались четыре вора, чтобы в темноте убить меня и ограбить, но я прогнал их с помощью одного лишь посоха. А на следующий день призвал свою магию, чтобы узнать их имена. Я узнал, кто они, и тогда, собрав уличавшие их доказательства, рассказал все полиции, и они попали на пять лет в тюрьму.

А не так давно меня пригласили в дом, где завелись привидения и по ночам разбрасывали стулья, ковры и кухонные горшки. Я воскурил фимиам и прошептал свои заклинания против духов. Уже через пятнадцать минут несколько призраков предстали предо мной. Это они безобразничали по ночам, но я повелел им уйти и оставить дом в покое. После этого духи исчезли, и в доме стало тихо.

* * *

Старик хлопнул в ладоши, и в комнату вошел слуга с подносом, на котором стояли блюдца с белым фруктовым желе и печеньем и маленькие чашки с персидским чаем.

— А может ли непосвященный человек увидеть этих джиннов? — спросил я его, когда мы уселись за стол.

— Да, но для этого необходимы долгие и сложные приготовления. А когда все будет готово, надо воскурить фимиам и медленно читать заклинания, тогда джинн появится в дыму в полумраке комнаты и заговорит человеческим голосом. Но я уже давно не занимаюсь подобными вещами, потому что слишком стар и не хочу понапрасну тратить свои силы.

Я еще больше удивился этому странному человеку, утверждающему, что он способен общаться со столь таинственными созданиями. Он и сам был весьма таинственной личностью. И все же, это был вполне реальный земной человек. И когда его маленькая внучка — восхитительно одетое создание

лет шести — неожиданно вбежала в комнату, он наклонился к ней, нежно поцеловал и даже снизошел до того, что немного поиграл с ней.

— А что это за опасности, о которых Вы упомянули, говоря о своей профессии? — продолжал расспрашивать я.

Он испытующе посмотрел на меня:

— Они и в самом деле существуют. Ищущий власти над джиннами, подвергает себя опасности. Ведь они вовсе не становятся послушными игрушками в руках людей, они были и остаются существами, наделенными собственным разумом и волей. И поэтому они всегда могут восстать против своего поработителя. Хотя джинны полностью покорны своему хозяину и охотно служат ему, стоит только магу потерять контроль над собой, ослабить свою волю, использовать свою силу во зло или просто оказаться недостаточно мужественным, и его джинн может наброситься на него и растерзать: незримо наслать на своего хозяина несчастья, беды или саму смерть. Великие чудеса можно творить с помощью духов, но если маг не слишком твердо правит своими слугами, они могут восстать, и тогда их бывший господин тщетно будет молить о пощаде.

— А как Вы думаете, знали ли все это древние египтяне?

— Несомненно, эти знания как раз и были основой могущества их жрецов. Джиннов заставляли быть стражами самых знаменитых гробниц и сокровищниц, их вызывали во время храмовых церемоний, а еще для самых злых и самых мерзких дел.

Я рассказал ему о ночи, проведенной в Великой пирамиде, о явлении двух духов-жрецов в Царской комнате и о тайном коридоре.

— В Великой пирамиде и вокруг Сфинкса живет особая разновидность джиннов, — пояснил маг, — древнеегипетские верховные жрецы поработили их и

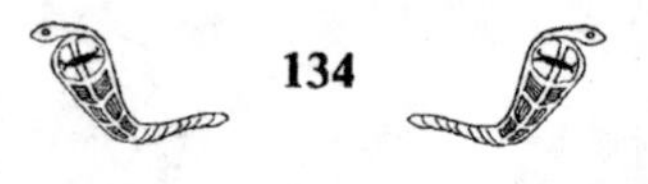

заставили охранять свои тайны. Они напускают свои чары на каждого, стремящегося проникнуть в их тайны, стараясь выгнать непрошенного гостя. Да, мне тоже кажется, что внутри Великой пирамиды должны быть еще ненайденные коридоры, комнаты и надписи. Однажды и я ходил к пирамидам в надежде постичь их тайну, но охранники не позволили мне пройти вниз, в подземный коридор, и я, отчаявшись, вернулся домой. Джиннов, стерегущих пирамиду, тоже можно победить, но для этого надо знать, какого они вида, как их зовут и какие против них нужны заклинания и магические знаки. А это знание, к несчастью, исчезло вместе с древними жителями Египта.

Тогда я спросил, можно ли верить всем тем рассказам, в которых говорится о сверхчеловеческих способностях магов, и старик признал, что эти способности все же далеко не безграничны.

— Конечно, мы не можем назвать себя всемогущими. Что-то мы умеем делать, а чего-то нет. Одному Аллаху все известно и все подвластно. Мы можем лишь действовать сообразно своим способностям, но последнее слово всегда остается за Аллахом.

Я вышел на пыльную улицу под чистое лазурное небо Египта, унося в кармане отполированный красно-коричневый агат невероятных размеров, которому была придана форма яйца. Маг подарил его мне на память, сказав, что раньше он принадлежал какому-то фараону. Поглаживая на ходу пальцами гладкую поверхность камня, я думал о человеке, с которым только что попрощался, и о его незримых слугах, которые, по его собственным словам, покорны его воле. Я понимал, насколько опасно его ремесло, вечно балансирующее на грани колдовства, ведьмовства и черной магии.

А что если эти джинны — всего лишь пустые старые сказки? Пожалуй, нет. Ведь вполне естественно

предположить, что скрытые царства Природы населены иными, нежели человеческие существа, созданиями. К подобному выводу можно прийти через простое суждение по аналогии. И нет ничего удивительного в том, что некоторые из этих существ мрачны и злобны, тогда как некоторые настроены мирно и вполне дружелюбно. А могут ли они делать все то, о чем говорил маг, или же нет, — это уже другой вопрос. Долгое пребывание под египетским Солнцем кому угодно может перегреть голову; так что ни в чем нельзя быть уверенным.

В Индии один йог на моих глазах чудесным образом вернул жизнь мертвой птичке, хотя это воскресение и длилось весьма недолго; а здесь в Египте я стал свидетелем обратного процесса, осуществленного не менее чудесными методами.

Во время наших бесед я даже не пытался записывать его слова, поскольку некоторые люди смущаются, когда видят, что их речь записывают; а мне показалось, что он был как раз таким человеком. Я старался запомнить все, что он мне говорил, чтобы потом, вернувшись домой, по памяти переписать его слова на бумагу. Вот почему его речь выглядит так странно для египтянина! Я хотел познакомиться с туземной магией — и вот каковы были первые удивительные плоды этого знакомства.

Глава 6

ЧУДЕСА ГИПНОЗА

Иногда человек находит то, что искал, там, где он и не чаял найти ничего подобного. Так и я во время своего пребывания в европейском квартале Каира встретился с еще одним проявлением тех сил, которые хотя и называют сейчас сверхъестественными, но со временем, я уверен, будут настолько полно и доходчиво объяснены наукой, что их абсолютная естественность более ни у кого не будет вызывать сомнений.

Я познакомился с чудесной молодой парой, которая жила на улице, ведущей к казармам британского гарнизона. Каир — многонациональный город; так что в одном его квартале вполне могут проживать представители целой дюжины различных народностей. В том квартале большинство составляли французы. И моя знакомая молодая чета уже много лет проживала в Египте. Мужа звали месье Эдуард Адес, а его жену — мадам Маргарита. Месье Адес обладал некоторыми гипнотическими способностями, и мадам Маргарита была наилучшим субъектом для его экспериментов в этой области. После нескольких лет тренировок и практики они достигли довольно ощутимых успехов в проявлении своих экстраординарных способностей (впрочем, присущих

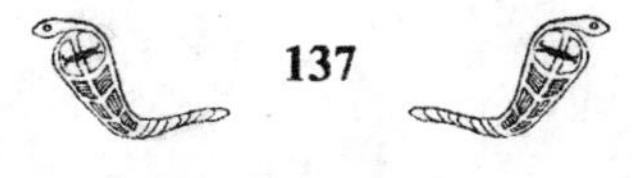

довольно многим людям, хотя далеко не каждый умеет ими пользоваться).

Я проверял подлинность их экспериментов различными способами, но большинство наших тестов выглядело совсем не сенсационно и потому представляет интерес исключительно для специалистов. И все же два или три опыта, пожалуй, могли бы серьезно озадачить узколобых материалистов, никогда не обращавших внимания на подобные человеческие способности.

Первый такой достойный описания опыт был задуман как проверка подлинности гипнотического воздействия, и даже специально приглашенная на его демонстрацию скептически настроенная супруга одного важного британского чиновника вынуждена была признать все увиденные ею феномены подлинными и подтвердила, что здесь, скорее всего, не было возможности для обмана.

Мы сидели вчетвером в скромном рабочем кабинете месье Адеса — представительного мужчины тридцати с небольшим лет. Его голова была украшена густой копной волнистых волос; лоб — высокий, каковой и подобает иметь человеку интеллектуальному; взгляд — прямой и пронзительный; прямой греческий нос; а речь — быстрая и оживленная, как у многих представителей его расы. Невероятно красноречивый, он мог часами поддерживать разговор; при этом произносимые им слова сливались в сплошной поток, будто им не терпелось вырваться на свободу из его уст. Все его существо излучало силу и энергию.

Напротив, мадам Маргарита была просто идеальным субъектом для гипноза: добрая, спокойная, тихая, скрытная и задумчивая женщина. Невысокого роста, чуточку пухленькая, с очень большими глазами, глядевшими ласково и мечтательно. Двигалась она медленно, словно в полусне.

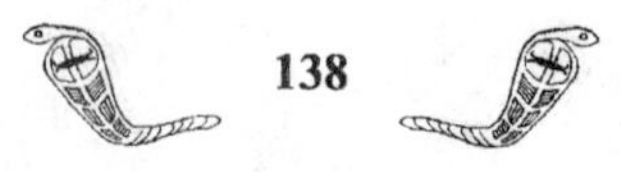

Она сидела на стуле с прямой спинкой, а месье Адес, встав рядом с ней, приступил к демонстрации. Он надавил большим пальцем на лоб мадам Маргариты — как раз между ее бровями — и держал его так около двух минут, не сводя глаз с ее лица. И ничего более: никаких пассов руками вокруг ее головы, никаких дополнительных приспособлений, обычно используемых гипнотизерами.

— Когда много лет тому назад я впервые пробовал гипнотизировать мадам Маргариту, — пояснил он, быстро говоря на родном французском языке, — я пользовался очень сложной методикой, и мне приходилось подолгу ждать, пока она достигнет первой стадии транса. Но теперь, после стольких лет совместной работы, я уже могу обходиться безо всяких приготовлений и гипнотизировать ее практически сразу, хотя другим гипнотизерам при работе с ней такое никогда не удается. Взгляните! Она уже загипнотизирована.

Тело мадам Маргариты обмякло, глаза закрылись, и стало понятно, что она уже полностью отключилась от окружающего мира. Я испросил разрешения обследовать ее: приподнял веки — глазные яблоки неестественно завернулись вверх, что указывало на потерю чувствительности. Это можно было считать научным подтверждением того, что она пребывала в первой стадии гипнотического транса.

Мы начали с простых, непритязательных вещей. Месье Адес приказал ей оглядеть комнату.

— Ужасное зрелище, не правда ли, — подсказал он ей, — посмотри, как страдает этот несчастный человек. Как печально видеть такое! Право, очень печально.

Мадам Маргарита посмотрела в угол комнаты, и лицо ее стало грустным. Она даже заплакала. Минуту или две по ее щекам обильным потоком текли слезы.

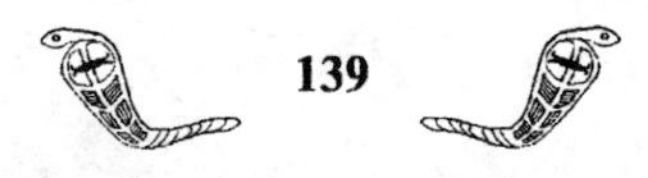

Тогда гипнотизер приказал ей увидеть в другом углу комнаты праздничную процессию и рассмеяться. Уже через несколько секунд мадам Маргарита перестала грустить, улыбнулась и, наконец, рассмеялась самым естественным, искренним смехом.

Так она поочередно становилась то трехлетним ребенком, то солдатом, то спортсменом, растянувшим себе ногу; и всякий раз она послушно следовала предложенному ей внушению, полностью вживаясь в указанную ей роль.

А затем, по совету месье Адеса, я сам заклеил мадам глаза клейкой лентой, которую на всякий случай принес с собой, закрыв таким образом ее ресницы, веки и щеки. После этого можно было не сомневаться в том, что открыть глаза она уже не сможет. Но ради вящей чистоты эксперимента я решил еще завязать ей глаза, обмотав ей голову шарфом из плотного красного вельвета; так что подлинность опыта подтверждала теперь двойная страховка.

Адес попросил меня прошептать ему на ухо очередную команду для загипнотизированного субъекта, и я едва слышно сказал ему: «Пусть она поднимет свою правую руку». Адес подошел к жене и поднес свою собственную правую руку к ее руке, но так, что между ними все равно оставалось несколько дюймов, а затем поднял свою правую руку вверх. Этим он приказывал ей повторить его действие.

И хотя глаза мадам были так тщательно заклеены, что она никак не могла видеть его действий, тем не менее, она тоже подняла вверх правую руку, причем сделала это в точно такой же манере, что и ее муж!

Месье Адес снова присоединился к нам и попросил нашу гостью продиктовать ему следующую команду. «Пусть она скрестит пальцы на обеих руках», — прошептала дама. Месье Адес вернулся к своему

незрячему субъекту со скрещенными пальцами, и его жена без колебаний повторила этот жест!

* * *

Наступила очередь самого интересного эксперимента. Новым прикосновением ко лбу и устным внушением Адес заставил жену погрузиться во вторую стадию гипнотического транса. В этом состоянии, как правило, необычайно активизируются доселе латентные функции подсознания.

Он скомандовал ей сесть за свой стол, и она немедленно повиновалась. Надо признать, она выглядела довольно странно с этой красной повязкой на глазах.

Адес попросил нас выбрать наугад любой абзац из любой своей книги, и мы, взяв какой-то научный труд на французском языке, открыли его на первой попавшейся странице (это оказалась страница номер 53), отчеркнули на ней один абзац и положили книгу на стол перед субъектом.

Мадам Маргарита взяла карандаш, а месье Эдуард положил перед ней листок бумаги:

— Найди в книге выделенный абзац, — строго приказал он ей, — прочти его, а затем напиши о том, что прочла, на этом листке. Приступай!

Загипнотизированная женщина примерно с минуту держала карандаш на весу, пристально разглядывая сквозь свою повязку страницы книги, а затем начала медленно и тщательно выписывать что-то на бумаге. Написав три или четыре слова, она вновь вернулась к книге, склонившись над страницей так, будто ее глаза были открыты, и она могла без помех прочесть каждое слово. Но мы-то были уверены в том, что сделали все необходимое, чтобы подобное стало абсолютно невозможным.

С плохо скрываемым восторгом и изумлением мы следили за этим чередующимся процессом чтения и

письма. Адес уверил нас, что пока она все пишет правильно, но более не произнес ни слова, стоя за спиной у жены.

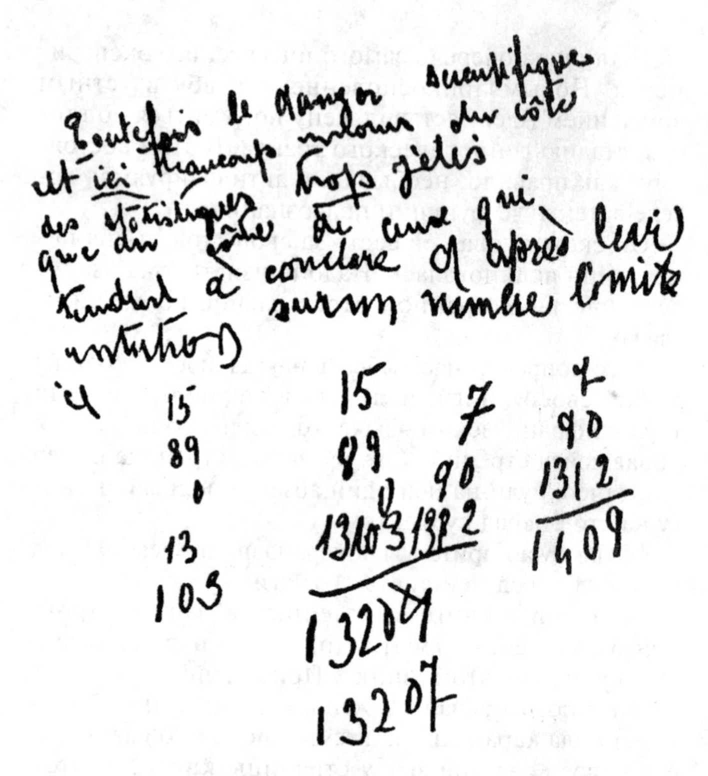
Toutefois le danger scientifique
et ici beaucoup moins du côté
des statistiques trop jetés
que du côté de ceux qui
tendent à conclure d'après leur
sur un nombre limité

ici 15 89 0 13 103
15 89 1310 3 1312 13207 13207
7 90 1312 1409

Запись, которую мадам Маргарита сделала с завязанными глазами.

Я попросил Адеса, чтобы он приказал жене подчеркнуть некоторые слова: второе слово во второй строке и третье слово в третьей. Адес не возражал, и мы увидели, как мадам Маргарита подчеркивает два слова.

Наконец работа была закончена, и мы в нетерпении устремились к столу, чтобы прочесть написанное и сравнить его с оригиналом. Вот как выглядел этот абзац в книге:

«Toutefois le danger scientifique est ici beaucoup moins du cote des statisticiens trop zeles que du cote de ceus qui tendent a conclure d'apres leur intuition sur un nombre limite...»

Сравнив книжный текст с тем, что записала на своем листке мадам Маргарита, мы убедились в том, что текст скопирован на удивление точно, и даже два слова подчеркнуты так, как и полагалось. Она допустила лишь один промах: вместо «statisticiens» написала «statistique». Любопытная, но вполне объяснимая ошибка.

Абзац не был дописан до конца, поскольку мы сами решили, что уже сделанного вполне достаточно для того, чтобы проверить способности мадам.

Еще один интересный опыт заключался в том, что мадам Маргарите было приказано еще раз написать тот же самый абзац, только левой рукой. В обычном состоянии она вовсе не является «обоерукой», но под гипнозом без труда справилась с этим заданием.

В дополнение к этому мы продиктовали месье Адесу несколько цифр, и он мысленно приказал жене записать их. По приведенной иллюстрации, где воспроизведен ее почерк, можно заметить, что она перепутала последние цифры в первой сумме, а именно — 13 и 103; так что ей пришлось считать заново. И хотя у нее на глазах все еще была непроницаемая повязка, она смогла правильно решить два примера на сложение и даже цифры в них записала точно друг под другом.

Следующий эксперимент продемонстрировал, какие, оказывается, огромные возможности в нас заключены, хотя они и пребывают пока большей ча-

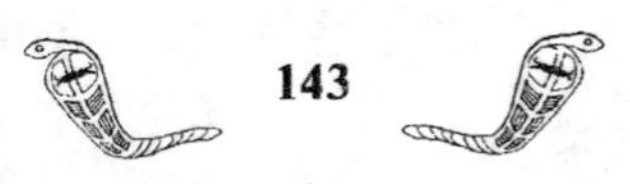

стью в латентном состоянии. Гостья, которую я привел с собой, взяла загипнотизированную мадам Адес за руку и сконцентрировала мысли на ментальном портрете своего мужа. Спустя некоторое время мадам Адес описала характер, способности, темперамент и даже физический облик человека, которого никогда не видела. Но особенно впечатляющим было ее заявление о том, что этот мужчина — правительственный чиновник.

— Все правильно! — подтвердила точность воспроизведения мысленно нарисованного ею портрета изумленная дама.

Правда однажды, когда мадам Маргарита находилась в таком же гипнотическом состоянии, она сама вызвалась заглянуть в мое будущее, но результаты этого эксперимента оказались плачевными. Я сразу же внутренне не принял некоторые ее предсказания, показавшиеся мне маловероятными; и действительно, через несколько месяцев убедился в их несостоятельности. Но когда она попыталась определить мой характер, цели, желания и стремления, ей удалось сделать это с поразительной точностью. Следовательно, предсказание судьбы в этом случае (хотя, пожалуй, и во всех прочих тоже) правильнее всего считать весьма ненадежной практикой, хотя общую направленность будущих поступков, исходя из характера человека, вывести вполне возможно.

Финальный эксперимент был проведен уже на третьей гипнотической стадии, являющей собою еще более глубокий гипнотический сон, когда некоторые части тела становятся нечувствительными к боли, а гипнотизер обретает контроль даже над бессознательно действующими органами субъекта.

Адес вытер ватой ладонь левой руки своей супруги, позволил нам как следует рассмотреть приготовленную им иглу, а затем воткнул эту иглу в ладонь мадам Маргариты так, что она вышла с обратной

стороны руки на добрых полдюйма. Мадам, казалось, совершенно не почувствовала боли; напротив, когда месье Адес внушил ей, что посреди комнаты стоит комедиант и развлекает всех нас своими репризами, она вся так и затряслась от смеха. Через несколько минут Адес вытащил иголку из ее руки. Ни на ладони, ни на самой иголке не было заметно никаких следов крови! Только оставшаяся на коже маленькая черная точка указывала, где именно была воткнута игла.

* * *

Я решил немного побеседовать с месье Адесом о гипнозе.

Человеком он был высокообразованным — закончил некогда университет и даже преподавал одно время психологию в каком-то колледже. Поэтому ему нравилось, когда его называли профессор Эдуард — естественная и вполне безобидная поблажка собственному тщеславию. Именно так я и старался к нему обращаться.

Когда я попросил объяснить мне механизм проводимых им опытов, он обратил на меня свой пронизывающий взгляд и воскликнул:

— Месье! Я буду с вами предельно откровенен. Мы абсолютно ничего не знаем о природе тех таинственных сил, которые вызывают гипнотические феномены. Нам знакома лишь техника произведения этих феноменов и известны условия, обеспечивающие либо успех, либо провал эксперимента.

Мы обнаружили, что каждый человек обладает определенной способностью, называемой нами магнетическим влиянием; а у некоторых, как, например, у меня, эта способность развита настолько, что они могут с ее помощью оказывать воздействие на окружающих, как вы только что видели. Правда, с другой стороны, для этого требуются люди от при-

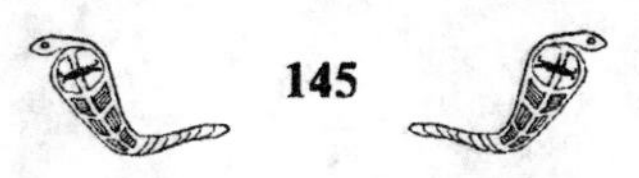

роды восприимчивые к подобного рода воздействиям, без особого сопротивления подчиняющиеся чужой воле. Когда я обнаружил в себе гипнотические способности, я постарался развить их, и, как видите, в какой-то мере мне это удалось. А благодаря постоянным экспериментам, которые мы проводим с мадам Маргаритой, нам удалось достичь немалых успехов, чему вы сами были свидетелем. Поначалу мне стоило больших трудов привести ее в гипнотическое состояние, но, благодаря постоянной практике и накопленному опыту, сейчас для меня это дело нескольких минут.

Что с ней происходит, когда я ее гипнотизирую? Она входит в состояние сомнамбулы, лунатика, — продолжал пояснять месье Адес, — даже если выстрелить из пистолета прямо у нее под ухом, это не сможет теперь вывести ее из транса. Доктора Прейер и Бергер, изучавшие в свое время лунатиков, пришли к выводу, что в сомнамбулическом состоянии человек способен видеть сквозь закрытые веки. Этот удивительный факт доказывает, что сознание способно раздваиваться, а то, что психологи называют подсознанием, существует на самом деле. А наши опыты свидетельствуют, что это подсознание обладает развитым ясновидением и не сковано ограничениями материального мира. И потому оно способно проделывать с телом то, что в сознательном состоянии кажется совершенно немыслимым. А это значит, что наши представления о материальных ограничениях иллюзорны и что на самом деле мы обладаем куда большими способностями, чем предполагаем. Но гипнотическое состояние освобождает человека от этих сковывающих представлений.

— А чем Вы объясняете способность мадам Маргариты читать с завязанными глазами?

— Мы просто говорим, что возможности подсознания пока не поддаются истолкованию, но ясновидение

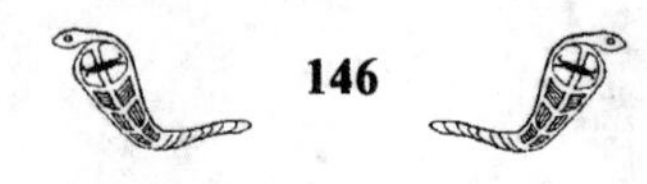

Профессор
Э.Адес

Мадам
Маргарита

дение безусловно входит в их число. Иными словами, подсознание может видеть, слышать и чувствовать, причем без помощи глаз, ушей и прочих физических органов[1].

Гипнотическое состояние отвлекает внимание субъекта от физических органов, по сути дела — от всего физического тела, и потому человек сосредотачивается исключительно на подсознании и на его способностях.

— Я заметил, что Вы не делаете никаких пассов руками. Вы не видите в этом необходимости?

— Я допускаю, что для некоторых гипнотизеров подобные пассы необходимы, — живо отозвался месье Адес, — но я без них вполне обхожусь. Мне достаточно воздействия своей воли и словесного внушения. И мой личный опыт убеждает меня в том, что подлинный секрет гипноза кроется как раз в этих двух методах, особенно в методе внушения —

---

[1] От индийских йогов я слышал их объяснение этих феноменов. Они утверждали, что каждый человек обладает невидимым «духовным телом» и что в этом последнем имеются семь нервных центров, расположенных в области, примыкающей к спинному и головному мозгу физического тела; и каждый из этих невидимых центров контролирует наши физические чувства. Первый центр они помещали в область крестца, его функция — контроль обоняния; второй, контролирующий вкус, расположен в районе селезенки; третий — в районе пупка, он отвечает за зрение и т.д. Суть их теории заключается в том, что внешние объекты воспринимаются именно этим «духовным телом», существование которого, таким образом, является необходимым условием нормального функционирования всех физических органов чувств человека. Последние же являются всего лишь орудиями и без участия «духовного тела» функционировать не могут. Иначе говоря: зрение, слух и прочее — это прежде всего ментальные способности, а уж потом физические. Йоги также утверждали, что при наличии осознанного контроля за вниманием (а достигается он методом углубленной концентрации) все гипнотические феномены можно производить по собственной воле, без участия гипнотизера.

спокойного, но повелительного. А магнетические пассы необходимы только тем, кто еще недостаточно опытен, чтобы обходиться без них.

* * *

Каждый год в Каир на некоторое время приезжает человек, которого без преувеличения можно назвать самым знаменитым факиром современного Египта — никто иной, как прославленный Тара-Бей. Вокруг него вьется множество противоречивых слухов. Образно говоря, то, что он без всякого ущерба для себя втыкает в свое тело ножи и стрелы, побуждает многих критиков непрестанно пронзать его своими языками и перьями. Однако факт остается фактом: многие известные люди находят его феномены весьма интересными и в большинстве случаев действительно убедительными. Среди тех из них, кто удостаивал его своим приглашением, можно назвать египетского короля Фуада, румынского короля Кароя и итальянского короля Виктора-Эмануила. А синьор Бенито Муссолини несколько раз принимал его у себя во дворце Киджи. К тому же Тара-Бей не избегает никаких испытаний и проверок, но напротив — всячески приветствует их. Многие из его феноменов я уже неоднократно видел в исполнении других факиров в разных областях Индии и Африки, так что мне было совсем нетрудно поверить в их подлинность. Более того, я достаточно хорошо знаю этого человека и не сомневаюсь в том, что он действительно обладает всеми теми способностями, о которых говорит. И не только говорит, но и демонстрирует, порой даже не без некоторой выгоды для себя. Но только повальное пристрастие к чудесам и гаданиям заставляет его время от времени снисходить до такого рода деятельности, которую я никоим образом не одобряю. Хотя, возможно, его собственная вина в этом не так уж и велика.

Как-то за чаем он с грустью признался мне:

— Этот мир вынуждает меня зарабатывать своими способностями: быть артистом, хотя я всегда хотел быть ученым.

И все-таки я отношусь к нему с большим уважением, как к первому восточному факиру с незаурядными способностями, отказавшемуся, тем не менее, облекать их в одежды псевдомистического пустословия и религиозных излишеств. Он и сам очень хочет понять истинную природу производимых факирами феноменов, освобожденную от традиционно сопровождающей их пустопорожней чепухи. Его отличает удивительно рациональный, современный взгляд на собственную профессию и на используемые в ней принципы, в корне отличный от мировоззрения его по-средневековому косных, иррационально мыслящих и излишне увлекающихся мистикой коллег, именующихся факирами. Одним словом, он стремится заменить суеверие наукой.

Для того, чтобы наилучшим образом представить себе суть его феноменов, необходимо сперва познакомиться с самим этим человеком, а для этого мне придется вкратце изложить здесь историю его жизни — так, как он сам мне ее поведал. А потому — позвольте вам представить...

Вы, вероятно, сразу вообразили себе худощавую фигуру изнуренного постом и молитвой аскета. Отнюдь — пусть ваше воображение нарисует невысокого, представительного вида мужчину с черными волосами и оливковой кожей, со спокойным и серьезным лицом, обрамленным бородкой, и головой, иногда обернутой арабским бурнусом, а иногда в мягкой фетровой европейской шляпе. Рост его, как я уже говорил, — чуть выше среднего. Он без труда меняет широкое арабское одеяние на модный — с иголочки — европейский костюм, причем чувствует себя и в том и в другом одинаково комфортно.

Взгляд его мудрых и красивых глаз просто завораживает, из-за того, что ярко выделяющиеся на фоне бледной радужки черные как смоль зрачки придают ему необычайную глубину. В общении с окружающими неизменно добр и любезен — качество, присущее многим благовоспитанным египтянам. Говорит всегда так тихо и спокойно, что недостаточно хорошо знакомый с ним человек вряд ли когда-нибудь смог бы предположить, что ему подвластны самые удивительные и загадочные силы Природы. Ему также свойственны неизменный самоконтроль, невозмутимость и самообладание — качества, отличающие каждого истинного факира. Добавлю еще, что ежедневно он выкуривает немыслимое число сигарет.

— Я родился в 1897 году в Танте — маленьком беспокойном городке в дельте Нила, примечательном разве что гробницей знаменитого факира тринадцатого столетия шейха Аида Ахмада Аль-Бадави, к которой со всего Востока стекаются паломники. Мать умерла, когда рожала меня, а отец был коптом — египетским христианином. Отец и сам был не чужд учения факиров — некоторые из них были его друзьями. Так что мое знакомство со своей будущей профессией началось с самого детства. Первое посвящение в традиционные феномены факиров я прошел еще будучи подростком, и одним из учителей был мой собственный отец. Тогда же внутренние неурядицы в стране заставили нас сменить место жительства. И мой отец, и мой учитель, и я сам переехали в Турцию и обосновались в Константинополе. Там я получил неплохое современное образование, изучал медицину и получил докторскую степень. Это образование очень помогло мне в психологическом плане, поскольку научило подвергать свои психические способности строгому научному анализу. Я открыл в Греции собственную клинику и некоторое время работал там. И там же мне удалось произвести феномен, который я всегда считал и считаю самым большим достижением факирского искусства, — феномен самовоскрешения. Рискуя жизнью, я позволил похоронить себя заживо на целых двадцать восемь дней и вышел из этого испытания живым и вполне здоровым. Митрополит и другие христианские священнослужители противились этой моей затее, усматривая в ней и в мотивирующих ее учениях угрозу собственной религии. И все же местные власти встали на мою сторону, заявив, что мне — как доктору — виднее, закапывать себя в землю или нет. Впоследствии мое образование и докторская степень еще не раз помогали мне в самых различных ситуациях.

Я побывал в Болгарии, Сербии и Италии. В последней я позволил тамошним ученым изучать, как только они сами пожелают, мои способности и даже запечатать меня в свинцовом гробу. Мое тело полностью закапывали в песок. Прибивали крышку и опускали гроб в бассейн с водой. Правда, в этом случае уже через полчаса вмешалась полиция и прекратила эксперимент, но все же он длился достаточно долго, чтобы считать его успешным. Потом я посетил Францию, где мне позволили не только повторить этот эксперимент, но и продлить его сколь угодно долго. Целых двадцать четыре часа я оставался в гробу под водой, приведя свое тело в состояние каталепсии, а в это время полиция и прочие наблюдатели следили за ходом опыта, дабы не допустить никакого подлога. У меня есть две фотографии, запечатлевшие это событие. На первой зафиксировано мое погруженное в транс тело, положенное в гроб; а на второй — гроб извлекают из воды после того, как он пробыл в ней двадцать четыре часа. Я с большой готовностью организовал и провел этот опыт, поскольку слишком многие критики изъявляли желание разоблачить производимые индийскими факирами погребения заживо — те самые, которые Вы описали в своей книге об этой стране. Они утверждают, что факиры заранее готовятся к исполнению этого трюка, выкапывая под землей скрытый тоннель, благодаря которому продолжают беспрепятственно дышать. Разумеется, так все и происходит в тех случаях, когда речь идет о псевдофакирах, которые на самом деле суть всего лишь фокусники и иллюзионисты; но в подобных уловках абсолютно не нуждаются те, кто действительно постиг секреты нашего искусства и способен погружать свое тело в состояние транса. Именно ради подтверждения этого я организовал и провел тест с погружением в воду — полностью очевидный и легко поддающийся проверке. Особенный интерес к нему проявили медики, стремившиеся всеми способами удостовериться в его подлинности, что вполне естественно. Но, коль скоро эксперимент был основан на знании законов природы, у меня не было причин для опасений.

Мне нравится комфорт европейской жизни, но и к своей стране я очень привязан; а потому я решил каждый год проводить попеременно то в Египте, то в Европе. Я хорошо отношусь к европейцам, и многие из них также хорошо относятся ко мне. Например, королева Испании однажды прислала мне вместе с приглашением посетить ее страну целый эскорт, которому было поручено сопровождать меня. Я не очень-то горжусь своими достижениями. Свое прошлое я вспоминаю просто как сюжет занимательного фильма. Настоящему факиру чужды такие недостатки, как жадность и тщеславие; он живет внутренней жизнью, свободной от чрезмерных мирских желаний. Вам уже знакомы факиры Востока, и потому Вам должно быть ясно, что я — нетипичный представитель этого славного племени, поскольку многие мои коллеги — хотя тоже настоящие факи-

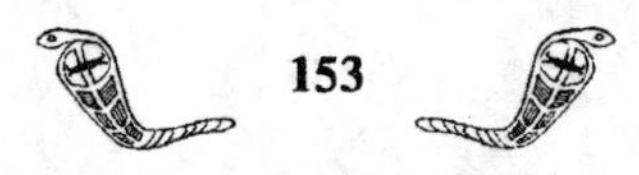

ры — вовсе не стремятся попасть в Европу и к тому же слишком горды, чтобы разрешать кому бы то ни было проверять подлинность своего искусства. Более того, они считают демонстрацию своих способностей абсолютно бесполезной, поскольку уверены, что европейцы назовут их фокусами или шарлатанством, словом — всем, чем угодно, но только не тем, что они есть на самом деле. Но самое главное препятствие заключается в том, что они, в отличие от меня, не знают ваших языков (а я знаю итальянский и французский); и я не знаю среди них ни одного, кто обучался бы в университете медицине и прочим наукам и ознакомился бы с положительными сторонами нынешнего европейского образования. Как Вы уже, вероятно, заметили, они в большинстве своем весьма пренебрежительно относятся к европейскому образованию, считая его скорее помехой, нежели подспорьем. Разумеется, тут я с ними не согласен.

* * *

Я собрал небольшую группу врачей и других специалистов, чье внимание мне удалось обратить на все эти неортодоксальные вещи, и мы были удостоены чести лицезреть целый каскад удивительных, а иногда даже пугающих, феноменов, исполненных Тара-Беем с поразительной легкостью и быстротой.

По такому случаю факир отказался от европейской одежды и предстал нам в длинной белой полотняной рубахе. Его голову украшал арабский бурнус, связанный из двух — синей и желтой — полос материи, а грудь — подвешенная на цепочке пятиконечная чеканная золотая звезда — эмблема ордена, в который он был посвящен. Вокруг талии был обвязан золотой пояс. Он стоял перед нами, скрестив руки на груди, в окружении самых разных вещей и материалов, необходимых ему для демонстрации. На

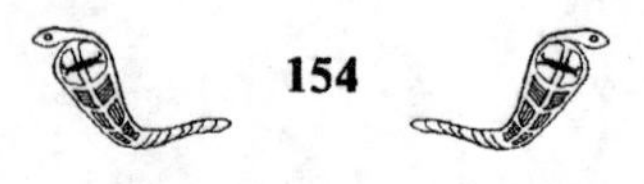

одном столе были разложены кинжалы, шляпные заколки, ножи, иглы, вертела и куски битого стекла; а на другом лежала усеянная длинными и острыми гвоздями доска. Рядом на полу лежали тяжелый каменный блок, большой молот и весы, а в корзинке сидели белая курица и серый кролик со связанными лапками. Для полноты картины следует добавить еще две ослепительно острых косы, сооружение, напоминающее строительные козлы, длинный гроб, еще более длинный и широкий ящик, горку красного песка и пару лопат, несколько полотенец и немного ваты; хотя и этот список вряд ли можно назвать полным. Зажженный в курильнице фимиам наполнял комнату нежным благоуханием. Рядом с Тара-Беем стояли два молодых человека, призванные играть роль ассистентов. Сам Тара-Бей вышел немного вперед, не сказав при этом ни слова. В свете электрических ламп он выглядел довольно внушительно.

Мы внимательно осмотрели каждый из предметов, дабы убедиться в их подлинности и невозможности какого-либо обмана с их использованием.

Факир приложил одну руку к своей шее под затылком и слегка оттянул кожу вверх, а пальцами другой руки прикоснулся к вискам, после чего так резко втянул ртом воздух, что его адамово яблоко на секунду заколыхалось. Через минуту его глаза уже были закрыты — он погрузился в состояние транса. Вдруг он вскрикнул изменившимся голосом и так быстро перешел из состояния транса в состояние каталепсии, что его тело наверняка рухнуло бы на пол, если б его не подхватили ассистенты.

Теперь его тело стало неподвижным, как деревянная статуя, и помощники с трудом раздели его до пояса для первого эксперимента.

Затем один из них закрепил на козлах остриями вверх обе косы. На эти косы сверху положили Тара-

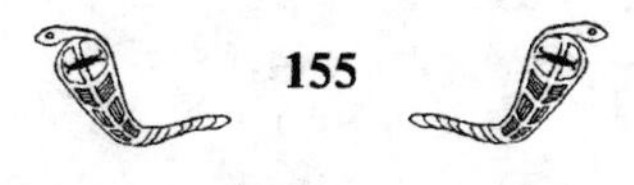

Бея — так, что одна из них оказалась под его плечом, а другая под лодыжкой; и пока он пребывал в таком положении, один из докторов проверил его пульс и с удивлением отметил, что он аномально участился до 130 ударов.

Затем принесли каменный блок и положили на весы. В нем оказалось около девяноста килограммов. Это была гранитная глыба, грубо отесанная в форме куба. Ассистенты водрузили ее прямо на обнаженный живот Тара-Бея, а один из них взял в руки большой кузнечный молот и начал наносить им по камню безжалостные удары. Тело факира при этом оставалось упругим и неподвижным, как будто было сделано из железа, и ни на йоту не прогибалось под тяжестью собственного веса, веса камня и ударов молота. Наконец, глыба раскололась пополам, и ее обломки с шумом рухнули на пол. Помощники подняли Тара-Бея и поставили на ноги, удерживая в вертикальном положении. По его виду можно было заключить, что он никоим образом не осознавал того, что с ним происходило, и совершенно не чувствовал боли. Доктора с интересом осмотрели его и убедились, что острия кос не оставили даже вмятин на его коже! Хотя от гранитной глыбы на его животе все-таки остался красный отпечаток.

Уже после одного только этого эксперимента Тара-Бей преспокойно мог бы почивать на лаврах (хотя он и напомнил мне феномены индийских йогов не самой высокой квалификации, виденные мною в Бенаресе). Те йоги могли сидеть или лежать на острых шипах, но эти их феномены вызвали у меня скорее отвращение, нежели интерес.

Ассистенты положили тело факира на угрожающе ощетинившуюся острыми гвоздями доску, и один из них встал на него сверху — одной ногою на грудь, а другой на живот. Когда же его вновь подняли, доктора опять не смогли найти на его голой спине ни

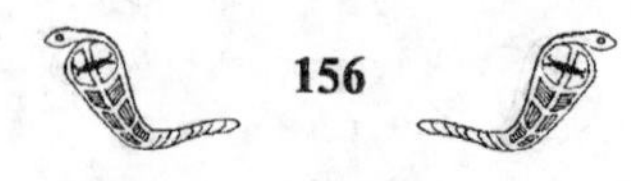

единой царапины или хотя бы отпечатка! Только пульс факира участился до 132-х ударов.

А потом мы увидели, как вздрогнули его веки и медленно открылись глаза. Уже через несколько мгновений он окончательно проснулся, задвигались зрачки. Он походил на человека, который только что очнулся ото сна и еще плохо ориентируется в окружающей обстановке. Примерно с полчаса его взгляд оставался неестественно пустым. Он попытался сделать вдох, что, судя по всему, стоило ему немалых усилий, так как при этом он раскрыл рот настолько широко, что стал виден его язык, завернувшийся назад и перекрывший горло. С трудом вдохнув воздух, он пальцем вернул язык в нормальное положение.

Только теперь он смог полностью выйти из каталептического состояния, в которое так быстро погрузился в начале опыта.

Отдохнув минуту или две, он продолжил демонстрацию. Его последующие опыты должны были выявить, вправду ли его тело стало невосприимчивым к боли или нет.

Тара-Бей попросил докторов проткнуть его рот парой шляпных заколок, что один из них тут же с готовностью проделал, проколов обе щеки так, чтобы заколка прошла через ротовую полость. Кому как не докторам было лучше всего известно, что в теле человека есть участки, свободные от нервной и мускульной ткани, и потому их можно проткнуть почти безо всякого вреда для организма. Но именно по этой причине они аккуратно выискивали на лице факира самые опасные и болезненные участки, чтобы воткнуть в них булавку; а челюсти факира и вовсе пронзили несколькими толстыми шампурами. При этом Тара-Бей оставался в полном сознании и ясно видел все происходящее. Но болезненность этой процедуры, казалось, нимало его не смущает.

Но еще более невероятные вещи начались тогда, когда Тара-Бей разрешил другому доктору большим кинжалом проткнуть его шею под гортанью так, чтобы острие вышло наружу с другой стороны, пройдя почти целый дюйм сквозь живую плоть. При этом другие доктора, еще не отринувшие (что вполне естественно) своего скепсиса, внимательно смотрели в глаза факира, чтобы сразу заметить, если его зрачки вдруг сузятся или наоборот — расширятся. Таким образом они старались определить, принимал ли Тара-Бей накануне какие-либо наркотические вещества или нет; они заподозрили, что перед демонстрацией он мог накачать себя наркотиками, чтобы стать нечувствительным к боли. Однако им пришлось признать, что глаза факира в полном порядке.

Когда же из тела Тара-Бея извлекли все эти ужасные орудия, ни на их лезвиях, ни на его теле не было ни единой капли крови. Это показалось некоторым докторам настолько подозрительным, что они настояли на продолжении эксперимента и изрезали лицо факира осколками стекла, а потом вогнали иглы прямо в его горло. Но и из этого испытания он вышел не обагренным кровью ни в малейшей степени. Тогда они принялись втыкать стрелы и заколки в его грудь и плечи, но все безрезультатно.

Для большей убедительности Тара-Бей сам предложил докторам воткнуть ему в грудь большой острый нож. После этого на теле факира остался след от укола, но крови все равно не было. Тогда один из врачей выразил желание увидеть хоть немного крови, дабы убедиться, что факир все-таки ранен; в ту же секунду факир усилием воли заставил рану открыться, и вскоре алая кровь залила ему всю грудь (ужасное зрелище). Когда же доктор выразил свое удовлетворение, египтянин опять-таки одним лишь волевым усилием остановил кровь, чем поверг врачей в еще большее изумление, нежели все предыдущие феномены. А через десять минут след от раны полностью исчез.

Тогда один ассистент зажег факел и провел им по левой ноге факира по всей ее длине — от лодыжки до середины бедра. Мы услышали, как потрескивает от жара его кожа, но лицо его оставалось спокойным и абсолютно неподвижным.

И все же у одного из докторов остались сомнения. Он по-прежнему подозревал, что Тара-Бей ввел себе накануне какой-то сильнодействующий наркотик, и чтобы проверить это, решил измерить пульс факира в момент прикосновения огня к его телу. Если бы он просто скрывал свою боль или же подавлял ее феноменальным усилием воли, его пульс все равно должен был участиться, а лицо — побледнеть. Словом, хоть что-нибудь, но должно было выдать его страдания; однако никаких изменений замечено не было. Более того, прими он кофеин или какой-то другой наркотик, это неминуемо отразилось бы на его дыхании, но и здесь никаких отклонений не было.

Дальнейшие опыты состояли в том, что в тело Тара-Бея — прямо над сердцем — втыкали длинные стрелы и насквозь прокалывали ими его руки.

* * *

Затем настала очередь качественно новых опытов: Тара-Бей демонстрировал свою власть над животными (подобное могут проделывать и индийские йоги). По его просьбе я заранее принес кролика и курицу и оставил их в корзинке на демонстрационном столе. Теперь Тара-Бей взялся за них.

Он взял кролика и положил его себе на шею. Две или три минуты животное сопротивлялось, но факир надавил рукой на расположенный под его затылком нервный центр, сделал над его головою не-

сколько пассов рукой, и тело зверька тут же безжизненно повисло на его шее — как раз в той позе, какую сам факир старался ему придать. Глаза кролика оставались открытыми, и мы заметили, что несмотря на неподвижность тела, зрачки его продолжали двигаться, свидетельствуя тем самым, что зверек хотя и беспомощен, но все-таки в полном сознании. И все же один из нас подошел к кролику и ради вящей убедительности дотронулся пальцем до его глаза. Глаз тут же закрылся и открылся вновь, что убедило нас окончательно — животное в сознании, хотя и обездвижено.

Тара-Бей слегка шлепнул кролика по загривку, и в тот же миг животное, возопив, подпрыгнуло, соскочило на стол и весело забегало по его поверхности. С виду оно было совершенно здоровым, предыдущий болезненный эксперимент, казалось, никоим образом не отразился на его самочувствии.

Тот же самый опыт был повторен и с курицей, при этом птица вела себя также послушно. Тара-Бей мог заставить ее замереть в какой угодно позе на сколь угодно долгое время.

После этого факир сообщил нам, что его тело полностью восстановило свою обычную чувствительность, — таким образом, оно оставалось невосприимчивым к боли на протяжении двадцати или двадцати пяти минут с момента входа в транс. Иными словами, он полностью вернулся в нормальное состояние.

— И если вы сейчас захотите исподтишка ткнуть меня ножом, то я, конечно же, закричу от боли, — признался он.

И вот, наконец, гвоздь программы сегодняшнего вечера — ничто иное, как погребение заживо. Этот невероятный феномен, разумеется, требовал максимальной уверенности в том, что здесь не может быть никакого обмана.

Тара-Бей сообщил нам, что заранее наметит время выхода из транса, в который ему вновь придется погрузиться для демонстрации этого феномена. Соответственно, мы должны были эксгумировать его точно через полтора часа, поскольку выйти из транса он предполагал через час и тридцать пять минут.

На середину комнаты вынесли гроб, предварительно обследовав пол в этом месте. В соответствии с египетской модой пол был выложен мозаичной плиткой, под которой не могло быть ничего, кроме потолка другой, расположенной этажом ниже квартиры, поскольку действие происходило в одном из многоэтажных домов европейского типа (такие дома сейчас не редкость в европейском квартале Каира). Ни о каком потайном тоннеле не могло быть и речи, но для полной уверенности мы воспользовались еще и ковром — обычным ковром, постеленным на пол, прежде чем установить на него гроб.

Тара-Бей вернул себя в состояние каталепсии с помощью уже знакомой нам процедуры: надавив пальцами на артерии с тыльной стороны шеи и сжав височные нервные центры. Язык при этом он опять завернул в горло и резко втянул в себя воздух. Через пару минут он уже был полностью готов к эксперименту: дыхание прекратилось, остановилось кровообращение, помертвело тело. Тара-Бей упал на руки своих ассистентов; им пришлось держать его так до тех пор, пока врачи не закончили осмотр и не пришли к выводу: дыхания нет, пульс не прощупывается!

После этого ассистенты заложили уши, ноздри и рот факира ватой и положили его негнущееся тело в гроб. Невозможно было с точностью сказать, чем же лежащий в гробу Тара-Бей отличался от обыкновенного трупа. В самом деле, в этом «живом покойнике» с серым лицом уже не оставалось никаких признаков жизни.

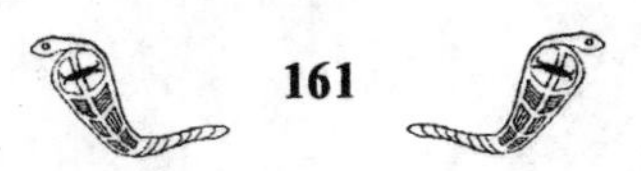

Помощники энергично заработали лопатами, насыпая в гроб красный песок; а когда тело факира оказалось полностью погребенным, то положили сверху деревянную крышку и тщательно прибили ее гвоздями.

Но этим дело не кончилось. Ассистенты вытащили на середину комнаты огромное деревянное корыто и поставили его на ковер рядом с гробом. Гроб подняли и установили внутрь корыта, после чего засыпали корыто песком до краев, полностью похоронив, таким образом, гроб с телом факира.

Для нас начались полтора часа томительного ожидания, а Тара-Бей в это время преспокойно отдыхал в своей импровизированной песчаной гробнице. Перед началом опыта мы осмотрели и проверили все, что только было возможно, а потом внимательно следили за ходом каждого его этапа. Так что если бы факиру все же удалось дожить до его окончания, нам не оставалось бы ничего иного, кроме как признать его экстраординарные способности.

Наконец, положенное время истекло, и помощники, выполняя данные им инструкции, вычерпали из корыта песок, вынули оттуда гроб и открыли крышку. Тело факира лежало неподвижно, кожа стала серой, как у трупа. Не было никаких сомнений, что перед нами покойник.

Тело извлекли; оцепенение немного спало, так что факира даже удалось посадить на стул. А через несколько минут появились первые признаки возвращающейся жизни. Задрожали веки, появилось слабое дыхание, и кожа начала приобретать свой естественный цвет.

Минут через десять после извлечения из гроба он уже был снова самим собой и разговаривал с нами об этом необычном эксперименте.

— Я так крепко спал, что совсем ничего не помню о происшедшем. Последнее, что я помню — эта

комната и то, что я закрыл глаза. А потом, благодаря сложному процессу заранее проведенного самовнушения, я проснулся опять в этой же комнате точно в назначенное мною время.

Так закончился наш удивительный вечер в компании с этим удивительным маленьким человеком, способным в одно мгновение сотворить чудо!

Я возвращался домой, будучи уверенным, что шаткий колосс материализма уже в этом столетии будет брошен на плаху, поскольку он никогда особенно не стремился проникнуть в тайны разума.

Пессимисты от науки предсказывают, что в конце своей жизни наша Земля превратится во вращающийся в пустоте застывший мертвый шарик. Может быть. Но жребий человека далеко не столь безнадежен, как судьба его дома, *ибо человек — это нечто гораздо большее, нежели его собственное тело.*

Глава 7

БЕСЕДА С САМЫМ ЗНАМЕНИТЫМ ФАКИРОМ ЕГИПТА

Тара-Бей выкуривал одну за другой слабые египетские сигареты и неспеша излагал мне теории и принципы, лежащие в основе его поразительных феноменов. Это было в самом начале дня в одной из тех роскошных квартир, что строят сейчас в Каире, следуя европейской моде. Он пообещал рассказать мне в меру собственной осведомленности обо всех интересующих меня вещах, так что я с трепетом ожидал от нашей беседы самых сенсационных откровений. Я задавал вопросы, и некоторые его ответы действительно помогли мне многое понять.

Это и вправду всегда увлекательно (а в некоторых случаях и очень полезно) расспрашивать об аномальных и неординарных вещах непосредственно тех, кто с ними связан, а не библиотечных профессоров, способных только теоретизировать на их счет.

— Начинать следует с осознания скрытых в каждом из нас огромных возможностей, — приступил к объяснению Тара-Бей, — и пока мы этого не сдела-

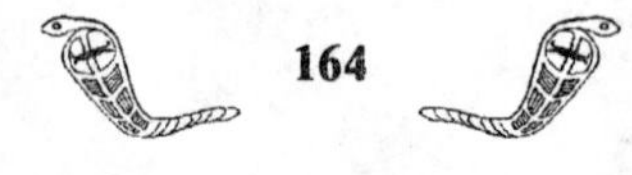

ем, так и останемся связанными по рукам и ногам вовсе необязательными ограничениями, не допускающими полноценного использования нами своих психических и физических способностей. Когда люди видят мои феномены, они кажутся им либо надувательством, либо чем-то предельно сверхъестественным. Но они не являются ни тем и ни другим. И так непросто объяснить, что все они строго естественны и не идут вразрез ни с одним законом природы. Правда, кроме физических, я использую еще и психические законы, которые пока еще мало изучены; но ведь от этого они не перестают быть *законами.* Ни один из моих феноменов нельзя назвать фантастическим, сверхъестественным или антинаучным. А если кто-то продолжает считать меня фокусником и шарлатаном, мне остается лишь сожалеть о скудости воображения таких людей, неспособных допустить, что человеку доступно гораздо большее, нежели его нынешние ограниченные возможности.

Я быстро записывал, стараясь не пропустить ни единого слова, и когда, наконец, смог оторваться от своих конспектов, успел краем глаза разглядеть на всегда невозмутимом лице Тара-Бея печальное выражение, появляющееся лишь в те моменты, когда речь заходит о его критиках; хотя, судя по характеру этого человека, трудно было предположить, что их слишком много, поскольку люди его склада чаще наживают себе друзей, чем врагов и вызывают скорее расположение, чем недоверие.

— Так, например, когда я протыкаю себе щеки шампурами и булавками, они считают, что это всего лишь хитрый фокус; а если не фокус, то следствие воздействия наркотиков; а если не то и не другое, значит, я просто мужественно терплю ужасную боль. Но даже если допустить, что они действительно правы, то куда же потом деваются шрамы, которые, казалось бы, должны покрывать все мое тело, раз я его так безжалостно кромсаю и режу? Вся беда в том, что они никак не могут отказаться от своего привычного образа мышления; они не допускают даже мысли о том, что мои объяснения могут оказаться правдой. Что ж, пусть тогда попробуют втыкать ножи и булавки в свои собственные лица и глотки; это сразу заставит их задуматься. Сколько бы они ни убеждали себя в том, что ничего не почувствуют, и какие бы чудеса терпения они ни проявляли, вряд ли у них что-нибудь получится.

На несколько секунд он недовольно замолчал.

— Но Вам интересны мои собственные объяснения. Есть два секрета (хотя это не очень точное слово, но, думаю, сойдет), позволяющих мне производить все мои феномены. Это: во-первых, давление на определенные нервные центры тела; а во-вторых, способность погружаться в каталептическую кому. Таким образом, эти феномены может производить каждый, кто подходит для этого физически, если только он пожелает пройти долгий курс практического обучения этим двум основным секретам, каковой в свое время прошел и я сам. Без этих предварительных операций я вряд ли смог бы безропотно переносить жестокую боль, которая неминуемо должна сопровождать эти опыты, поскольку я совсем не такой человек, как те индийские факиры, с которыми Вы встречались раньше; ведь в отличие от них я не стремлюсь всеми средствами укрощать свою плоть и не подвергаю себя жестоким мучениям, которые им предписывают их аскетические доктрины. Я отмежевался от этой варварской практики и не одобряю тех самоистязаний, которым подвергают себя эти аскеты. Единственное, в чем я с ними согласен в теоретическом плане, — это необходимость внутреннего освобождения в духе; а в практическом плане — заглатывание собственного языка во время погружения в каталептическое состояние.

Его откровенность, учитывая образ мысли восточных факиров, была просто поразительной. Но все же я попросил его еще раз подробнее рассказать о первом упомянутом им секрете.

— Хорошо, — тут же откликнулся он, — вряд ли Вам стоит объяснять, что проводниками болевых ощущений служат нервы; но, пожалуй, стоит напомнить, что нажатием пальца на определенный нервный центр можно привести его в состояние анестезии, прекратив к нему доступ крови. Это ни в коей мере не значит, что я советую всем и каждому проделывать подобные эксперименты, поскольку без долгой и тщательной подготовки они очень опасны и безумно рискованны. Но если нажатие на нервный центр сопровождается концентрацией мысли, а также полным расслаблением мускульной и нервной системы, и если за этим следует резкий вдох с решительным заглатыванием языка в гортань, — в наступлении каталептической комы можно не сомневаться. И затем минут двадцать пять плоть остается абсолютно нечувствительной даже к самой сильной и жестокой боли.

— И на какие же нервные центры необходимо надавить?

— На главную сонную артерию, питающую голову, височные гипнотические центры и легочно-желудочные нервы. Но, как я уже говорил, с этим надо быть предельно осторожным. Если кто-нибудь, не пройдя предварительного обучения, попытается зажать себе сонную артерию, и ему удастся прекратить доступ крови в мозг, то все, чего он добьется — это шум в голове, вызываемый покидающей ее через затылок кровью; а потом он просто беспомощно рухнет на землю, неминуемо потеряв сознание. Мне удается избежать подобных печальных последствий только потому, что я обучался этому с самого детства под руководством профессионалов.

— А заглатывание языка?...

— Ах, это Вы уже, наверняка, видели у индийских йогов. Мне было только четыре месяца от роду, когда отец впервые начал подворачивать мне пальцем язык. Это, разумеется, приводило к конвульсиям; но только когда они становились слишком сильными, отец соглашался признать, что упражнение зашло слишком далеко и пора его приостановить. Зато теперь я глотаю язык безо всякого труда (хотя у меня до сих пор временами возникают сложности с его возвращением в нормальное положение, и приходится вынимать его из горла пальцами). Индусы иногда прибегают к специальным упражнениям для удлинения языка, чтобы им потом было удобнее заворачивать его назад, закупоривая таким образом дыхательное горло. Эта процедура, помимо всего прочего, нужна еще и для того, чтобы предотвратить попадание в рот микробов и опасных насекомых[1] в то время, когда обездвиженное тело лежит в земле.

— А что происходит после того, как вы вошли в кому?

— Прежде чем погрузиться в кому, я всегда заранее определяю время своего пробуждения и прихожу в себя точно в назначенный срок. Подобное самовнушение используют очень многие люди; например, когда, готовясь ко сну, они приказывают себе проснуться в определенном часу, поскольку это для них очень важно. Это доказывает, что подсознательный разум никогда не спит. Лишь бодрствующему

---

[1] Помню, как однажды Брама (индусский йог из моей книги «Путешествие в тайную Индию») — прошедший примерно ту же школу, что и Тара-Бей — сказал мне, что если йог решился быть заживо похороненным на определенное время, ему следует убедиться, что в избранном для этого месте не водятся маленькие прожорливые твари, известные как белые муравьи; потому что эти муравьи способны прогрызть деревянный гроб и уничтожить погруженное в транс тело.

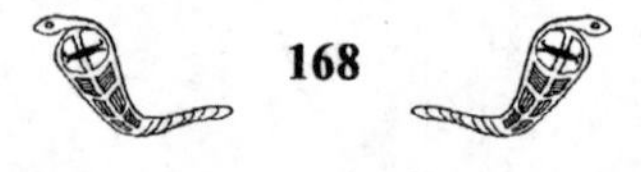

разуму присущи такие временные провалы, именно поэтому лунатики способны совершать во сне вполне осмысленные действия, хотя и ничего не помнят о них после пробуждения.

И еще. Погружение в каталептический транс требует прекращения двух важнейших жизненных функций — дыхания и кровообращения. Мы с вами знаем, что большинство людей не задумываясь скажет, что вслед за этим неминуемо должна наступить смерть; но вряд ли я должен убеждать Вас в обратном, ведь Вы сами публично утверждали, что видели подобные феномены в Индии. Только факиры могут останавливать дыхание и кровообращение, оставаясь при этом живыми. Хотя когда я нахожусь в каталептической коме, кровообращение и в самом деле полностью замирает, и всякая жизнедеятельность организма практически полностью прекращается. Хочу обратить Ваше внимание на тот факт, что бессознательное состояние, достигаемое в гипнотических экспериментах, зачастую принципиально отлично от каталепсии, поскольку кровообращение в нем не замирает, но напротив, активизируется. Почему? Потому что используемые при этом методы абсолютно различны. Взять хотя бы сам метод достижения состояния транса: при гипнозе оно достигается исключительно внушением; я же применяю чисто физиологическое воздействие — давление на нервные центры и заглатывание языка. И еще одно отличие: я сохраняю нечувствительность к боли еще минут двадцать пять после того, как выйду из второй ступени транса; тогда как при гипнозе подобный «восстановительный» период отсутствует. Вызванное внушением гипнотическое состояние тоже может сделать тело субъекта нечувствительным к боли; но, согласитесь, сохранение этой способности по выходе из транса — это уже нечто совершенно иное. Однако самое важное отличие, на мой взгляд, заключается вот в чем: я погружаюсь в состояние транса по собственной воле, а какой гипнотизер может загипнотизировать сам себя?

— Но поистине удивительно то, что после стольких лет колющих и режущих экспериментов на вашем теле нет ни единого шрама. Чем Вы это объясните, доктор?

— Для этого необходимы две вещи. Первое: активизировать на время кровообращение. Вы, вероятно, помните, что вчера вечером при проведении эксперимента доктора зафиксировали учащение пульса до 130 ударов. Я заставляю сердце биться чаще, но не перегружаю его, так что опасности для меня в этом нет никакой. Ускоренный кровоток как раз и является средством поразительно быстрого исцеления ран. Все это я проделываю усилием воли. И второе: температуру крови надо поднять на несколько градусов. Это убивает все проникающие в рану бактерии и таким образом дезинфицирует их. Мои раны никогда не гноятся и полностью исчезают уже через несколько минут (в крайнем случае — через несколько часов, если рана очень глубока).

Тут я перевел разговор на самый выдающийся его феномен — погребение заживо.

Тара-Бей отшвырнул в сторону окурок сигареты и тут же закурил следующую.

— Нет нужды напоминать Вам, что тысячи лет назад в Древнем Египте, да и в Древней Индии тоже, этот феномен был самым обычным делом, — ответил он, — ведь в ту эпоху переход к господствующему ныне всеобщему материализму едва намечался; все верили в существование души, и потому психические феномены не вызывали столь большого удивления. Все были убеждены, подобно нынешним факирам, что именно душа таинственным образом руководит жизнью тела и сознанием разума. Мы верим также, что душа может жить от-

дельно от тела; и если составляющие тело химические атомы со временем возвращаются обратно в землю в виде углерода, калия, водорода, кислорода и так далее, то душа — ранее придававшая этим атомам жизненную силу — возвращается к своему источнику, к вечной Неведомой Силе. И уж конечно, для Вас не новость то, что опасность современного материализма как раз и состоит в распространении им порочного образа мысли, отстраняющего человека от этой неизмеримой силы — силы души. Вот и вся теория.

Если говорить коротко, то при достижении самого глубокого каталептического транса физическая жизнь замирает, но незримая искра души все равно продолжает функционировать. Этому следует долго и очень серьезно учиться, так что обычно обучение начинается еще в детстве. Я уже говорил, что отец начал тренировать меня, когда мне было четыре месяца отроду. И теперь я могу позволить себе быть заживо погребенным на несколько дней безо всякого ущерба для своего здоровья.

— Скептики постоянно приводят один и тот же аргумент, — подсказал я, — как это можно жить под землей без доступа воздуха?

— Возьмем простой пример. Ловцы жемчуга с Восточного побережья Африки могут находиться под водой по восемь или девять минут и не дышать. Насколько я помню, это и есть рекордное достижение для нормального человека. Обратимся теперь к животному царству. Лягушка дышит очень быстро, но все же может оставаться под водой без воздуха до четырех часов. Как ей это удается? Изучите ее повнимательнее, и Вы убедитесь, что ее тело покоится под водой в расслабленном состоянии, по сути дела — в состоянии каталепсии. Вы заметите также, что глаза ее закрыты, но не глазными веками, а специальной кожицей, предохраняющей их от длительно-

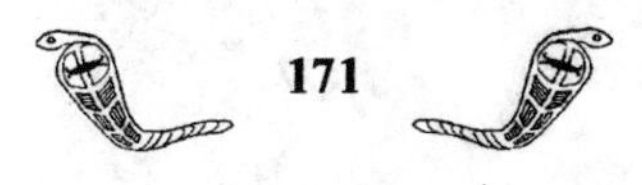

го соприкосновения с водой. Или возьмем водяную черепаху. Она может преспокойно обходиться без воды, но и под водой способна проводить по несколько часов. Но если Вы оставите черепаху без воздуха и вынудите ее оставаться под водой против ее воли, она погибнет от удушья. А причина этого в том, что она просто не успела подготовить свой организм к пребыванию под водой. Также хорошо приспособленные к жизни в обеих стихиях крокодилы способны во время спячки проводить целые месяцы под водой без воздуха, сведя до минимума жизненные процессы в своих телах. Вряд ли наука может объяснить, как этим тварям удается столько времени проводить без воздуха. Точно также и некоторые виды летучих мышей демонстрируют настоящие чудеса анабиоза, полностью останавливая на время спячки свое дыхание.

Скажу Вам сразу, что разгадкой феноменов всех этих животных является их способность достигать специфического состояния каталепсии. Но если на это способны животные, почему этого не могут делать люди, ведь они обладают ничуть не менее совершенными телами, чем животные. Разве люди не могут достичь таких же результатов, если узнают секрет достижения этого состояния? Мы — факиры — ответили на этот вопрос. Если бы я не достиг каталептического транса перед своим недавним погребением, то задохнулся бы уже минут через десять. Но при определенных условиях жить можно и без дыхания.

* * *

Я подождал, пока он пустит очередное колечко дыма от своей ароматной сигареты, и задал еще один вопрос:

— Если, как Вы говорите, при погребении душа отделяется от тела, то не уходит ли она при этом в

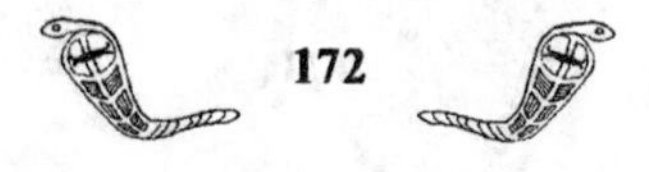

запредельный мир? И если это так, то что Вы чувствуете, пребывая в этих сферах?

— К сожалению, мне почти нечего сказать по этому поводу. Я вовсе не хочу изображать человека, которому ведомы все тайны потустороннего мира. Хотя мы и развили до очень высокой степени способности нашего подсознания, это не значит, что нет таких мистических глубин, в которые мы не можем заглянуть. Вся беда в том, что когда мы — факиры — покидаем тело, мы переходим в состояние, похожее на состояние лунатика: то есть, хотя мы и продолжаем где-то существовать, мы не осознаем этого своего бытия, а когда возвращаемся в тело — не можем ничего вспомнить о своих потусторонних похождениях (если таковые и в самом деле имеют место). Кто знает, может мы и вправду способны жить и действовать в мире духов. Но коль скоро наша память не хранит никаких воспоминаний об этом мире, то и рассказать мы ничего не можем. Наш сон столь глубок, что его можно сравнить со спячкой животных, о которых я говорил.

Это было и в самом деле досадное обстоятельство: человек, столько раз «умиравший» за одну жизнь, не может рассказать ничего определенного об этом далеко неординарном опыте. Если по ту сторону смерти нет ничего, кроме пустоты и полной бессознательности, то, как ни парадоксально это звучит, и сама жизнь оказывается такой же пустой. Я поделился с факиром своими мыслями на этот счет.

Он пожал плечами:

— Я говорю лишь о том, что знаю, — ответил он, — хотя сам я верю, что в состоянии каталепсии, как и после настоящей смерти, моя душа воссоединяется со Вселенской Душой, Неведомой Силой. И в этом смысле я утверждаю бессмертие человека.

Я подумал о том, может ли эта Универсальная Сила — или Бог (можно назвать ее и так) — быть

только бесконечным состоянием абсолютной бессознательности. Ведь своим разумом я обязан именно этому бессознательному существу (если человек действительно получает свой разум от Бога — Бессознательного Существа). Но я не стал говорить об этом Тара-Бею, поскольку это могло превратить нашу беседу в теологический диспут, а я пришел сюда за научными фактами.

К тому же мне нравилась та откровенность, с которой д-р Тара-Бей делился своим опытом. Она убедительнее всего доказывала, что все его слова — правда.

А мой собеседник тем временем продолжал рассказывать мне об удивительном феномене погребения заживо. В 1899 году в Танте — родном городе Тара-Бея — был закопан в землю один известный факир. Перед этим он приказал себе проснуться не раньше 17-го мая 1925 года. В назначенный день его выкопали и обнаружили, что он все еще жив. Его тело прекрасно сохранилось, и ни один из органов не был поврежден; но говорить он не мог, а еще через шесть месяцев — умер.

Я спросил Тара-Бея, отчего, по его мнению, это случилось.

Он ответил:

— Это из-за того, что его тело слишком истощилось под землей. Такие продолжительные погребения не проходят для факира бесследно. Но с другой стороны, если человека хоронят на очень короткое время — скажем, день, два или три — эффект получается совершенно обратный — бодрящий и целительный. Много веков назад это открыли египетские дервиши. В те времена им поручали наказывать таким способом преступников, смертный приговор которым заменяли закапыванием в землю заживо на долгий срок, после того, как дервиши положенным образом подготавливали к этому их тела. Срок по-

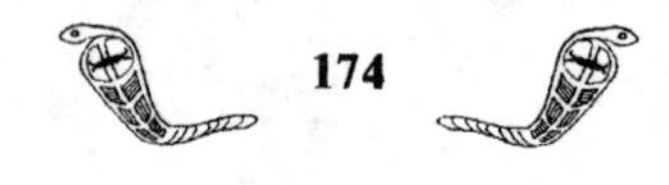

гребения зависел от тяжести преступления. Тогда-то и было замечено, что эта жуткая процедура закапывания в горячий песок исцеляет их чудесным образом от болезней, которыми они страдали ранее. По моему мнению, это происходит от того, что здесь в полной мере реализуется все благотворное воздействие длительного отдыха и воздержания. Лечение голодом, ставшее таким популярным в наши дни, позволяет проявить себя Природе, которая и излечивает организм от болезней. Закапывание на пару дней в землю адекватно по целительному последствию голоданию той же продолжительности; и к тому же все органы нашего тела пребывают в это время в абсолютном покое, что совсем нелишне для них, учитывая их беспрестанную работу. Эта кратковременная, но самая глубокая летаргия приводит в движение скрытые в нас самих целительные возможности, что подтверждает власть души над материей и невероятно высокий уровень развития нашего подсознательного разума.

— А это не опасно — хоронить себя заживо?

Он развел руками в знак признания справедливости моих слов:

— Разумеется, опасность есть, но если соблюдать аккуратность, ее можно избежать. В этом деле необходима предельная осторожность, поскольку речь идет о жизни и смерти. Я знал одного молодого факира по имени Саид, для которого этот опыт закончился трагически, а ведь он был очень талантливым восемнадцатилетним юношей, всецело посвятившим себя ремеслу факира, и у него был уже опыт контролируемого достижения каталептического состояния. Но однажды он решился на великий подвиг — похоронить себя заживо на целых шесть лет. По его желанию тело его поместили в специальную гробницу. А для контроля за ходом эксперимента и оказания, в случае необходимости, помощи факиру каж-

дый год во время священного праздника Рамадан несколько благочестивых мусульман открывали гробницу и читали над ним молитвы. На протяжении двух первых лет тело сохранялось в превосходном состоянии, но на третий год они, к ужасу своему, обнаружили, что в гроб проникли черви и частично повредили тело факира.

— Чем Вы можете объяснить это, доктор?

Он отвернулся и поглядел в окно. Я проследил за его взглядом и заметил, что он сосредоточен на Ниле — этой удивительной реке, уже многие тысячи лет дарующей жизнь и пищу миллионам людей, лаская в своих нежных объятиях Египет, как милое сердцу дитя. Помолчав немного, Тара-Бей снова повернулся ко мне:

— Во-первых, приготовления к эксперименту не были осуществлены должным образом. Готовясь к столь длительному погребению, факир должен отдать распоряжение покрыть свое тело слоем мягкого воска, как будто с него собираются сделать восковой слепок. Далее его тело следовало поместить в плотно закрывающийся гроб, из которого предварительно была бы тщательно выметена вся пыль, и гроб запечатать. Бедный Саид пренебрег всеми этими мерами предосторожности. Также можно предположить, что в гроб пробралась змея — очень маленькая, но очень сильная (такой вид водится в Египте). Она проползла по телу факира и через ноздрю пробралась в мозг. Из-за этой травмы в тело Саида попал воздух. Я уверен, что пока в погруженное в транс тело не проник кислород, оно остается непроницаемым для всякого рода микробов и даже червей. Попадание же воздуха заметно снижает защитные способности каталептического транса. Вот тогда-то черви и попали в саркофаг и принялись за уничтожение тела, прежде всего проникнув в его внутренние органы.

Что и говорить, д-р Тара-Бей нарисовал довольно мрачную картину всевозможных ужасов, подстерегающих факира, не очень хорошо позаботящегося о безопасности своего добровольного погребения. Теперь мне стало понятно, почему древние египтяне, желая сохранить своих царственных, святых и просто знатных покойников, не только бальзамировали и мумифицировали их тела, но и помещали в массивные каменные саркофаги, изготовленные из несокрушимого гранита, сквозь который практически невозможно пробиться.

— Теперь Вам ясно, насколько бессмысленны все утверждения скептиков, будто ко мне, во время моих опытов с погребением, продолжает поступать воздух через тайно подведенные вентиляционные трубы. Когда я был на несколько лет моложе, я позволил, чтобы меня на один час похоронили в саду под открытым небом, и люди в это время танцевали на моей могиле. Однако в отличие от обычных фокусников, я вовсе не стремлюсь подобным образом удивить людей, а лишь хочу продемонстрировать им, какие невероятные способности заключены в нас, оставаясь по-прежнему неизведанными и почти непонятыми. Временами мои демонстрации заканчивались неудачей, и я всегда честно признавал этот факт. Но, благодаря долгому обучению и накопленному опыту, подобные промахи случаются со мною крайне редко.

— А нельзя ли во время Вашего пребывания в коме провести на ваших внутренних органах без применения анестезии какую-нибудь хирургическую операцию? — спросил я.

— Думаю, что это вполне возможно, хотя до сих пор я никогда не проводил таких экспериментов. Правда, как-то раз один доктор, предположив, что раны, которые я наношу себе кинжалами и булавками, — всего лишь поверхностные царапины, предло-

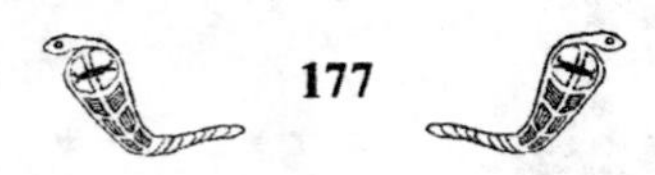

Тара-Бей

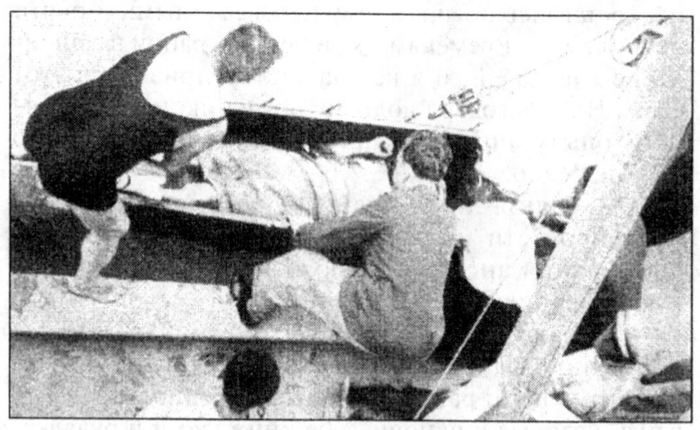

Погруженное в транс тело Тара-Бея опускают в воду

жил мне сделать во время транса операцию на внутренние органы без применения обезболивающего, и я согласился на том условии, что операция будет неопасной для моего здоровья. Но тот же доктор потом сообщил мне, что по закону нашей страны всякие операции, не преследующие лечебных целей, запрещены; а поскольку я не был болен, то дальше обсуждения этот наш эксперимент так и не продвинулся.

Обсудив с ним эту тему, я решил перевести разговор с персонального факирского опыта на его общее мнение обо всех этих вещах. Суждения Тара-Бея, в силу своей независимости и объективности, настолько отличались от мировоззрения большинства восточных факиров, что я не без оснований надеялся узнать от него немало интересного на этот счет. Услышав мой вопрос, он улыбнулся и даже не дал мне закончить объяснения по поводу моего неистощимого любопытства. Многозначительно подняв руку, он сказал:

— Мне очень хотелось бы, чтобы эти феномены были поставлены на научную основу; чтобы они очистились от всякого рода внушений и самовнушений (прежде всего религиозного и суеверного характера), с которыми они до сих пор были неразрывно связаны. Я усматриваю в суевериях только вред, наносимый истине. Я полностью порвал с факирскими традициями. Наша наука — это одно, а религия — совсем другое; их не следует смешивать. Это вовсе не означает, что я не признаю религии, ничего подобного. Напротив, я отношусь к ней с уважением и считаю необходимой для человека, коль скоро он черпает в ней моральную силу. Но Вы, наверное, и сами замечали в Индии, сколь сильно стремление человека приписать Богу, духам или ангелам то, в чем участвуют исключительно его собственная душа и подсознание. Поэтому я и считаю, что нуж-

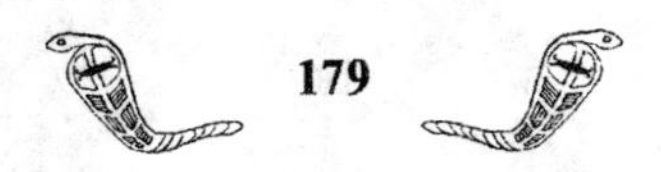

но радикально изменить отношение к нашим учениям, если мы хотим, чтобы они очистились от суеверий и получили научное объяснение. Многие факиры являются жертвами самовнушения, тогда как прочие подверглись внушению, которое навязывает им традиция. Они могут производить самые настоящие феномены, но при этом дают им неверное теоретическое объяснение. Взгляните на пляшущих дервишей, которые доводят себя бесконечным кружением до гипнотического состояния, а потом наносят раны ножами и кинжалами, не чувствуя при этом боли. Перед танцем они проводят сложные церемонии и ритуалы, читают множество молитв — совершенно ненужное, на мой взгляд, занятие, своего рода способ самовнушения, необходимого для достижения состояния, в которое я привожу себя за несколько секунд и без всяких молитв, но лишь благодаря знанию действующих в этом случае законов природы. Я думаю, в прежние времена факиры частенько использовали свои феномены для того, чтобы произвести впечатление на людей: с их помощью они навязывали окружающим свои религиозные воззрения. Отсюда и эта таинственность, призванная поразить воображение непосвященного. Но в наши дни, когда наука и образование достигли таких высот, это абсолютно бессмысленно. Уж лучше бы эти торговцы мистикой изучали науки и находили научное объяснение своему искусству.

Д-р Тара-Бей был прав. Эпоха абракадабры уже закончилась. Таинственность и мистификации хороши для более мрачных времен. А в наши просвещенные дни истину следует излагать открыто, а не окольными и мудреными баснями и притчами, не через символы и сравнения, не полунамеками и зловещим шепотом.

— А как же тогда те факиры, кто утверждают, что впадают в религиозный экстаз?

— Я вовсе не говорю, что их феномены подложны, но их следует отнести к сфере религии, которую я никогда не затрагивал в своих экспериментах. Для меня вполне достаточно того, что я уже имею. Довольно уже того, что я могу доказать способность души (подсознания) существовать отдельно от тела, а затем возвращаться в него, выводя его из состояния, адекватного смерти. Уже только в этом я нахожу достаточно пищи для размышлений. Кто может усомниться в существовании души после подобных опытов? Разбивая на своем теле огромный камень, я демонстрирую поразительные способности души, оберегающей мое тело во время этого опыта так эффективно, что на нем не остается ни единой царапины. Разве этого мало? Когда один мой друг — тренированный атлет — попытался повторить это мое достижение, он повредил себе позвоночник. Он хорошо развил свое тело, но позабыл развить способности подсознательного разума. Перспективы, которые сулит человечеству овладение этими способностями, настолько величественны, что мне иногда даже приходят в голову мысли о возвращении Золотого Века. Наука уже не может приписывать феномены подсознания исключительно игре больного воображения. Она должна серьезно и непредвзято приступить к их изучению, внося тем самым свою лепту в познание Неведомой Силы, которая, будучи никем не сотворенной, тем не менее, создала всю нашу Вселенную.

Вот так и влечет нас за собой вечный Сфинкс человеческого разума, поощряя наши усилия на пути самопознания. И ни к чему сомнения. Человек, эволюционирующий от протоплазмы до рая, и есть та самая древняя загадка, которую суждено постичь современной науке. И это предсказание должно исполниться уже сейчас, в двадцатом столетии.

Глава 8

ВО ИМЯ АЛЛАХА, ВСЕМИЛОСТИВОГО И ВСЕМИЛОСЕРДНОГО!

Я преклонил колени за одной из благородных колонн мечети, позволив своей душе в благоговейной тишине возноситься на легких крыльях навстречу Высшей Силе, которую молившиеся рядом со мною люди называли Аллахом; Силе, для которой я до сих пор не нашел достойного Ее имени, но здесь, в Египте, согласился называть Аллахом вместе со всеми. Я знаю, что в таких случаях мы все подразумеваем одно и тоже — Верховное Существо, держащее всех нас в своих незримых ладонях; а потому мне нетрудно принять его как под любым традиционным именем, так и вовсе безымянным.

Не знаю точно, сколько времени прошло с тех пор, как кто-то из присутствующих начал едва слышно нараспев читать стихи из огромного старинного *Корана* — священного писания, данного Аллахом этой земле. И пока с его губ слетал благозвучный арабский речитатив, я решил посмотреть на собравшихся здесь людей, верных завету Пророка собираться вместе перед наступлением сумерек, чтобы

несколько минут поразмышлять о Божественном Источнике, коему все мы обязаны своим существованием. Рядом со мной сидел старик, одетый в длинную рубаху из белого с синими полосами шелка. Кожа его была чуть светлее скорлупы грецкого ореха и как нельзя лучше подчеркивала ослепительную белизну зубов. Он бормотал молитвы, то и дело касаясь лбом мягкого красного ковра. Время от времени он вставал, но затем снова опускался на пол для земного поклона. Прижав ладони к бедрам, он продолжал бормотать молитвы и вскоре опять прикасался бровями к полу.

Я заметил еще одного старика, который вошел и, призвав благословение Аллаха, начал озираться по сторонам, также как и я, а вскоре закачался из стороны в сторону в молитвенном экстазе. По его виду можно было судить, что он крайне беден. Его видавшая виды одежда — некогда белого, но сейчас грязно-серого цвета — грозила в любую минуту развалиться на куски.

Сморщенное и изувеченное шрамом лицо казалось уставшим от бесконечной борьбы, которую его заставляли вести жизнь и сам Аллах. Но здесь — в этом священном месте, предназначенном для изгнания мыслей о мирских заботах и замены их думами о Боге — несколько морщинок на лбу его разгладились, и по лицу постепенно разлилось умиротворенное выражение. Можно было без труда догадаться, что происходило в его душе. Видимо, он говорил про себя:

«О Аллах, Всепобеждающий и Всепрощающий, воистину, Ты ниспослал рабу своему все эти тяготы, дабы испытать его. Но только Ты знаешь, что ему во благо, а что нет. Пасть пред Тобой на колени и вознести молитву Тебе — вот истинное благо. Истинно говорил Твой Пророк, да пребудет с ним мир: "Не бойся и не будь в печали, но радуйся в пред-

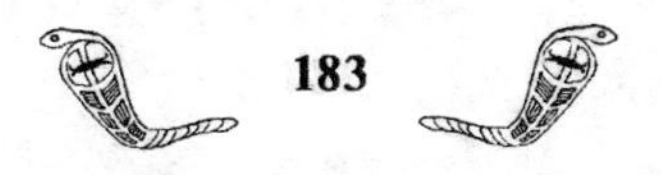

вкушении обещанного тебе Рая". А потому восславим Аллаха, Господа Миров, Господа Истинного!»

Там был еще один человек — всецело или, если так можно сказать, слепо вверивший свою жизнь всемогущей воле Аллаха; и, судя по всему, он ничуть не жалел об этом. Он принимал как должное все, что преподносила ему жизнь — и хорошее, и дурное, всякий раз отвечая одной лишь благочестивой фразой — «Иншалла!» (на все воля Аллаха!).

Я обернулся и увидел за спиной какого-то ревностного мусульманина, похожего на торговца, только что пришедшего из своей базарной лавки. Приняв положенную позу — лицо обращено на восток, ступни ног слегка раздвинуты в стороны, руки подняты, ладони прижаты к ушам — он зычным голосом повторял: «Аллах велик!» Затем, сложив руки на животе, он вполголоса пробормотал стихи первой главы *Корана*, слегка наклонился вперед и, опустив ладони с широко расставленными пальцами себе на колени, произнес:

— Да услышит Господь возносящего Ему молитвы свои!

И так он то вставал, то кланялся в такт молитве, то ложился на пол, выполняя предписанный всем ортодоксальным мусульманам еще тринадцать веков тому назад молитвенный ритуал. Закончив молитву, он обернулся и, глядя назад через плечо, сказал, как бы обращаясь ко всем молящимся:

— Мир вам и благословение Аллаха.

Повернув голову налево, он повторил эту фразу еще раз. Посидев еще некоторое время на корточках, он наконец поднялся и тихо вышел из мечети. Его душа излила в молитве всю накопившуюся в ней любовь к Аллаху, так что теперь он мог спокойно возвращаться к своим товарам.

Помимо вышеназванных, в мечети было еще несколько человек — все мужчины, с виду полностью

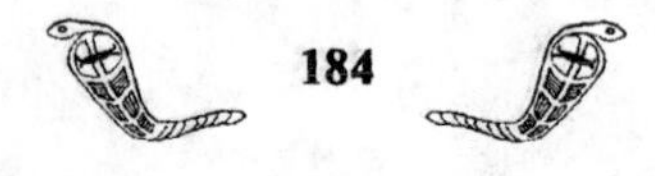

погруженные в свои молитвы. Казалось, они не замечают ничего происходящего вокруг. Взоры и мысли должны быть обращены лишь к Аллаху, — говорил пророк Мухаммед; и эти молящиеся исполняли его предписание с похвальным усердием. Они пришли сюда вовсе не за тем, чтобы разглядывать своих собратьев по вере, и не за тем, чтобы собратья разглядывали их. Они пришли, чтобы поговорить с Аллахом, и только к нему они взывали сейчас с великим усердием, на которое неизменно обращает внимание каждый доброжелательно настроенный чужестранец.

Одетые в длинные рубахи и фески каирцы сидели или лежали ничком рядом с одетыми на европейский манер бизнесменами; бедняки и нищие возносили хвалы Аллаху в один голос с богачами; ученый, нагрузивший свою голову содержимым сотен разных книг, не брезговал молиться по соседству с неграмотным уличным бродягой. Их величайшая набожность и предельная сосредоточенность не могут не произвести впечатления на стороннего наблюдателя. Сам пророк Мухаммед установил всеобщее равенство в пределах этих древних — красно-бело-желтых — стен, под островерхими сарацинскими сводами величественной мечети.

Мечети Каира и вправду обладают особой притягательной красотой, покорявшей меня всякий раз, когда я входил в них. Кто может равнодушно взирать на сотни причудливых, изысканных колонн из белого мрамора, со всех сторон окружающих эти строения, медленно скользя взглядом от оснований к капителям? Кого могут оставить безучастным великолепные своды и украшенные орнаментом и куполами золотые и коричневые крыши? Что, кроме восторга, может вызвать вид причудливого геометрического кружева арабесок, украшающих камни фасада?

Я встал и нехотя направился к выходу. Мои затекшие ноги с трудом несли меня вперед, и я успел еще раз окинуть взглядом красочную картину интерьера мечети. С обрамленного узорными коврами возвышения седобородый старец читал нараспев стихи из *Корана*. Священная молитвенная ниша с двумя изящными колоннами по краям, украшенная резьбой деревянная кафедра для проповедей (на ее дверце красовалась инкрустация слоновой костью и какая-то старинная надпись), — на всем лежала печать изящества, которым арабы обогатили мировую культуру. На стенах сияли причудливо выведенные золотыми буквами арабские надписи — стихи из *Корана* — не только напоминание о заповедях Аллаха, но и еще одно украшение интерьера. Понизу стены выложены цветным мрамором. Все очень широко — сразу видно, что строители старались сделать как можно более просторным этот дом, предназначенный для молитвенных собраний и поклонения Аллаху.

Я пересек вымощеный мозаичной плиткой коридор и оказался посреди просторного двора (почти в две сотни футов шириной) — это был квадрат под открытым небом. Плотная колоннада окружала его со всех четырех сторон, а за колоннами возвышалась большая зубчатая стена, так надежно ограждавшая двор от внешнего мира, что здесь вполне можно было вообразить себя посреди обещанного *Кораном* рая, позабыв о том, что это самый центр шумного Каира. Меж колонн были разложены мягкие циновки. На них небольшими группами сидели и лежали люди с серьезными, сосредоточенными лицами: возможно, благочестивые ученые, а может — городские бедняки, у которых всегда много свободного времени и мало работы. Некоторые молились, некоторые читали, иные спали, прочие — также откровенно бездельничали. Вокруг колонн носились шумные воробьи; их чириканье переходило в настоящий восторженный ор, когда кто-нибудь из ученых мужей откладывал в сторону книги, чтобы подкрепить силы предусмотрительно принесенным из дому обедом.

Посреди двора располагался крытый мраморный фонтан. Его куполообразная крыша покоилась на круглых столбах, инкрустированных цветной эмалью, а над крышей возвышались густые кроны посаженных вокруг пальм. Весь дворик являл собой редкое сочетание простоты, красоты и спокойствия. Это было царство покоя и, конечно же, Аллаха. Правда, во дворе без конца щебетали и чирикали маленькие птички, уже давно свившие себе гнезда под стрельчатыми сводами и в резных капителях колонн, но их непрестанные трели лишь подчеркивали царящую кругом тишину. Рядом с фонтаном было поставлено корытце со свежей водой, чтобы пернатые певцы могли утолить жажду и почистить перышки. Птицы барахтались в корыте так самозабвенно, словно и вправду верили, что совершают ритуальное омовение, а затем улетали, чтобы возобновить бесконечное хоровое пение.

Ослепительное утреннее Солнце разбросало по всему двору длинные тени; праздная публика с любопытством уставилась на меня, но тут же успокоилась, не найдя во мне ничего достойного внимания, и вернулась к своему исполненному достоинства безделию. Мне показалось, что я увидел в этот день то же самое, что должен был видеть много веков тому назад какой-нибудь закованный в броню завоеватель-крестоносец, сошедший со своего гарцующего коня, чтобы заглянуть во внутреннее пространство старинной мечети. Каир стремительно меняется, но его многочисленные мечети по сей день незыблемо стоят, как неприступные бастионы, о которые бессильно разбиваются все волны нововведений. И возможно, это к лучшему, ведь они напоминают нашему беспокойному и суетливому поколению о том, каким спокойствием была проникнута эпоха, создавшая эти мечети, несмотря на то, что люди в то время были далеко не так умны, как сейчас. Здесь, под тенистыми пальмами или под стрельчатыми арками, эти люди могли искать защиту у Бога или просто предаваться мечтам. Во всяком случае, здесь легче в ином свете увидеть собственную жизнь и осознать ее подлинные ценности, ибо все в мечети буквально дышит атмосферой многовекового покоя.

У входа в крытую аркаду я снял выданные мне тапочки: ступать на священную землю мечети в уличной обуви строго запрещено. Я отдал их бесшумно выскользнувшему из полутемной комнаты служке, спустился вниз по лестнице, ступени которой уже успели приобрести полукруглую форму — настолько стерли их сотни тысяч ног благочестивых богомольцев — и вышел в узкий, шумный переулок.

* * *

Пройдя несколько шагов, я остановился, чтобы еще раз осмотреть фасад здания, посвященного Аллаху. К сожалению, часть длинной фронтальной стены оказалась скрытой от меня цепью старых домов, но это досадное обстоятельство сторицей компенсировала прекрасная панорама стройных минаретов, высокого массивного купола, ярких покатых крыш и забранных решетками узких окон. Однако главной деталью этой картины были, несомненно, огромные, но изящные центральные ворота.

У каждого минарета было по восемь граней и по три балкона. Они вздымались ввысь от прямоугольного основания мечети подобно человеческим мыслям и чаяниям, точно также возносящимся к небу в мечети во время молитв. Они походили на непропорционально длинные розовые пальцы, указующие в небеса. Главный купол окружали со всех сторон

купола поменьше — слегка приплюснутые и забавно напоминающие большие белые тюрбаны. Они так ослепительно блестели на Солнце, что у меня даже заболели глаза. Окружающие мечеть красно-коричневые зубчатые стены образовывали правильный четырехугольник, надежно огораживая ее от суетного и меркантильного мира.

Я опять повернулся в сторону улицы. По обе ее стороны расположились торговцы леденцами, турецкими сладостями и круглым печеньем, разложив свой товар на маленьких шатких столиках или даже на тротуаре, поверх расстеленных на нем платков. Хозяева товара с выражением безмятежного покоя на лицах терпеливо дожидались случайных покупателей. Несколько нищих пристроились у самых ступеней мечети, а рядом с ними обменивалась обрывками новостей небольшая компания богомольцев. Продавец лимонада — одетый в обычную для людей его профессии яркую, в темно-красную полоску, рубаху, с огромным, выкованным из бронзы кувшином и связкой стаканов — лукаво поглядел на меня и отправился восвояси. Колоритный старик с невероятно длинной бородой взгромоздился на маленького серого ослика, и тот затрусил по улице, унося на спине свою дряхлую ношу. Вокруг меня царила обычная уличная сутолока. Солнце одиноко сияло на фоне абсолютно чистого голубого небосвода, и воздух уже начал дрожать от зноя в его жарких лучах.

Там — на священной земле мечети — царил многовековой покой; но здесь — в бурлящей, тесной и спешащей по своим делам шумной толпе — от него не осталось и следа. Таковы две стороны нашей жизни, и над обеими простер могучие крылья Аллах.

* * *

Однажды вечером, проходя через площадь Исмаила, я увидел, как какой-то извозчик, оставив на

стоянке свою пустую телегу, перелез через окрашенную в зеленый цвет низкую железную решетку, ограждавшую закрытый в это время для посетителей маленький муниципальный сад, распростерся там прямо на земле, лицом к Мекке, и на протяжении шести или семи минут молился в лучах заходящего Солнца, полностью отрешившись от всего происходящего вокруг. За все это время он ни разу не повернул головы, всецело захваченный религиозным чувством. Это великолепное действо глубоко тронуло меня как несомненным своим артистизмом, так и бесспорной духовной искренностью. Регулировавший движение на площади полицейский наблюдал за молящимся с абсолютным безразличием, даже не пытаясь пресечь это явное нарушение общественного порядка.

А в другой раз — тоже вечером, часов около десяти, — гуляя по безлюдной улочке вдоль берега Нила, в электрическом свете лампочки, висевшей на единственном в округе фонарном столбе, я увидел молодого парня с метлой в руках. Это был обычный городской дворник. Он подпирал спиной тот самый единственный фонарный столб, видимо, решив слегка отдохнуть от своих трудов прямо под огромным лазурным куполом вечернего неба. При этом он громко и радостно пел, то и дело подслеповато поглядывая в плохо освещенные светом фонаря страницы потрепанной книжки, которую держал в руках. Пел он самозабвенно и был так увлечен своим занятием, что даже не заметил моего приближения. Глаза его восторженно блестели от счастья общения с самим Аллахом. Я возымел дерзость взглянуть, какую книгу он читал, — в его руках был дешевый, в бумажной обложке, экземпляр *Корана*. Одежда парня была грязной и изорванной, что не удивительно, — его работа не очень высоко оплачивается. Но выражение его лица можно было назвать живым воплощением счастья. Традиционное приветствие — «Мир тебе!» — на сей раз мне не понадобилось. Он и так уже пребывал в мире.

А в третий раз я решил немного изменить свое привычное меню, отобедав в ресторане Шарии Мухаммед-Али, который не очень-то жаловали европейцы. Он расположен в самом центре старого города, где еще строго соблюдаются древние традиции. Мне довелось познакомиться с одетым в красную феску владельцем ресторана, и я сразу же почувствовал расположение к этому человеку за его доброжелательный нрав и непринужденную вежливость, явно шедшую от души, а не из кармана. Облаченный в белую рубаху официант, едва успев расставить передо мной на столе заказанные блюда, тут же удалился в угол комнаты, где взял в руки нечто, лежавшее у стены, причем сделал это с такой осторожностью, будто эта вещь была его самым драгоценным достоянием. Оказалось, однако, что это всего лишь старая соломенная циновка. Официант развернул ее и расстелил на полу, сориентировав на восток, в сторону Мекки; и в довершение всего сам опустился на ее жесткую, шершавую поверхность. Следующие десять минут он выполнял все положенные правоверному поклоны и тихо, но отчетливо повторял слова молитвы. Мыслями он вознесся к Аллаху. Кроме меня в это время в ресторане было еще семь или восемь посетителей и всего лишь один официант, помимо того, который молился. Было время обеда, так что новые посетители могли заглянуть сюда в любую минуту; и все же старый хозяин смотрел на молящегося с одобрением и даже согласно кивал головой, покачивая кисточкой на своей феске. Сам он никогда не выходил из своего маленького огороженного помещения в углу, но только наблюдал оттуда за всем происходящим в ресторане, как султан наблюдает за своим дворцом. Он никогда не обслуживал столики и не брал деньги лично. Как и все прочие восточные деспоты, он лишь отдавал приказания и не мешал другим их исполнять. Что же до посетителей, то они вели себя в данной ситуации как и подобает добрым мусульманам, терпеливо ожидая, когда закончит молиться официант. Наконец, многократно, настойчиво и пылко уверив себя и всех присутствующих в том, что «Нет Бога, кроме Аллаха» и «С Аллахом победа», он пришел в себя, вспомнил, что он, как бы то ни было, все-таки служит здесь официантом, скатал циновку и вернул ее на прежнее место. Окинув счастливым взором весь ресторан, он поймал мой удивленный взгляд, улыбнулся и заспешил ко мне за новыми заказами. А когда я уходил из ресторана, он попрощался со мной одной лишь короткой фразой: «Храни вас Бог».

Пожалуй, только так и можно понять мусульманскую религию — наблюдая ее в жизни, в непосредственном действии. Помню, как однажды, путешествуя по железной дороге из Каира в Суэц, мы остановились на маленькой промежуточной станции. Высунув голову в окно, чтобы оглядеться, я заметил скромно одетого рабочего — одного из многих, обслуживавших железную дорогу. Декламируя нараспев стихи из *Корана*, он отделился от группы своих коллег, пал на колени и коснулся лбом земли. Сидя на песке, всего лишь в нескольких дюймах от железнодорожного полотна, он приступил к молитве. Работа была для него очень важна — ведь она кормила его; но все же не настолько, чтобы из-за нее он мог позабыть о своих обязанностях перед Аллахом. Я постарался рассмотреть его лицо и заметил, что оно озарено каким-то внутренним светом. Мне стало ясно, что этот человек, хотя он и простой рабочий, пребывает в мире с самим собой.

В один прекрасный день я заглянул в кафе — обычное кафе, каких в Каире великое множество, —

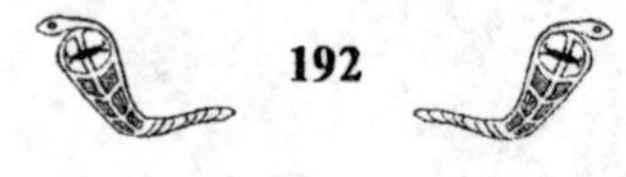

чтобы выпить чаю с традиционным египетским печеньем. И пока я размешивал в кружке с ароматным темным чаем кусочки колотого сахара, владелец кафе рухнул на пол, ибо пришло время полуденной молитвы. Он молился тихо, почти шепотом, словно разговаривал сам с собой или, вернее, — с Аллахом. Но зато от моего взора не смогло укрыться его искреннее усердие во время молитвы, и я проникся огромным уважением к мудрому пророку Мухаммеду, научившему своих последователей столь искусно сочетать суетную мирскую жизнь с религиозной жизнью души. Невольно пришло на ум противопоставление несомненной практической пользы ислама и весьма сомнительной пользы от некоторых других хорошо знакомых мне восточных религий, зачастую стремящихся отделить мирскую жизнь от духовной непроницаемой стеной.

Это всего лишь несколько примеров из многих, виденных мною. Только четыре примера того, что означает ислам для бедных и скромных тружеников, для необразованных и безграмотных представителей так называемых низших классов. Но какую же роль играет ислам в жизни среднего и высшего класса? Насколько я мог заметить, здесь влияние религии заметно слабее, поскольку европейское научное мировоззрение уже успело ее несколько потеснить. Подобное происходит в каждой восточной стране, куда начинает проникать влияние западной цивилизации. Я вовсе не собираюсь никого критиковать, просто констатирую объективный факт; тем более, что сам я считаю и науку, и религию необходимыми атрибутами человеческой жизни. К тому же выводу приходят и многие просвещенные мусульмане. Они понимают, что рано или поздно ислам должен примириться с двадцатым веком и уступить веяниям современности, но они вовсе не считают, что для этого им придется пить из отравленного источника

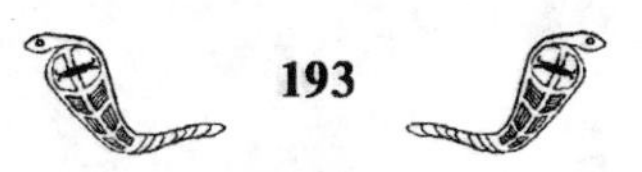

забвения духа, приобщаясь к нынешнему материализму. Даже с учетом всех этих новомодных влияний высшие классы египетского общества куда более религиозны, чем, скажем, высшее общество Европы или Америки. Стремление к вере у восточного человека в крови, так что ему никак от него не избавиться, как бы он сам ни старался.

Но я, пожалуй, расскажу еще о том, что увидел однажды, заглянув на службу к своему другу. Это была типичная сцена, какую часто можно увидеть и в рабочих кабинетах, и в жилых домах египтян. Я зашел в контору незадолго до полудня, и пока я споро расправлялся с традиционной чашкой персидского чая, мой друг не менее успешно справлялся со своими делами (а человеком он был весьма занятым, поскольку служил главным инспектором при египетском правительстве).

Офис его превосходительства Халеда Хасанейн-Бея был обставлен по самой современной моде и потому неотличим от любого подобного же офиса в Европе, если не считать арабского текста из *Корана*, висевшего в красивой рамке на стене. Его превосходительство сидел за своим столом, покрытым стеклом поверх сукна, непрестанно отвечая на телефонные звонки и то и дело извлекая какие-то документы из выдвижных ящиков своей картотеки.

Около полудня к нему заглянул еще один посетитель — работавший под его началом инспектор, а через несколько минут его превосходительство обратился ко мне с вопросом:

— Вы не будете возражать, если я немного помолюсь?

Разумеется, я ничего не имел против.

Снова были расстелены циновки, оба — и начальник и подчиненный — сняли обувь и приступили к положенным в таких случаях поклонам. Молитва продолжалась минут десять, и все это время клерки

продолжали свою работу, посыльные входили, оставляли бумаги и уходили, не обращая на происходящее ни малейшего внимания. А двое мужчин молились так, будто вокруг них никого не было, даже мое присутствие их нимало не смущало. Когда же молитва закончилась, оба поднялись с циновок, вернулись за покрытый стеклом письменный стол и возобновили прерванную беседу.

Эта сцена произвела на меня большое впечатление, поскольку в европейских офисах я никогда не видел ничего подобного. В Америке такого тоже не увидишь. Там в полуденное время все служащие опрометью бросаются на обед. А здесь, в Египте, люди сперва думают о молитве, а уж потом о еде.

Если бы на Западе люди были истинно верующими, — подумалось мне, — они бы восприняли этот рассказ как пример для подражания и как упрек, над которым стоит поразмыслить.

Подобные сцены, виденные мною в Египте, не переставали меня удивлять. Бог, Аллах, представляется мусульманам вполне реальным Существом, а не просто философской абстракцией. Торговцы, слуги, рабочие, знатные люди, паши и чиновники с готовностью откладывали все свои дела, чтобы пасть ниц перед Аллахом; и необязательно в мечети, но и в конторе, в магазине, дома или даже на улице. Эти люди, не мыслящие для себя утреннее пробуждение и ежевечерний отход ко сну без краткого почтительного обращения к Аллаху, вряд ли смогли бы многому научить западный мир, вечно занятый своими делами, представляющимися ему самыми важными, но, по крайней мере, искренней вере у них можно было бы поучиться.

Я вовсе не берусь обсуждать какие-то определенные доктрины ислама (этим я пожалуй займусь немного позже), а лишь хочу обратить внимание на искренность и крепость веры мусульман в суще-

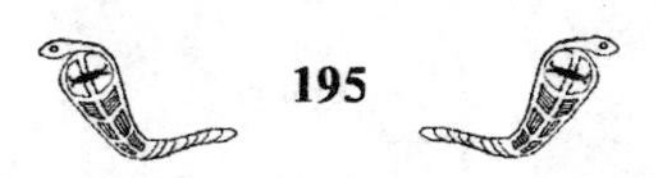

ствование Высшей Силы и сравнить ее с верой европейцев.

Попробуйте представить себе жителя Нью-Йорка или Лондона, который, повинуясь едино только внутреннему побуждению, опускается на колени прямо на улице, чтобы помолиться и напомнить себе таким образом о существовании Того, Кому мы обязаны своим существованием! Да такого человека просто засмеют или того хуже — примутся жалеть наши премудрые цивилизованные сограждане. А еще вернее — его сразу же арестуют за нарушение общественного порядка и создание помех для перемещения пешеходов или транспорта!

* * *

Ближний, Средний и даже Дальний Восток — все они отмечены знаком полумесяца. А не так давно его сияние распространилось и на самые отдаленные районы Африки. Но сила исламской религии не столько в числе ее последователей, сколько в их ревностном стремлении служить ей. Мы — люди Запада — любим комментировать это качество, используя слово «фанатизм», что нельзя назвать абсолютно верным (хотя и не следует считать полностью ошибочным). Просто на Востоке люди до сих пор следуют установлениям своей религии, от чего мы уже отвыкли.

Почему возникло это различие?

Давайте вспомним все с самого начала. Однажды человек преклонил колени на каменный пол пещеры, созданной самой природой в каменистом склоне горы Хира (в Аравии), и вознес мольбу Всемогущему вернуть чистую, истинную веру патриархов его народу, погрязшему в омерзительном идолопоклонстве и полном предрассудков материализме, который люди сделали своей религией.

Этим человеком был Мухаммед.

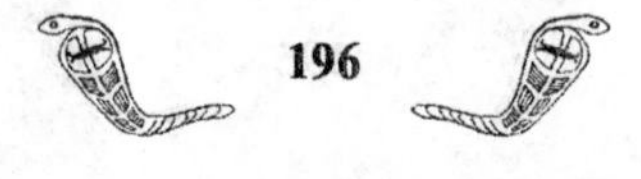

Роста он был среднего, волосы имел длинные и волнистые, а лицо — бледное, с едва заметным румянцем на щеках. К его описанию добавляют еще широкий рот, такие же широкие брови и массивный нос. Платье он носил не по чину своему простое. А был он купцом, и во многих городах знали его прямоту, честную торговлю и верность данному слову. До самой Сирии водил он караваны верблюдов. Год за годом неспешно шествовали они, оставляя за спинами рыжие песчаные барханы пустынь и каменистые горные ущелья, перевозя на своих горбах всевозможные товары, которые облаченный в черный тюрбан караван-баши намеревался продать в дальних городах. А долгими южными ночами, когда все караванщики спали, Мухаммед уходил один в пустыню и там, сидя на мягком песке, размышлял о тайнах жизни и о сущности Бога. Загадочные звезды освещали своими серебряными лучами его обращенное в небесную высь лицо, словно стараясь поведать свои тайны, и свет их наложил печать пророческой избранности на всю его дальнейшую судьбу.

После женитьбы на вдове Хадидже он окончательно утвердился в привычке размышлять о самых сокровенных сторонах человеческого бытия. Тогда-то и разуверился он в примитивной религии своего времени и в ее способности удовлетворить глубинные чаяния его соотечественников. Наконец он удалился в свое излюбленное убежище — уединенную пещеру на горе Хира близ Мекки — и провел там целую ночь, до самого рассвета вознося молитвы Всемогущему. Не для себя лично просил он тогда просветления; он просил за весь свой народ. Он довел себя до экстатического состояния, и молитва перешла в видение, видение — в преображение, а преображение сменилось непосредственным, осознанным общением с Богом. Одна завеса за другой спадала с его глаз. Как это ни парадоксально, но именно там, в полутьме пещеры, его озарил свет Истины!

Он услышал Голос, возвестивший ему:

— Ты — Человек. Ты — Пророк Аллаха!

Так торговец Мухаммед возложил на себя новую драгоценную ношу и, забросив тюки с товаром, стал Провозвестником Слова, эхо которого в течение столетия облетело три континента.

Сивиллы Древнего Рима предрекли будущее пришествие Христа, но с тех пор умолкли. И Христос действительно появился и передал Слово Свое тем, кто желал Его услышать, а затем покинул этот мир в возрасте, когда большинство людей едва только успевает найти свое место в материальной жизни, не говоря уже о жизни духовной. Но не прошло и шести веков со времени его ухода, как в мире появился новый Пророк Неведомого Бога.

* * *

Мухаммеду повезло — он сразу же нашел себе первого последователя, и это была его собственная жена. А от жены, как известно, во многом зависит, добьется ли мужчина успеха в жизни или, напротив, превратится в неудачника. А первым мужчиной, которому Мухаммед поведал об услышанном в пещере, был Варака — слепой согбенный старец, предостерегший его:

— Будь готов к тому, что они изгонят тебя, ибо никогда еще не было так, чтобы смертный принес в мир то, что собираешься принести ты, и не подвергся бы при этом жесточайшим гонениям. О! Если только Богу будет угодно, чтобы я дожил до этого времени, я отдам все оставшиеся у меня силы тебе, чтобы ты смог победить своих врагов.

Да, каждому вдохновенному пророку приходится нести тяжкий крест непонимания и одиночества; правда, он получает за это должное воздаяние, но

оно столь возвышенно, что остается незримым и неосязаемым для большинства людей.

Каждая новая религия должна быть готова к тому, что сразу же по ее рождении люди глупые и безразличные начинают швырять в нее камни.

Самыми первыми мусульманами стали друзья и родственники Мухаммеда. Они собирались вместе и молились в тихом загородном доме.

В Мекке эти люди продолжали выполнять обряды своей прежней примитивной религии и поклоняться сонмищу идолов, стараясь умилостивить невидимые силы, стоящие за психическим порогом; а за городом — молились Единому Богу.

На протяжении трех лет эта все возрастающая группа собиралась и молилась в обстановке строжайшей секретности, поскольку назначенный Судьбою час публичного оглашения новой веры еще не пробил. Но затем Пророк вновь услышал Голос:

— Пришло время исполнить переданную тебе Волю.

После этого он без колебаний собрал вместе всех, кого знал, и сказал им, что если они не отринут ложную религию своих предков и не обратятся к истинной вере, на них падет гнев Аллаха. Но они, выслушав его, отвернулись в негодовании и не обратились.

Но огонь в его душе уже нельзя было погасить, и он ходил от дома к дому, проповедуя данное ему послание. Он одевался в грубую одежду и ел простую пищу. Почти все свое состояние он роздал бедным. Он даже отважился пройти мимо трехсот шестидесяти шести идолов в святилище Каабы, обличая их перед собравшимися там идолопоклонниками, подобно тому, как Иисус бесстрашно обличал торговавших в Храме. Тогда на него набросилась разъяренная толпа, и один из его последователей был убит, потому что встал на его защиту.

Нести пророческий крест может только тот, кто свято верит во все, что проповедует: в каждое слово и каждую букву.

Мекканские власти, видя, что им не удастся заставить замолчать этого прямодушного человека, попытались подкупить его золотом и высоким чином. Мухаммед же в ответ лишь снова пригрозил им гневом Аллаха.

После этого началось открытое преследование, и Мухаммед посоветовал некоторым своим сторонникам укрыться в Абиссинии. Так они и поступили. Но возмездие мекканских властей настигло их и там: императора попросили выдать беженцев. Император не спешил с ответом. Он сказал, что хочет видеть у себя представителя мусульман, и к нему направили человека по имени Джафар.

— Что же это за религия, — спросил у него император, — из-за которой вы отказались от своего собственного народа?

И Джафар рассказал о том, как раньше они влачили полудикое существование, поклонялись идолам, питались падалью и притесняли слабых. Но пришел Мухаммед — Посланник Аллаха — и призвал их подумать о собственных душах и обратиться к Богу Единому, Истинному, Милосердному и Праведному. В подтверждение своих слов он привел несколько стихов из *Корана*, услышав которые, император сказал:

— Поистине, этот свет исходит из того же источника, что и свет, принесенный Моисеем. Ступай же! Ибо во имя Бога я не позволю им добраться до вас. Возвращайтесь к своим жилищам и живите там, и молитесь так, как вам хочется. Никто не потревожит вас.

А тем временем гонения на мусульман в Аравии становились все более жестокими. И когда один из гонителей предложил Мухаммеду совершить какое-

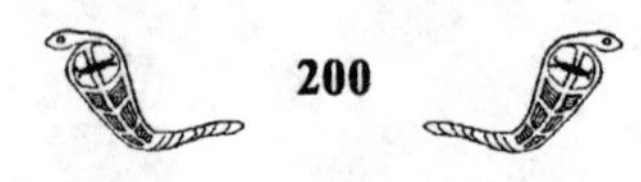

нибудь чудо, чтобы подтвердить этим подлинность своего апостольства, тот, посмотрев на небо, ответил:

— Не творить чудеса приказал мне Бог. Он послал меня к вам. Я лишь несу человечеству слово Аллаха.

Именно в эти суровые времена с Мухаммедом случилось чудесное происшествие. Как рассказывал он сам, однажды ночью архангел Гавриил исторг его дух из тела и перенес в невидимый мир ангелов, где он встретился с духами древних Пророков — Адамом, Авраамом, Моисеем, Иисусом и прочими. Видел он и то, как пишутся в мире ангелов земные судьбы.

После этого происшествия учение Мухаммеда начинает распространяться с удивительной быстротой, но также быстро нарастает и волна преследований мусульман язычниками. Против Мухаммеда составляется заговор, его хотят убить. Но ангелы предупреждают Мухаммеда об опасности и приказывают ему тайно покинуть Мекку и бежать через пустыню в город Медину, где мусульманам оказывают радушный прием и позволяют приступить к строительству самой первой на земле мечети. День прибытия Мухаммеда в Медину становится первым днем первого года нового Мусульманского календаря, он соответствует 622 году христианского летоисчисления.

Это событие ознаменовало начало больших перемен в судьбе мусульман.

Мекканцы объявили жителям Медины войну. Тогда небольшой отряд горожан, возглавляемый Мухаммедом, выступил в поход, неожиданно напал на врага и полностью разгромил его. Победители направились дальше и приняли еще один бой, не принесший полной победы ни одной из сторон. За этим последовало еще несколько сражений, укрепивших авторитет Мухаммеда. Он отправил посла-

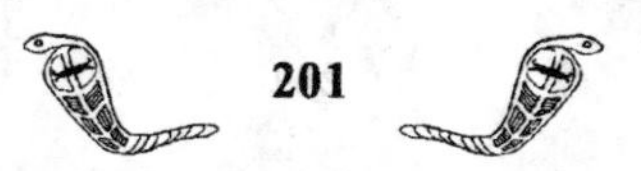

ния к императорам Византии и Абиссинии, к царю Персии и царю Египта, сообщая в них о своей пророческой миссии и о божьем послании и призывая этих правителей принять ислам.

Через семь лет после бегства из Мекки Мухаммед решил вернуться в этот город с мусульманским войском. Не желая проливать понапрасну кровь, он приказал своим сподвижникам оставить все свое оружие в восьми милях от города и войти в него безоружными, как подобает людям мирным. И мекканцы позволили им навестить своих родственников, а затем беспрепятственно покинуть город. Но вскоре мекканцы помогли кочевникам-бедуинам устроить резню мусульман, искавших убежища в своем храме, и Мухаммеду пришлось вторично вести свое войско в поход на Мекку. На этот раз он взял город, разбил каменные изваяния языческих богов, заставил жителей принять ислам и стал правителем Мекки.

Ислам распространился по всей Аравии, подчинив власти Мухаммеда дикие племена пустыни и приобщив их к более совершенной религии. Мухаммед обратился к своим последователям в последний раз, сидя верхом на верблюде на горе Арафа:

— Я оставляю вам книгу *Коран*, — как всегда неспешно и многозначительно говорил он, — строго следуйте написанному в ней, иначе собьетесь с пути. Ибо это, возможно, мое последнее паломничество. Не возвращайтесь к своим до-исламским обычаям и не спешите вцепляться друг другу в глотки после моего ухода. Помните, что рано или поздно и вы предстанете лику Аллаха, и он призовет вас к ответу за ваши грехи.

И еще он напомнил им, что Пророк — такой же человек, как и все они, просто Аллах избрал его своим посланником, и призвал их поэтому не поклоняться идолам.

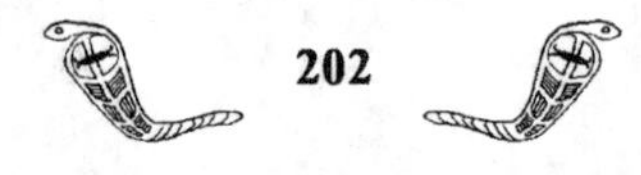

Несколько дней спустя, в полуденное время, Мухаммед возвратился к Великому Неведомому, из коего некогда и пришел на эту землю. Вот его последние слова:

— Нет теперь у меня друга более великого, чем Он.

Это случилось в шестьсот тридцать втором году христианской эры и на шестьдесят первом году жизни Мухаммеда. Ему удалось опровергнуть реченное прежде о том, что пророку нет чести в своем отечестве.

Глава 9

БЕСЕДА С ДУХОВНЫМ ВОЖДЕМ МУСУЛЬМАН

За время своего пребывания среди мусульман я успел составить на основе личного опыта собственное мнение о многих постулатах ислама. Но, желая сравнить собственные выводы с тем, что говорит о мусульманской религии на страницах священной книги сам Пророк, я решил обратиться за разъяснениями к какому-нибудь авторитетному мусульманскому богослову. Так я оказался у его преосвященства шейха Аль-Ислама — главного духовного лица Египта, чья резиденция размещалась за высокими минаретами и зубчатыми стенами мечети-университета Аль-Азхар. Собственное имя его преосвященства — Мустафа Аль-Мараги; а заведение, ректором которого он является, уже тысячу лет известно всему мусульманскому миру как авторитетный центр исламского богословия, чьи позиции в вопросах религии считаются окончательными и бесповоротными. Шейх Аль-Ислам — лицо, облеченное духовной властью. Общеизвестно, что в Аравии хранится священный камень —

мекканская Кааба — и что Мечеть, где он хранится, считается Заповедной; и каждый ревностный мусульманин мечтает хотя бы раз в жизни совершить туда паломничество. Но все же именно Египет следует признать хранилищем «Живого Камня», мозговым и нервным центром всего мусульманского мира. Ректор является признанным духовным лидером не только в Египте, но, благодаря международному статусу университета Аль-Азхар, и во многих других странах тоже. Аль-Азхар — предмет гордости всех мусульман. С самых первых дней его существования в нем изучаются наиболее сокровенные аспекты исламской религии и передаются тем, кто желает приобщиться к ним и во всех подробностях усвоить послание пророка Мухаммеда.

— Если толковать *Коран* правильно, то можно убедиться в том, что он поощряет изучение Бога и вселенной, — сказал мне шейх Аль-Мараги в ходе излагаемой мною ниже беседы, — нет науки, чуждой Творцу, а значит, и Его творениям, и никакое знание не может идти вразрез с предписаниями ислама. Сейчас наша цель — очищение религии от предрассудков и фантастических интерпретаций. И наука помогает нам в этом. В наш век стремительного научного прогресса было бы очень вредным для ислама ограждать стремящихся изучать его от постижения прочих наук.

Многое изменилось в лучшую сторону с тех пор, как сто лет тому назад Эдвард Лейн сообщал о большом нежелании мусульман рассказывать что-либо о своей религии людям, которые, по их мнению, не разделяют их взглядов. Однако говорить о полном исчезновении подобной настороженности тоже пока еще рано.

В самом деле, не-магометанину (по крайней мере, в ортодоксальном смысле этого понятия)

было бы довольно непросто организовать подобную встречу с мусульманским духовным лидером, но любезная помощь наших общих друзей, в конце концов, принесла свои плоды.

Дорога привела меня в самый старый и самый многолюдный квартал Каира, где широкая улица, делившая базарную площадь на две части, привела меня прямо к воротам старейшего в мире центра мусульманской учености — университету Аль-Азхар. Пройдя под просторными, украшенными причудливыми завитками арабесок арками, я очутился посреди залитого Солнцем двора. Точно также проходили здесь до меня сотни тысяч студентов во все века существования этого университета, чтобы потом нести слово Пророка Мухаммеда по всему восточному миру, помогать людям правильно толковать стихи священного *Корана* и поддерживать непрестанное горение светоча мусульманской культуры.

Отыскав лекционный зал, где в то время находился его преосвященство, и обменявшись с ним традиционными приветствиями, я смог, наконец, как следует рассмотреть внешность этого степенного, среднего роста человека, пользующегося таким огромным влиянием во всем магометанском мире.

Шейх Аль-Мараги — бывший верховный кадий Судана — имеет заметное влияние не только в религиозных, но и в некоторых политических кругах.

Из-под белой чалмы на меня глядели строгие немигающие глаза. Нос шейха был прямым и красивым, усы — седыми и короткими, губы — плотно сжатыми, а подбородок его украшала жесткая серая щетина.

В стенах того огромного учреждения, которым руководил его преосвященство, обучались тысячи студентов — будущих хранителей учения Мухам-

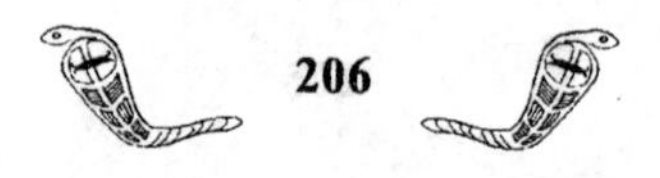

Шейх Аль-Мараги, духовный глава мусульман

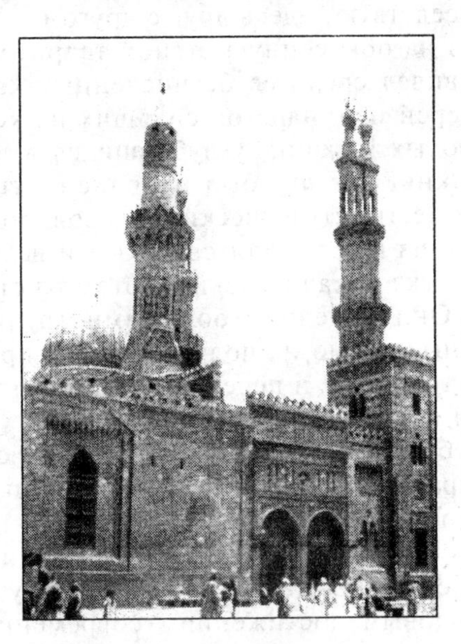

Университет при мечети Аль-Азхар

меда — получая стипендию из благотворительных фондов и дотаций египетского правительства. Самым бедным студентам предоставлялось жилье и питание, а также периодическое денежное вспомоществование. Старое здание уже не могло вместить всех учащихся, так что пришлось построить несколько новых корпусов в других районах города; и эта перемена обстановки сопровождалась большими изменениями в самом содержании учебы. Было введено изучение различных современных наук, созданы хорошо оборудованные лаборатории и амфитеатры для физических и химических экспериментов, приняты на вооружение новейшие методы преподавания. Но все эти реформы проводились очень осторожно — чтобы не нарушить древнюю, традиционную атмосферу университета. Так что теперь старые и новые методы обучения мирно соседствуют здесь друг с другом.

Ступив на обнесенную стеной территорию мечети, я увидел среди ее бесчисленных колоннад, арок, галерей и минаретов сидящих на корточках чернобородых мужчин, углубившихся в изучение арабских книг. Воздух был наполнен ритмичным гулом множества студенческих голосов, потому что некоторые из них читали свои книги вслух и нараспев, слегка покачиваясь при этом из стороны в сторону. Они сидели небольшими группами на разложенных прямо на полу циновках, прячась от Солнца в тени арок и перекрытий, и в центре каждой такой группы сидел учитель.

Это и был традиционный метод обучения, до сих пор практикующийся в старом здании университета. Но в современных филиалах его преосвященству удалось вдохнуть в этот древний центр религиозной учености новую жизнь, созвучную самым передовым достижениям современности. В этом начинании его с энтузиазмом поддержало

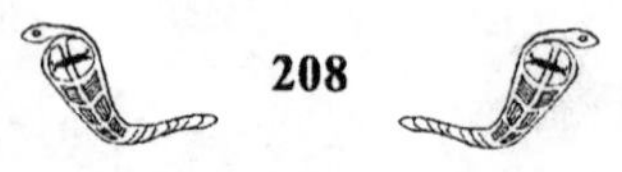

молодое поколение мусульман, но пришлось и изрядно повоевать с косными теологами, не понимавшими, что Аль-Азхар тоже должен изменяться вместе с окружающим миром. Баталии длились долго, но победа была полной.

Как утром солнечный свет постепенно разливается по всем узеньким переулочкам старого Каира, отвоевывая пядь за пядью у предрассветной тени, так и новая жизнь теснит старую в вечной и нескончаемой схватке; и как свежий ветер рассеивает дым прошлого, так и современное мышление медленно, но верно расширяет свое присутствие на архаичном Востоке. И новое поколение египтян уже не сомневается в необходимости синтеза старых и новых идей.

Здесь есть студенты со всех концов мусульманского мира от Персии до Занзибара. Как магнит железные опилки, притягивают их слава и мудрость Аль-Азхара. На головах они носят черные фески и белые тюрбаны; одежды же на них — всех цветов и оттенков. Я ничуть не удивился, встретив там студентов из Китая, потому что ожидал их там встретить, но настоящим сюрпризом для меня оказалось присутствие молодого японца.

Сам шейх Аль-Мараги был одет в длинную, в черно-белую полоску, рубаху из шелка, поверх которой был наброшен еще более длинный шелковый халат черного цвета с широкими рукавами. Вокруг талии был обмотан белый пояс. Обувью ему служили мягкие желтые сафьяновые туфли с загнутыми вверх носками. Все одеяние подчеркивало простоту и достоинство его обладателя. Строгость и лаконичность внешности шейха произвели на меня благоприятное впечатление.

Свои распросы я решил начать с самых главных постулатов ислама. Его преосвященство на несколько секунд погрузился в раздумья.

— Первый принцип заключается в том, что Бог един. Это и есть самое главное послание Мухаммеда. Это послание Бог уже передавал людям через своих Пророков (Моисея и Иисуса), прежде чем открыл его Мухаммеду, который еще раз передал его евреям и христианам как призыв к единению, но их священники отказались признать его.

Главное — вера в то, что Бог-Творец един, и нет у него никакого подручного; и потому только Бога следует прославлять и ему одному поклоняться. И не нужен Ему посредник, чтобы общаться с человеком, которого Он создал. Пророки и апостолы суть лишь слуги Его, возвещающие людям данные Им законы и приказания и призывающие их слушаться Его и Ему поклоняться. К Нему одному следует обращаться за помощью и лишь у Него просить милости и прощения, коль скоро в них есть нужда. Всевышний (да будет возвеличено имя Его!) говорит:

«Не призывай никого, кроме Аллаха, потому что никто более не сможет сделать тебе ни зла, ни добра. А если сделаешь это, то, несомненно, окажешься в числе неправедных», — и еще:

«Если Аллах нашлет на тебя несчастье, никто не сможет отвести его от тебя, кроме Него Самого. А если захочет Он сделать тебе добро, ничто не сможет этому помешать. Делает Он благо тем из слуг Своих, кому Сам пожелает, а Он — Милостивый, Милосердный».

— А что означает для вашего преосвященства идея души?

— В *Коране* нет точного определения этого слова, и потому духовные вожди ислама в разное время трактовали его по-разному. Эти трактовки вполне могут послужить пищей для размышления, но присовокуплять их к *Корану* — Книге Откровения — не следует. И все же мы верим, что в Суд-

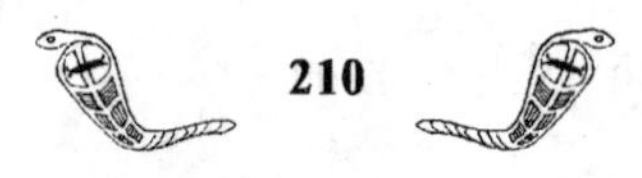

ный День каждой человеческой душе воздастся по ее заслугам, и праведные получат награду свою, а нечестивые будут наказаны. Этой верой подкрепляется наша мораль. Аллах говорит:

«И кто сделает хоть малую толику добра, обязательно будет за это вознагражден; а кто сотворит хоть малую толику зла, непременно понесет за это наказание».

— Чем же отличается послание Мухаммеда от сказанного другими божьими пророками?

— Послание Мухаммеда не может ничем отличаться от сказанного другими пророками, ибо все они были избраны Господом, чтобы нести Его слово людям, ибо все они получили свое откровение от Бога. Мусульманам предписывается верить всем божьим пророкам без исключения. Сказано Аллахом:

«Пусть уверовавшие говорят: “Мы верим в Аллаха и в то, что было нам послано, и в то, что было послано Аврааму и Исмаилу, и Исааку, и Иакову, и потомству его, и в то, что было послано Моисею и Иисусу, и в то, что было послано другим пророкам Господа. Мы не делаем различий между ними, ибо мы покорны Аллаху”».

Всякий раз перед тем, как дать ответ, его преосвященство неизменно погружался в сосредоточенное раздумье.

— Считаете ли Вы, что один человек ничем не может помочь другому в поиске Бога? Я спрашиваю это потому, что в вашей религии отсутствует институт духовников, и это многих удивляет.

— Да, ислам не признает никаких посредников между Богом и человеком, но все-таки у нас есть ученые мусульмане, наставляющие других в следовании путем Господа, как он изложен в *Коране* и в речах и поступках Пророка Мухаммеда.

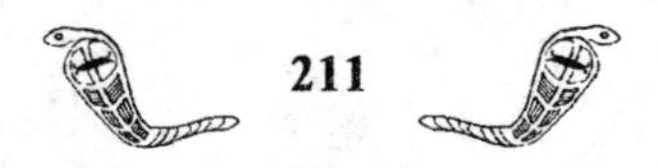

Ислам предписывает некоторые принципы, без соблюдения которых нельзя называть себя мусульманином. Но эти принципы ничем не отличаются от тех, что заповеданы нам Аллахом через прочих Его апостолов. Ведь ислам — не единственная религия, утверждающая единство Бога и призывающая повиноваться Божьим заповедям. И ниспослана она была не только Мухаммеду (да пребудет с ним мир), но и всем прочим пророкам и апостолам, ибо это религия Бога. Аллах говорит:

«Поистине — настоящая Религия Аллаха — ислам, и никакая другая религия Ему не подходит; и те, кому дано было ложное Писание, не замечают этого до тех пор, пока вражда и взаимная ненависть не подскажут им истину».

Таким образом, мы делим всех правоверных на тех, кто имеет глубокие познания в нашей религии, и тех, кто их не имеет. Первых мы уважаем, и к их голосу прислушиваемся. Но мы считаем их только разумными людьми, а не пророками. Ни один мусульманин не может сказать другому — запрещено тебе то-то и то-то, ибо только Бог властен запрещать. Наша вера отрицает необходимость какого-либо посредничества между Богом и человеком. Это краеугольный камень ислама. Но мы с уважением относимся к тем, кто посвятил свою жизнь изучению Святого Писания, и приходим к ним за советом и мудрым наставлением. Даже если какой-нибудь негр хорошо усвоит законы ислама, его будут слушать с уважением. В нашей истории известен случай, когда венценосный калиф прислушивался к советам своего чернокожего раба, поскольку тот хорошо разбирался в учении Пророка. И разумеется, этому рабу была дарована свобода.

— Могу я спросить, ваше преосвященство, обязательны ли в вашей религии мечети?

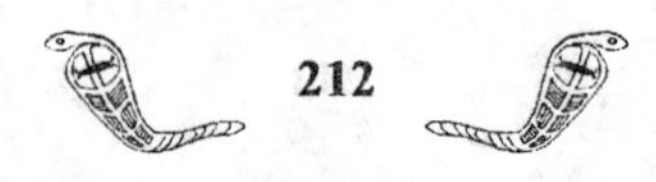

— Нет, но люди используют их как молельные дома. И по пятницам там можно слушать проповеди. Однако, ввиду отсутствия в исламе священников и обязательных церемоний, особой необходимости в мечетях нет. Мусульманин может молиться где угодно, не обязательно в мечети. Для молитвы достаточно небольшого клочка чистой земли. Цель строительства мечетей — подчеркнуть единство мусульман во время совместных молений. И потому молитва в мечети предпочтительнее, хотя можно обойтись и без нее.

— В чем суть ваших молитв?

— Когда мусульманин молится, — осторожно начал шейх, — он повторяет те стихи из *Корана*, которые помнит наизусть. Но обычно это бывают строки, где говорится о том, о чем человеку, по общему мнению, надлежит думать во время молитвы. Я всегда говорил и повторяю, что цель наших молитв не только в исполнении своих обязанностей перед Богом, но и в приобщении к заветам Аллаха. Повторяя Его слова каждодневно во время молитвы, мусульманин всякий раз напоминает себе о них. И наилучшими для молитвы считаются те слова, которые специально рекомендует для этой цели *Коран*: «Тебе и только Тебе мы поклоняемся. И лишь у Тебя просим помощи». Две эти фразы повторяются чаще всего. И кроме того, традиционно повторяющиеся фразы облегчают моление людям малообразованным.

Молитвы у нас не очень долгие. Они включают в себя открывающую главу *Корана* и еще семь текстов, но по желанию можно добавлять к ним любые *коранические* тексты по своему усмотрению. Но от себя добавлять к этому ничего нельзя.

Мусульманин должен молиться пять раз в день. Если же обстоятельства вынуждают его прервать молитву, ему следует вернуться к ней, как только у

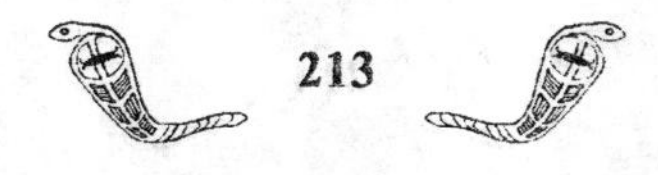

него снова появится свободное время. Но пропускать время молитвы без уважительной причины не позволительно.

— А если человек серьезно болен?

— Если он болен настолько, что не может ни стоять на ногах, ни сидеть в предписанных позах, ему следует повторять слова молитвы хотя бы лежа. А если он не в состоянии даже говорить, то должен поднести руки к вискам в знак своего преклонения перед Аллахом. Не забывайте, что молитвенные поклоны в исламе как раз и предназначены для того, чтобы засвидетельствовать покорность Богу. Они напоминают человеку о Божьем величии.

— Но не является ли пятикратное повторение молитвы слишком утомительным для человека?

— Вовсе нет. Часто вспоминая о Боге, человек делает себе добро и к тому же, как я уже говорил, напоминает себе о Его заветах. Так, например, когда он называет Аллаха милостивым, он напоминает себе, что может заслужить милость в Его глазах, и это побуждает его самого быть милостивым. То же самое и с другими качествами, которыми, как мы говорим, наделен Бог.

Вошел служащий, благоговейно взял в свои руки протянутую ему ладонь ректора и прикоснулся к ней сначала губами, а затем лбом. Когда он присел рядом с нами, я снова спросил:

— А какова цель паломничества в Мекку?

— Как местные мечети призваны подчеркнуть единство мусульман, проживающих в одной местности, так и паломничество в Мекку служит свидетельством единства всех мусульман. В исламе все люди считаются братьями, и постоянным напоминанием об этом служат им мечети и святое паломничество. Одним из принципов ислама является равенство. Ислам по сути своей демократичен

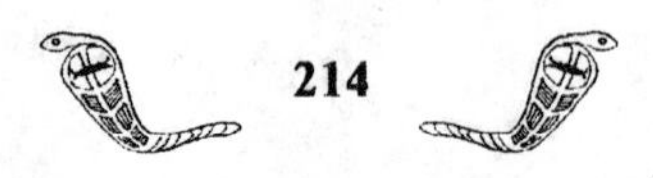

и отвергает классовую ненависть. Проблему нищеты он решает посредством обязательной благотворительности: состоятельные люди должны отчислять определенный процент своего состояния в помощь нуждающимся. Если бы все помнили об этом, во всем мире утвердились бы покой, сострадание и добрая воля; и в отношениях между общественными классами установилось бы равновесие. Каждый верующий в Аллаха, встречаясь в мечети или во время паломничества с другим мусульманином, должен относиться к нему как к равному. Царь может идти рядом с нищим и рядом с ним молиться. Ислам призывает людей отринуть расовые и прочие различия, считая основой мусульманского братства религиозное единство и общечеловеческие принципы. Ислам не признает иного авторитета, кроме того, что заработан праведностью и добрыми делами. Ибо Аллах (да будет возвеличено имя Его) говорит:

«О люди, Мы произвели всех вас от Адама и Евы и создали из вас племена и народы, дабы вы могли узнавать друг друга. Поистине, только самый праведный из вас заслуживает наибольшей милости в глазах Аллаха, ибо Аллах всеведущ и знает все самые сокровенные ваши помыслы».

— На Западе распространено представление о магометанах как о нетерпимых фанатиках. Справедливо ли оно? И еще — что ислам повсеместно утверждался исключительно насильственным путем. Что вы можете сказать по этому поводу?

Шейх Аль-Мараги улыбнулся:

— Ислам уже давно стал распространенной и укоренившейся религией; и приверженность мусульман своей вере очень хорошо известна. Именно поэтому некоторые критики несправедливо обвиняют ислам в фанатизме. Но на самом деле то,

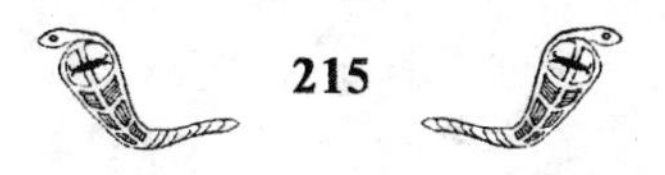

что наши недруги называют фанатизмом, всего лишь искренняя вера, как бы она ни выглядела в глазах стороннего наблюдателя.

Что же касается утверждения, будто ислам был повсюду навязан силой оружия, то достаточно будет обратиться к историческим фактам и проанализировать реальные причины войн, в которые ислам был вовлечен на стадии своего становления, чтобы убедиться в том, что само распространение ислама никоим образом с ними не связано.

Войны велись главным образом для того, чтобы защитить себя, и свои семьи, и всех правоверных от преследований и тирании неверных, изгнавших этих людей из их собственных жилищ. Только ради этой цели Аллах позволил Своему Пророку взять в руки оружие и обратить его против гонителей. Господь говорит:

«Аллах не запрещает вам быть милостивым и справедливо обращаться с теми, кто не ведет против вас войну из-за вашей веры и не изгоняет вас из ваших домов; поистине, Аллах любит справедливых. Но Аллах запрещает вам дружить с теми, кто воевал с вами и изгонял вас из ваших жилищ из-за вашей религии, и с теми, кто был на стороне изгоняющих».

И еще:

«Взявшим в руки оружие, чтобы обратить его против неверных, даровано на то позволение, ведь их подвергали гонениям. Поистине, Аллах может прийти к ним на помощь. К тем, кто был безвинно изгнан из своих жилищ, за то лишь, что говорили они: “Наш Бог — Аллах”».

Таковы, вкратце, причины, заставившие Пророка и его последователей взяться за оружие. Поначалу он попросил своих сподвижников позволить ему одному, без их помощи, попытаться убедить арабов добровольно принять ислам. Но они встре-

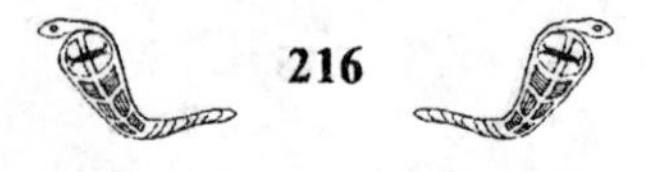

тили его оскорблениями: отказывались принять новую веру, всячески досаждали ему и стремились извратить его послание. И вскоре у него не осталось иного выбора, кроме как защищать себя и своих сподвижников от врагов во имя продолжения дела, доверенного ему Аллахом.

Последующие войны и завоевания рассматривались, вне всякого сомнения, как защита ислама. Завоеватели представляли покоренным народам на выбор три варианта: а) принять ислам и стать равноправными братьями-мусульманами; б) платить дань, призванную умерить бедность арабов, в обмен на защиту жизни и имущества; в) продолжать войну.

Разумеется, на самом деле эти войны затевались отчасти по политическим, а отчасти по социально-экономическим причинам. Но утверждать, что ислам насаждался исключительно силой оружия, все же нельзя. Впоследствии ислам распространялся без помощи войн. Разве не были монголо-татары, разорившие значительную часть Азии и практически уничтожившие существовавшую там величественную исламскую цивилизацию, злейшими врагами мусульман? Но со временем они приняли ислам и стали самыми ревностными его поборниками. Если обратиться к истории, то мы найдем еще немало примеров такого же мирного распространения ислама.

— Каково же личное мнение вашего преосвященства, как представителя цивилизации Востока, о европейцах и европейском обществе? — спросил я тогда.

— Лично я считаю, что европейцы достигли весьма высокого культурного уровня как в научной, так и в социальной сфере, но все же им, на мой взгляд, недостает духовности. Мы не можем назвать совершенной цивилизацию, сохраняющую

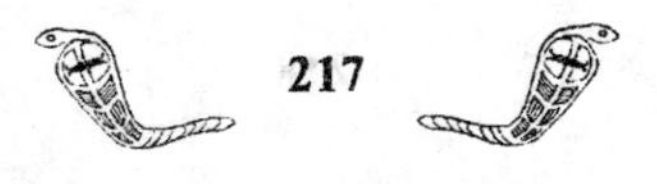

дисбаланс между материальной и духовной природой человека, ибо только равновесие этих начал создает гармонию.

Что же касается европейских общественных институтов, то многие из них заслуживают одобрения, и мы пытаемся внедрить их у себя, следуя, опять же, завету Святой Книги:

«Объяви благую весть моим слугам, которые внимают увещеваниям и стараются извлечь из них пользу. Их наставляет Аллах Своей Религией, ибо они — понимающие».

К тому же призывает и наш Пророк, говоря:

«Мудрость есть скрытое сокровище для истинно верующего, и потому он не отворачивается, когда находит ее».

Единственное, чего мы не одобряем в европейском обществе, это излишек индивидуальной свободы, поскольку он приводит к злоупотреблениям, ставящим под сомнение само существование всех его прогрессивных достижений.

Мы не сомневаемся в том, что индивидуальная свобода является естественным правом человека, просто нам кажется, что трактуют ее в Европе не слишком верно. В исламе же принцип индивидуальной свободы применяется правильно, и человеку у нас позволено делать все, что не идет во вред ему самому или другим людям.

В первые века ислама государственные власти часто предоставляли помещения мечетей для обучения религиозным и светским наукам. Так крупные мечети превращались в университеты, особенно в тех случаях, когда к ним пристраивали специальные помещения для проживания студентов и преподавателей. Деньги на содержание этих университетов выделялись из казны. Одной из таких мечетей был и Аль-Азхар. Когда на седьмом веке от Исхода Пророка Багдад был обращен в руины завоевателями-монголами, и власть калифа была упразднена, правитель Альсахир Бибарс взял под свое покровительство сына одного из аббасидских принцев и сделал его калифом. Царь Бибарс возобновил прерванные на некоторое время занятия в Аль-Азхаре и осыпал этот университет своими милостями. Аль-Азхар же впоследствии приобрел широкую известность и начал привлекать к себе стремящихся к знанию людей со всех концов мусульманского мира. Постепенно он стал самым крупным и самым авторитетным исламским университетом. Медленно, но верно развиваясь, он приобрел славу общемусульманского научного центра. Что и говорить — это очень большое достижение, каковым не может похвастать более ни одна мечеть.

Те реформы, которые провожу сейчас я, направлены на расширение интеллектуальных и культурных горизонтов учащихся во всех областях знания.

Для поиска истины ислам рекомендует логическое мышление. Он не одобряет слепого подражания и осуждает тех, кто следует этим путем. Сказал Господь:

«И когда говорят им: “Следуйте тому, что послал вам Бог”, — они отвечают: “Нет, мы будем следовать обычаям, оставленным нам отцами нашими”. Что же с того, что отцы их ничего не знали и были лишены руководства».

— Сможет ли ислам адаптироваться к условиям современности, настоятельно требующей углубления научных знаний и абсолютной практичности?

— Как же может ислам, основанный на естественных требованиях человеческой природы и мышления, предписывающий своим последователям искать знаний и преумножать их, и добросовестно выполнять все свои обязанности — как же

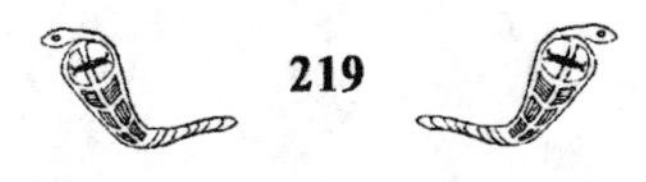

может такая религия отстать от века, поощряющего развитие науки и культуры? Ислам не только не препятствует, но напротив — предписывает правоверным учиться. Вот что говорит Господь по этому поводу:

«Скажи: “Размышляйте обо всем, что есть в Небесах и на Земле”».

Истинно верующие названы в Коране «размышляющими о сотворении Неба и Земли».

Первые мусульмане доказали, что религию можно совмещать с повседневной жизнью и с наукой без риска сбиться с истинного пути. Они изучали греческие и римские научные и философские сочинения, переводили, комментировали и дополняли их. Им не были чужды никакие мирские занятия, включая сельское хозяйство, торговлю и ремесла.

Одной из причин быстрого распространения ислама на раннем этапе как раз и был практический, а не теоретический характер этой религии. На первое место в ней выдвигаются законы и предписания, которым следует повиноваться, и принципы, применимые в повседневной жизни.

Ислам отвечает всем требованиям человеческой природы, излагая принципы, полезные как для тела, так и для души. И он не отдает предпочтения первому в ущерб последней или наоборот. Ислам не запрещает человеку наслаждаться земными благами, но в то же время и сдерживает человеческую алчность, запрещая все то, что может принести ему вред или развратить его. Но, наряду с этим, ислам не пренебрегает и духовной стороной человека, способствуя ее развитию.

— Почему мусульманские женщины закрывают лица, и исчезнет ли со временем этот обычай? На Западе принято считать, что в исламских странах женщины пребывают в униженном, полурабском

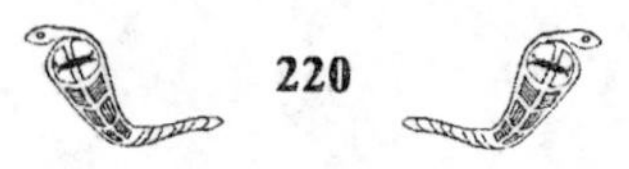

состоянии, и на них здесь смотрят как на существа низшего порядка. Что Вы об этом скажете?

— Что касается ношения женщинами покрывала, — последовал ответ, — то ислам предписывает здесь определенный порядок, согласно которому женщине не следует демонстрировать свои прелести посторонним и привлекать к себе внимание броскими нарядами. Это способствует сохранению женщинами правил приличия и помогает мужчинам уберечься от их чар. Нет сомнений: ислам, предписывая эти правила, стремится оградить и мужчин, и женщин от искушения и греха.

Ислам, однако, не слишком строг в отношении женщин. Он позволяет им оставлять открытыми лица и кисти рук во избежание нездорового любопытства.

Сложившееся на Западе мнение о мусульманской женщине как существе бесправном, порабощенном и униженном не соответствует действительности прежде всего потому, что, согласно нашим вероучениям, она наделена всеми правами. Ислам позволяет им (в разумных пределах) все необходимое для счастья. Им предоставлена относительная свобода и право быть полными хозяйками в своих жилищах. Для них открыто обучение любого рода наукам. Более того, женщинам рекомендуется совершенствовать себя всеми возможными способами. Им дано право владения и распоряжения собственностью. Разрешено исполнять функции юриста, опекуна, доверенного лица и даже судьи (только не по уголовным делам). Некоторые мусульманские женщины прославились своей ученостью, некоторые — своей праведностью, многие отличились на литературном поприще. А слухи о бесправном положении мусульманских женщин происходят от того, что некоторые непросвещенные люди, поддавшись влиянию традиционной среды, действительно дурно обращаются со своими женщинами. Нет нужды говорить, что ислам не имеет к этому никакого отношения.

* * *

Вряд ли можно осуждать рядового европейца за то, что он так мало знает об этой великой религии, но вот превратные представления о ней явно не делают ему чести. Многие мои английские друзья знают только то, что магометанин — это человек, которому позволено иметь четырех жен; а сверх этого им вовсе ничего не известно! Не сомневаюсь, что в глубине души они полагают, что своему широкому распространению на Востоке ислам (назовем эту религию именем, используемым самими ее приверженцами, дабы избежать надуманного наименования «магометанство», присвоенного ей европейцами) во многом обязан именно привлекательности тезиса о многоженстве. Но человеку рассудительному, понимающему, что подобная перспектива подразумевает, прежде всего, четырехкратную ответственность и четырехкратное же финансовое бремя, она вряд ли покажется слишком привлекательной. Лично мне знакомы только два мусульманина, у которых было по четыре жены, но они оба были махараджами, и их финансовое положение позволяло им иметь хоть по сорок жен. Правда, я знал несколько простолюдинов, у которых было по две жены, но гарем из четырех жен никто не мог себе позволить. У девяносто семи процентов известных мне женатых мусульман было всего-навсего по одной жене. И потому я вынужден, хотя и не без сожаления, опровергнуть этот выдуманный нами — европейцами — более для собственного успокоения миф. Ну а без него наши познания об исламе становятся практически равными нулю.

Таким образом, полигамия, на которую так часто ссылаются противники ислама, — далеко не самое тяжкое обвинение, которое следует принять к сведению в адрес мусульман. Сама по себе полигамия не может быть названа ни отвратительной, ни аморальной; а с психологической и научной точек зрения может быть даже признана разумной. В любом случае, процент полигамных семей на Востоке до крайности невелик и ничуть не превышает количество подобных семейств на Западе, где они, несомненно, тоже существуют, только в обстановке стыда и скрытности, поскольку считаются беззаконными. К тому же общественное мнение в Египте сейчас настроено против полигамных браков; и если, по моим оценкам, примерно пять процентов египетских семей сейчас полигамны, то для Персии их количество составляет, вероятно, два процента, и все те же пять процентов для индийских мусульман.

Я подумал о том, что многоженство было широко распространено у древних народов и что Мухаммед узаконил его в Аравии как уже давно существовавшую реальность. Он вовсе не пытался делать в этом отношении никаких нововведений, но просто трезво оценил ситуацию и постарался упорядочить ее с этической точки зрения. Я вспомнил также, что Мухаммед застал у арабов некоторые совершенно варварские брачные обычаи, в сравнении с которыми его последующие установления выглядят весьма прогрессивно.

Например, после смерти отца сын наследовал его жен. Существовали и временные браки, допускавшиеся обычаем, но Мухаммед запретил их. Развестись было проще, чем достать воду из колодца. Правда, усложнять процедуру развода Мухаммед не решился; но все же предупредил своих последователей, что «развод есть самое постыдное дело из

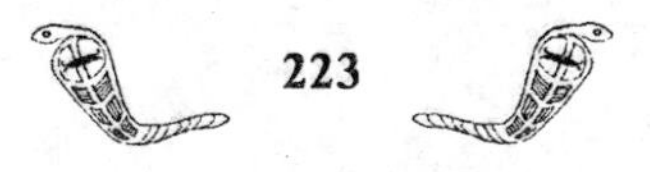

всех, дозволенных Аллахом», и упорядочил его такими законами, чтобы он стал как можно более справедливым для обеих сторон. Так что можно еще поспорить о том, что лучше — наш европейский бракоразводный кодекс, являющий собой узаконенное лицемерие, или кораническое семейное право.

Обвинение в том, что ислам разрешает мужчинам потворствовать страстям, просто нелепо. Напротив, он предписывает всем мусульманам длительные посты, дабы помочь им укротить свои страсти. Он также запрещает употребление алкоголя, чтобы люди никогда не теряли контроль над собой.

Но мне хотелось знать, что именно говорил о многоженстве сам Мухаммед, и я спросил у его преосвященства:

— В чем заключается кораническое учение о многоженстве? Что говорил об этом сам Мухаммед?

— Ислам дозволяет многоженство в том случае, если муж способен относиться ко всем своим женам с одинаковым вниманием и заботой. Священный *Коран* запрещает мужчине иметь несколько жен, если это условие не может быть соблюдено. Вот слова Аллаха, да будет прославлено имя Его:

«И может быть так, что не по силам вам будет обращаться со всеми своими женами одинаково, даже если вы сами хотели бы этого».

Таким образом, ислам вовсе не приветствует многоженство и всегда ограничивает его рядом условий. А дозволено оно лишь для того, чтобы люди похотливые — неспособные удовлетвориться одной женой — не погрязли в грехе супружеской измены. Но даже им разрешается иметь несколько жен лишь в том случае, если они в состоянии гарантировать им одинаковое внимание.

Подавляющее большинство мужчин-мусульман ограничивается одной женой, лишь в исключительных случаях решаясь на второй брак. Обычно их вынуждают к этому физические или материальные причины: желание оградить себя от соблазна или же обеспечить достойную жизнь женщине, о которой более некому позаботиться.

* * *

Перед тем как распрощаться со мной, его преосвященство показал мне бесценную университетскую библиотеку, размещенную в комнатах с покрытыми причудливой резьбой кедровыми потолками. Древние пергаментные свитки с текстом *Корана*, книги с раскрашенными страницами и позолоченными заглавными буквами, рукописи, сохранившиеся с незапамятных времен, тысячами проплывали у меня перед глазами. Только в этом здании хранится пятнадцать тысяч рукописных книг.

На этом моя аудиенция закончилась. Все слова шейха Аль-Мараги я постарался удержать в памяти, поскольку высочайший авторитет его преосвященства придавал каждому из них особый вес и значение.

Теперь я стал более ясно представлять себе, почему вера Мухаммеда получила столь широкое распространение и почему ислам так быстро приобрел авторитет и у диких бедуинов пустыни, и у цивилизованных оседлых персов, а также у великого множества прочих племен и народов, проживающих на Ближнем и Среднем Востоке.

Мухаммед, как и Моисей (но не как Будда), заботился прежде всего о создании зримого и реального рая на земле путем построения общества, в котором люди продолжали бы заниматься своими обычными, повседневными делами, но с учетом

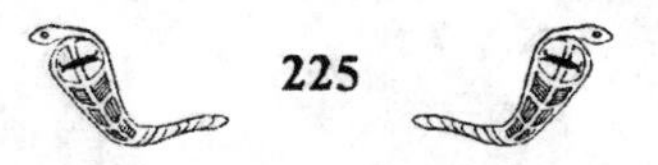

тех законов и правил, которые он — посланник Бога — передал им. В проповедях же Будды и даже Иисуса акцент делается на аскетические темы, на озарения, связанные с возвышенными устремлениями человеческого духа.

Мухаммед, как и Иисус, со всей страстью посвятил себя Богу. Но если Иисус направлял эту страсть на поиски внутреннего царства, то Мухаммед с неменьшим рвением трудился над созданием царства внешнего. Я не чувствую себя достаточно компетентным, чтобы судить, чей подход более верен, а лишь констатирую факт. Мухаммед, Моисей, Иисус и Будда — все они, без сомнения, были вдохновенными посланцами божьими, но Мухаммеда отличает от большинства других восточных пророков то, что он не поддался желанию увести человека от его социальных и гражданских обязанностей, обычно порождаемому глубокой и искренней набожностью. Он ясно дал понять, что исламу не нужны монастыри и монахи; он не одобрял монашеских учений, предписывающих подавлять естественные человеческие стремления.

Остается лишь сожалеть о том, что рядовой европеец так мало знает об исламе; тем более, что даже та малость, которая ему известна, как правило, не вполне достоверна или даже полностью ошибочна.

Мухаммед приучил людей не стесняясь преклонять колени перед своим Невидимым Повелителем даже посреди многолюдной улицы.

Пришло время освободиться от затуманивающих наш разум предубеждений, сложившихся в Европе на счет великой мусульманской религии и ее великого основателя. Пришло время постичь секрет магии имени Мухаммеда, побуждающей миллионы людей (в общей сложности, одну седьмую часть всего человечества) — от западных берегов Африки до восточных берегов Китая — ежедневно возносить ему хвалу. Пришло время признать искренность религиозного чувства этих людей, именующих себя мусульманами, и то, что грубо и торопливо звучащее в устах европейца имя Аллаха являет собой не более чем жалкую карикатуру на страстный, протяжный, прочувственный и подчеркнуто двусложный призыв — «Ал-лах», как его произносят на Востоке, благоговейно растягивая последний слог.

* * *

Раскрылись черные глаза ночи, сияющие тысячами бриллиантов больших и малых звезд. Я снова стоял на улице у ворот Аль-Азхара, обозревая город рассеянным взглядом. Молодой месяц светил сквозь туман, затянувший индигово-синий небосвод. Вдруг воздух прорезал протяжный и тонкий крик муэдзина, во всеуслышание возвещавшего с вершины своей башни о том, что Бог един.

В этот миг во всем городе с его резными воротами, строгими лепными арками и мощеными двориками, хранимом Аллахом и Его ангелами, тысячи людей опустились на колени, обратив свои лица в сторону Мекки и повторяя одни и те же простые слова:

«АЛЛАХ ВЕЛИК!»

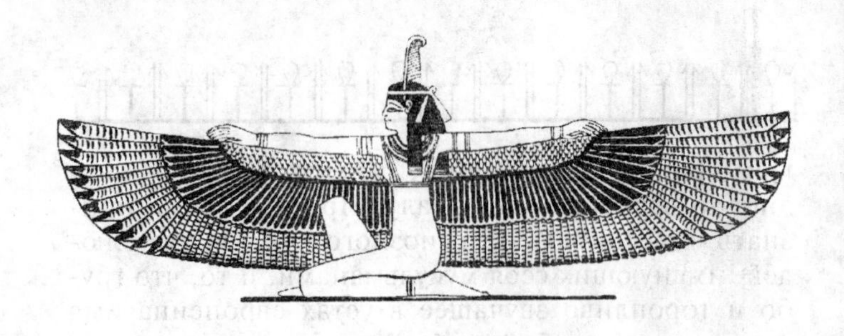

Глава 10

ПОКОЙ ДРЕВНЕГО АБИДОСА

Более чем за семь тысячелетий до того, как Пророк Мухаммед призвал кочевые аравийские племена поклоняться чисто духовному Богу, в этой стране высокого неба процветала совсем другая религия, последователи которой воздвигали из камня огромных идолов, столь порицаемых впоследствии Мухаммедом.

И все же просвещенные последователи этой религии поклонялись тому же Невидимому Богу, что и мусульманский Пророк, ибо вера их отнюдь не сводилась к простому почитанию истуканов. Даже опытные египтологи не могут сейчас похвастать доскональным знанием этой древней религии, поскольку восходит она ко временам доисторическим, к эпохе, о которой им известно настолько мало, что они даже не пытаются воссоздать ее всеобъемлющей панорамы, но ограничиваются лишь осторожной фиксацией фактов и имен.

В нынешнем Египте достаточно мест, где мусульманские мечети соседствуют с древними храмами, как, например, в Луксоре: соседство, создающее особый, контрастный облик этой страны.

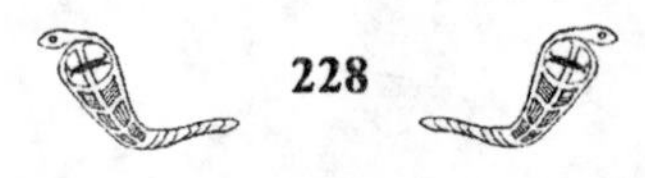

Я пишу эти строки, и мне слышится стук копыт, а перед моим мысленным взором проносится легкая арабская конница: завоеватели спешат пронести зеленое знамя Пророка по всему Египту. Время устрашающе терпеливо ... и зеленый цвет уступает место красному, белому, синему, а затем возвращается вновь. Но за всем этим — все тот же еле слышный звон гонгов и литавр древнего храма!

Египет никак не может освободиться от призраков своей прежней веры. Прошлое, подобно фениксу, воскресает на наших глазах благодаря титаническому труду археологов. Эти громоздкие каменные монументы напоминают Египту о его прошлом, которое он иногда вспоминает, но чаще игнорирует.

И все же граница между прошлым и настоящим довольно неопределенна. Призрак исчезнувшего народа и его древней религии до сих пор витает над этой страной, что может подтвердить любой тонко чувствующий человек. И если древние храмы ныне заброшены, стоят полуразвалившимися и без крыш, и лишь крупные летучие мыши носятся меж колонн на фоне иссиня-черного ночного неба; и если сами древние египтяне оставили в память о своем существовании лишь несколько мертвецов — обескровленных, лишенных внутренностей и превращенных стараниями опытных египетских мастеров в опутанные бинтами мумии; то их духи все еще витают во множестве в давно и хорошо знакомых им местах. Влияние так называемых усопших сильно в Египте, как ни в одной другой известной мне стране.

Я сам в очередной раз ощутил это незримое присутствие древности, когда сидел, скрестив ноги, в каменной нише — одной из семи, устроенных в стене колонного зала Храма Сети в Абидосе. Причудливые изображения с любопытством смотрели на меня с покрытых росписями стен, в свою очередь демонстрируя мне свое совершенство. Я добирался сюда два часа по мощеной дороге, проложенной меж бобовых полей и плантаций сахарного тростника. Это была приятная поездка по свежему и бодрящему утреннему воздуху, поскольку я отправился в путь еще до рассвета. И вот — я переступил через каменный порог древнего святилища, построенного первым фараоном из династии Сети. Я устроился в каменной нише храма, и во мне сразу же возникло ощущение прошлого, навевая видения ушедшей эпохи.

Мне показалось, что я вижу перед собой внушительную процессию, ритмично движущуюся по гладким плитам храма в направлении алтаря. Я явственно ощутил силу, исходящую от этих древних могущественных жрецов, сделавших этот храм одним из главных центров поклонения Осирису — богу, изображавшемуся обычно в высоком трехверхом венце. Вероятно, возносившиеся здесь молитвы породили неслышные вибрации, не смолкшие по сей день и до сих пор звучащие, несмотря на прошедшие с тех пор столетия. На эту мысль меня навело растущее ощущение умиротворяющего и доброго Высшего Присутствия. Я почувствовал, что под Его могучими крыльями мои отягощенные желаниями суетные мысли оставляют меня, осыпаясь как песок между пальцами.

Вот что писал о той, ныне скрытой за завесою веков, эпохе знаменитый географ древности Страбон: «В Абидосе поклоняются Осирису, но нет в храме певцов, и никто перед началом церемоний не играет на свирели или на цитре, как это бывает при поклонении другим богам». Мир и покой царят среди белых стен этого зала; полусонное спокойствие, неведомое и недоступное внешнему миру. Марфа — суетливая и торопливая — заслужила упрек Иисуса; Мария — спокойная и задумчивая — снискала Его похвалу. Не в суете и шуме проводим мы свои лучшие часы, но лишь погрузив душу в безмятежность и покой, соприкасаемся мы со Счастьем, Мудростью и божественной Силой.

Итак, я удобно устроился в небольшой каменной нише, как это делал, возможно, тысячелетия назад некий смуглокожий жрец, и тут же ощутил сохранившуюся здесь с тех пор его благотворную энергию, нахлынувшую на меня подобно магическим чарам. О, как это прекрасно — остаться на некоторое время в одиночестве, чтобы позабыть о непрестанной суете и шуме — побочных следствиях прогресса, неизменно сопровождающих все приносимые им многочисленные блага. Полезно иногда позабыть о грубом эгоизме, вечной проблеме взаимного непонимания, бессмысленной ненависти и черной зависти, поднимающих головы и начинающих злобно шипеть, подобно кобрам, и плеваться ядом в каждого, кто возвращается в мир непросвещенных людей.

«Но для чего тогда возвращаться?» — подумал я.

Мы считаем одиночество проклятьем, но, достигнув мудрости, начинаем считать его благословением. Мы должны взобраться на Эверест собственных желаний и научиться жить на его вершине — в полном одиночестве. Ибо тот, кто станет искать душу среди толпы, найдет там лишь бездушие; а ищущий истину найдет только обман.

Надо искать общества для души, а не для тела. Можно провести вечер в большой гостинной, где собралось десятка четыре гостей, и все же чувствовать себя одиноким, как в пустыне. Тела могут быть сколь угодно близки между собой, но пока не произошло сближение умов и сердец, каждый из нас продолжает пребывать в одиночестве. Бывает так, что кто-то приглашает Вас к себе в гости исключительно из уважения к правилам хорошего тона. Вы приходите, но обнаруживаете, что хозяина нет дома, хотя он и был извещен о Вашем приходе. Правда, он оставил дома свое тело, чтобы встретить Вас, но пропасть между вашими душами настолько велика, что они никак не могут находиться рядом. Знакомство с таким человеком отнюдь не означает, что Вы с ним действительно близки. То, что Господь разъединил, человек да не соединяет!

Я достал билет в Небесное Царство, в огромную страну, куда не долетают тривиальные и беспокойные вести из нашего мира. Означает ли это, что я — человеконенавистник? И разве можно называть мизантропом того, кто играет с маленькими детьми и подает милостыню нищим?

Почему бы не отдохнуть и не принять предложенное благословение одиночества, свободного от всех ненужных хлопот и беспокойств, когда судьба приводит тебя в такие спокойные, уединенные места, как этот храм в Абидосе?

Мы смеемся над теми, кто оставляет общество в поисках высшей жизни; а ведь эти люди, возможно, уходят лишь для того, чтобы вернуться с какой-то очень важной для всей нашей расы вестью. Я вспомнил о торжественном обещании, которое мне пришлось дать по настоянию тех людей, кого я очень уважаю и даже боготворю; и понял, что возвращение неизбежно. Но эта мысль не огорчила меня, ибо я знал, что если меня вновь утомит мирская суета, я всегда смогу погрузиться в глубокие воды своего духовного существа, дабы вновь вынырнуть оттуда успокоенным, довольным и счастливым, исполненным свежих сил. В этой священной внутренней тишине отчетливо слышен голос Бога. Точно также и здесь, в священной тишине древнего храма я смог услышать еще более слабое эхо голосов давно исчезнувших богов. Когда мы уходим во внешний мир, мы блуждаем в непролазных дебрях в окружении теней, но, возвращаясь к себе, мы попадаем в мир возвышенных истин и немеркнущих красот. «Остановись, — говорит Псалмопевец, — и узнай, что я есмь Бог».

Мы утратили древнее искусство одиночества и не знаем, чем нам заняться, если вдруг остаемся одни. Мы не знаем, как стать счастливыми за счет одних только собственных внутренних ресурсов, и потому нам приходится платить комедиантам или кому-то еще за то, чтобы они сделали нас на время счастливыми. Мы не только не умеем оставаться в одиночестве, но еще менее способны просто спокойно сидеть на месте. Если б мы могли некоторое время посидеть спокойно, придав телу правильное положение и должным образом настроив свой разум, мы смогли бы обрести совсем не лишнюю для нас мудрость и вселить желанный покой в свои сердца.

Я просидел неподвижно почти два часа, пока в моих ушах вновь не зазвучало тиканье часов, заставившее меня открыть глаза.

Я посмотрел на заполонившие все помещение храма массивные ребристые колонны, поддерживавшие тяжелую крышу. Странным образом они напомнили мне гигантские стебли папирусов, на которые сверху были возложены мощные купола. Освещались они пучками света, проникавшего внутрь сквозь отверстия в крыше. Благодаря этому освещению лучше были видны нанесенные на них росписи и барельефы. Я разглядел изображение фараона, церемонно застывшего перед одним из своих богов, может даже перед самим Осирисом. Повсюду шли стройные ряды иероглифов, столь таинственных для непосвященного наблюдателя. Сам фараон Сети любовался в свое время этими колоннами: покрывавшими их надписями и выступающими основаниями.

С минуту я ждал, когда придут в норму мои затекшие ноги, после чего отправился на экскурсию по Абидосскому храму. Обойдя все его высокие комнаты и сводчатые святилища, я занялся осмотром фресок: их синие, зеленые, красные и желтые цвета, нанесенные на белые, как мрамор, известковые стены, выглядели такими же свежими, как и в тот день, когда они вышли из-под кисти художника три с половиной тысячи лет тому назад.

Тонкая и нежная красота женского тела рано или поздно становится жертвой безжалостного разбойника, имя которому — время. Но даже время казалось бессильным перед великой красотой этих изображений. Какой же секрет был известен древним художникам, если их фрески не утратили первозданной свежести даже по прошествии тысячелетий? И почему мы сейчас не в состоянии достичь таких же результатов? Богатство красок подчеркивало высокую технику рисунка и ювелирную работу резчика. Творцы этих изображений работали когда-то на том же самом месте, где сейчас стоял я. На белой стене храма увековечили они загадочную жизнь ныне исчезнувшего Египта. Всюду были видны изображения фараона, поклоняющегося высшим божествам и получающего их благословение.

В этом одиноко стоящем храме, не посвященном, вопреки обычаю, ни одному конкретному богу, воцарились сразу несколько богов египетского пантеона. У каждого было собственное святилище и собственная фреска или барельеф с изображением какого-то эпизода из жизни этого бога; но главенствовал над всеми все же Осирис. Семь сводчатых помещений, сложенных из больших каменных блоков и вытянувшихся от одного архитрава к другому, были посвящены, помимо прочих богов, Изиде, Пта и Харахту.

Изида — великая Матерь Мудрости, скрытая за завесой, — изображена во всей присущей ей материнской нежности: рукой она касается плеча преданного ей фараона. Рядом плывет ее священная ладья, украшенная изображениями лотоса; в центре ее — искусно выполненное святилище. Ласковые воды и послушные ветры готовы по первому зову умчать ладью в счастливую страну, где обитают лишь боги и богини, да еще те люди, кого эти боги возвысили своим благословением. Люди недалекие, глядя на эти фрески, удивляются глупости древних, всерьез веривших во все эти сказки, во всех этих богов и в священную ладью, отвозившую избранных на небеса. Но ведь лодка — всего лишь символ, частица тайного языка, который хорошо знала элита древнего мира, но вряд ли сможет понять элита нынешняя. А вот боги — отнюдь не просто порождение богатой фантазии древних. У Бога в Его бесконечной вселенной есть место и для более возвышенных созданий, чем человек. И хотя в разное время эти божества принимают различные имена и формы, суть их всегда остается неизменной.

«Не разные боги есть у разных народов — варваров и греков, но Солнце, Луна, небо, земля и море, принадлежащие одинаково всем людям. Только разные народы дают им разные имена».

В этом я полностью согласен с Плутархом.

И если в наши дни эти боги скрылись от взоров человеческих, это отнюдь не значит, что они перестали существовать и действовать. Они просто удалились в сферы, недоступные для физических ощущений, но мы не перестаем из-за этого пребывать под их влиянием. Они по-прежнему наблюдают за миром, вверенным их заботам, по-прежнему

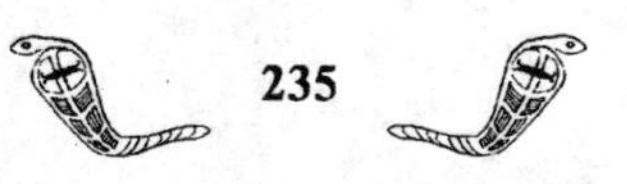

контролируют ход человеческой эволюции, хотя и не являются больше в мир в зримых земных ипостасях. Я верю в богов так, как верили в них древние египтяне: то есть как в сообщество наделенных сверхчеловеческими способностями существ, наблюдающих за эволюцией вселенной и благополучием человечества, управляющих человеческими судьбами и самыми важными их поступками, и, наконец, указующих всему и всем путь к совершенству.

В семи священных часовнях храма возжигался огонь и разбрызгивалась вода, курился фимиам и преклоняли колени молящиеся. Здесь же совершались обряды поклонения идолам или же духовного очищения, в зависимости от уровня развития участвовавших в них людей. Те, кто считал эти физические действия равноценной заменой собственным внутренним добродетелям, превращались в идолопоклонников; а те, кто видел в них символическое напоминание о преданности и жертвенности по отношению к своему Творцу, которые каждый должен проявлять в своей повседневной жизни, те укреплялись в истинной вере. Сам жрец в это время в точности выполнял действия, предписываемые традицией, должно расценивая их как часть магического канона, налагающего на него большую ответственность, ибо с их помощью он мог наслать на свою паству либо ангельские, либо дьявольские силы.

Простолюдинам никогда не позволяли входить в эти семь внутренних святилищ, чьи ныне полуразрушенные алтари в те времена были покрыты золотом. Не только здесь, но в большинстве египетских храмов массы прихожан не допускались дальше просторного храмового двора. Этого требовала религия, в основе которой лежало исключительное положение жреческого сословия. Я вспомнил демократическую атмосферу мечети и христианской церкви и понял, почему жрецы, всеми силами старавшиеся сохранить и приумножить свою власть, в конце концов, полностью ее потеряли. «Отдавай с легкостью то, что легко досталось тебе самому», — вот о чем позабыли древнеегипетские жрецы. Они брали с величайшей осторожностью, а отдавали с большой неохотой.

* * *

«Как причудливо меняются времена, — подумал я, — теперь саркофаг человека, построившего этот храм, — пустой алебастровый ящик, в котором покоилась некогда мумия фараона Сети, — лежит в трех тысячах миль отсюда в маленьком музее, открытом в здании Линкольн'з-Инн, и на него глазеют адвокаты и агенты по продаже недвижимости. Если бы фараон приказал похоронить себя футов на сто поглубже, ему, возможно, удалось бы избежать штормового плавания по Бискайскому заливу».

Я посмотрел на покрашенный в небесно-голубой цвет потолок, усеянный множеством звезд. В массивной крыше зияли проделанные временем дыры, в которые проглядывало настоящее небо. «Нигде более в мире небо не бывает такого густо-синего цвета, как здесь, в Египте», — снова подумал я. Войдя в пыльный коридор, я увидел знаменитую Абидосскую таблицу — иероглифический список всех египетских царей до восшествия на престол фараона Сети, на основе которого археологи систематизируют свои знания древней истории этой страны. Здесь же изображены сам фараон Сети и его юный сын Рамсес, воздающие почести своим семидесяти двум предкам. Фараон изображен в профиль, так что отчетливо видны его царственная голова, мужественное лицо и гордая осанка. Ступая ногами по мягкому белому песку, кое-где покрывавшему каменный пол храма, я переходил от одного изображения к другому, разглядывая настенные барельефы, заключенные в царские картуши рисунки и аккуратные ряды живописных иероглифических надписей, глубоко врезанных в каменную поверхность.

Вот Гор — с головой ястреба, но телом человека — восседает, выпрямив спину, на высоком кубическом троне, держа обеими руками трехчастный скипетр Египта — плеть для молотьбы, пастуший крюк и посох Анубиса. Все это символы подлинной власти. Плеть символизирует власть над телом, крюк — контроль над чувствами, а посох с навершием в виде головы шакала — власть над мыслями. Массивный кубический трон обозначает, таким образом, абсолютное господство над собственной физической природой. Прямые углы трона означают, что посвященный всегда должен действовать и говорить «прямо». Это правило перекликается с франкмасонским наставлением о «добропорядочном поведении» (у масонства куда более древние корни, чем это думает большинство самих же масонов). «О, сделай себя прямым, дабы стать пригодным для дела; камень, который кладут в стену, не должен иметь искривлений», — гласит очень древняя персидская пословица, которую масоны, возможно, сочтут для себя интересной. Под троном изображена ровная линия крестов с петлями наверху — символы знаменитого египетского (и не только египетского, но известного также и некоторым другим расам) «ключа к Таинствам». Для египтологов это — символ жизни, но в более полном значении — это еще и символ посвящения в бессмертную высшую жизнь духа.

Великой целью, к которой надлежало стремиться египетскому посвященному, был самоконтроль.

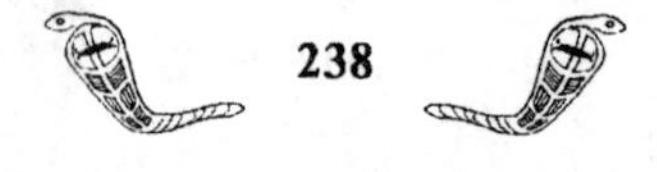

Отсюда и то спокойное, непроницаемое выражение лиц, которое мы часто видим на египетских портретах. Перед Гором стоит человек, — это царь, вытянув вперед руки, льет воду на цветущие в горшках лотосы, тем самым совершая акт жертвоприношения. Лотос считался в Египте и во многих других древних странах священным растением. Его распустившийся цветок служил прекрасным символом пробудившегося человеческого духа. Таким образом, царь увековечил в этой таблице неустанную заботу о росте и развитии собственной духовной природы. Царь облачен в треугольный передник, прикрывающий половые органы. Это одеяние несет ту же самую символическую нагрузку, что и передник у нынешних франкмасонов. Следовательно, у облаченного в передник фараона, совершающего ритуал в храме перед своим божественным Учителем, имеются современные последователи — франкмасоны двадцатого столетия, совершающие ритуалы в ложе перед своим Почтенным Наставником. Абидос был первым центром культа Осириса и заодно первой Великой ложей, где проводились тайные ритуалы этой религии; то есть — те самые мистерии, что стали прототипом раннего франкмасонства.

Я бродил между массивными колоннами и слушал бесконечное чириканье обосновавшихся на крыше древнего храма воробьев. Выйдя из храма, я повернул на запад и через ворота вошел в наклонный подземный ход со стенами, покрытыми письменами и знаками из самого главного священного писания египтян — «Книги мертвых». Ход вел к раскопанным археологами комнатам, считавшимся кенотафом фараона Сети.

Все сооружение, производившее впечатление величайшей древности, уходило вглубь земли более чем на сорок футов и некогда было засыпано

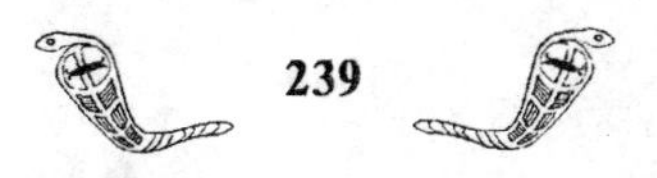

обломками горной породы. В центральном помещении потолку была придана полукруглая форма, и вся комната, таким образом, напоминала огромный саркофаг. Потолок комнаты украшало резное изображение Шу — бога воздуха — уносящего мертвого фараона прочь от земли и защищающего его своими руками. Я сразу понял, что в этом изображении скрыт какой-то символический смысл.

Само строение было крайне необычным. Оно было сложено из огромных камней. Склеп окружает заполненный водой ров, полностью отделяющий его от центрального нефа. Вполне вероятно, что этот ров соединен с Нилом каким-то потайным подземным каналом. Геродот описывал подобную же конструкцию, расположенную под Великой пирамидой, но никто пока еще не смог проверить, насколько правдив был услышанный им рассказ египетских жрецов. Этот таинственный склеп в Абидосе — практически не имеющий аналогов среди раскопанных в Египте подземных сооружений — и в самом деле мог быть реконструирован фараоном Сети под собственный кенотаф. Но я почти уверен, что до этого он служил каким-то иным, более возвышенным целям. Каким же именно? На этот вопрос я попытаюсь ответить позже.

Я вернулся в храм и вновь уселся на древний камень в тени усеянного колоннами двора. Здесь, в Абидосе, согласно древней традиции, был тайно похоронен сам богочеловек Осирис. Его похоронили в царском некрополе в Тинисе — мертвом городе, некогда расположенном на этом месте. Фараон Неферхотеп оставил письменное свидетельство о том, что во время своего вступления на престол он нашел на месте Абидоса лишь беспорядочное скопление развалин. Тогда он отыскал в жреческой библиотеке Гелиополя архивные записи, касающиеся храма Осириса, существовавшего там в древние (даже для фараона) времена, и на их основе восстановил забытый ритуал. Его преемники продвинулись еще дальше, восстановив из руин с помощью этих документов древние строения и присовокупив к ним новые. Когда-то эти храмы стояли в окружении домов города Тиниса. Но их поглотило безжалостное время.

В те первые столетия существования ранней египетской цивилизации мистерии Осириса являлись важной составляющей религиозного культа, и Абидос стал первым городом в стране, где эти мистерии начали проводиться. Благодаря им Абидос превратился в одно из самых священных мест в Египте. И я уверен, что именно духовная утонченность этой древней атмосферы произвела на меня здесь самое большое впечатление, а не те формалистические ритуалы, которые когда-то каждодневно выполнялись в этом прекрасном здании, воссозданном (но не построенном) фараоном Сети. Ибо древнейшая история Абидоса связана с историей самого Осириса и восходит к незапамятной эпохе, хронология которой не поддается даже приблизительному исчислению, к доисторическим временам, задолго до возвышения самих фараонов. То были времена, когда боги еще не исчезли из поля зрения людей, когда народом правили «полубоги», как называют их древнеегипетские историки. «Любопытно, — подумал я, — а что если в силу мистических законов, управляющих вибрациями психического уровня, та возвышенная атмосфера доисторического Абидоса сохранилась здесь по сей день и доступна восприятию достаточно чувствительного человека?»

Здесь, в Абидосе, располагалось первое и самое главное, общеегипетское, святилище Осириса. Но

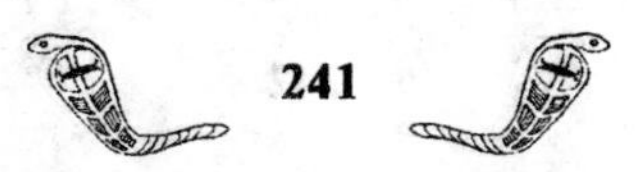

кто в таком случае сам Осирис? Исторические предания предлагают нам фантастическую, неправдоподобную повесть о существе, которое было убито, а его тело — разрублено на куски, разбросанные впоследствии по самым разным местам. Но затем эти куски были снова сложены вместе.

Я сосредоточил свой разум на вопросе об Осирисе и стал ждать ответа...

И ответ пришел ко мне из каких-то молчаливых глубин Прошлого. Один из великих атлантов предвидел необходимость исхода на новые земли и увел ближних своих на восток — в ту страну, что сейчас называется Египтом. Он смог достичь той сверхчеловеческой ступени бытия, на которой стоят полубоги, и потому для своих людей он стал не только правителем, но и божеством. Собрав самые утонченные души, он увел их с обреченного континента, хотя тот еще пребывал в зените своей цивилизации. Ведь боги начинают готовить новые земли задолго до того, как уйдут в небытие старые.

Многие лучшие умы Атлантиды успели эмигрировать с континента. Жители западных берегов Атлантиды перебрались в центральную и южную Америку; а те, кто жил в восточных землях, ушли в Африку, где заложили основу будущего величия Египта.

Они плыли на своих изогнутых судах, держа курс на малоизвестный им восток и создавая свои поселения в разных уголках европейского и африканского побережья. Но судно, которым командовал Осирис, добралось до самого Египта. Задержавшись на некоторое время на его побережье, Осирис продолжил путешествие вверх по Нилу, прошел мимо трех пирамид и Сфинкса (произведений первой волны атлантических переселенцев) и только в районе нынешних развалин Абидоса приказал своим людям остановиться. В те доисторические времена Северный Египет уже был заселен аборигенными племенами, миролюбиво встретившими пришельцев и даже позволившими им подчинить себя своему влиянию и своей власти, признав превосходство их культуры. Так возникла нижнеегипетская цивилизация; и Осирис, прежде чем навсегда покинуть свой народ, учредил религиозные мистерии, завещав их потомкам как вечное напоминание о своем имени, жизни и учении. Так эти люди — обитатели доисторического Египта — приобщились к культуре и цивилизации задолго до того, как на болотах в устье Темзы возник Лондон. Много воды утекло в Ниле после смерти Осириса, прежде чем установленной им религии потребовались обновление и кодификация. И тогда появился новый Великий Учитель — «полубог» по имени Тот, создавший второй центр мистерий Осириса в Саисе. Все это происходило во времена доисторического Египта в среде его аборигенного населения.

Как же возникла легенда об убийстве Осириса?

На этот вопрос я не получил немедленного ответа и решил отложить его до следующей медитации.

Я начал выбираться из храма по неровным каменным плитам, поверхность которых давно утратила под воздействием времени свою первоначальную форму. Когда-то их покрывала живописная мозаика, но теперь на искалеченном временем полу не осталось ни единого камешка, который напоминал бы о ней. В последний раз взглянул я на прекрасные колонны, чьи тяжелые капители тысячелетиями поддерживали покрытые резьбой тяжелые, каменные балки крыши и, с видимой легкостью, продолжают делать это до сих пор. На этом мое пребывание в древнем святилище закончилось.

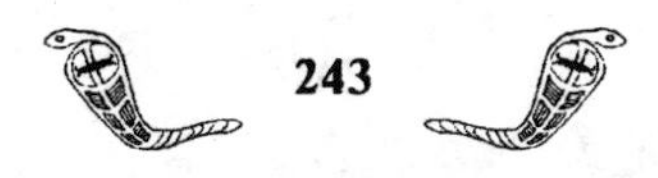

16*

Я пересек двор и оказался за пределами храмового комплекса под щедрыми лучами полуденного Солнца. Пробираясь среди пыли и камней, между обломками каменных плит и грудами песка, бесформенными фрагментами разрушенных зданий и разбросанными известковыми блоками, меж зарослей зеленой ежевики и шипастой верблюжьей колючки, я добрался, наконец, до удобной возвышенности, с которой можно было увидеть всю панораму заброшенного здания.

Храм предстал мне во всей своей строгой простоте: с двенадцатью колоннами, составлявшими фронтон здания, и бесхитростными узкими воротами, открывавшими вход во внутренние помещения. Как величественно он должен был выглядеть в лучшие годы своего существования! Архитектура считалась в Египте священным искусством. И религия служила той самой нитью, на которую египетские мастера и художники нанизывали жемчужины своих прекрасных творений.

«Внутреннее его пространство богато украшено чистым золотом, покрывающим многие вещи и сооружения. Когда видишь его, сердце ликует, и все люди кланяются. Красота его — в благородстве. Его огромные ворота сделаны из соснового дерева, — похваляется Сети в сделанной по его приказу надписи, перечисляющей его заслуги, — спереди они покрыты чистым золотом, а с тыльной стороны — бронзой. Высокие башни построены из камня Ану, а их навершия — из гранита, их красота достигает Ра на его горизонте».

Таким был Абидос — предполагаемое место захоронения бога Осириса; а в реальности — первый египетский центр, где возникли мистерии, сутью которых были посвятительные «захоронения».

Только жаворонки все также самозабвенно пели на полуразрушенной крыше этого позднейшего

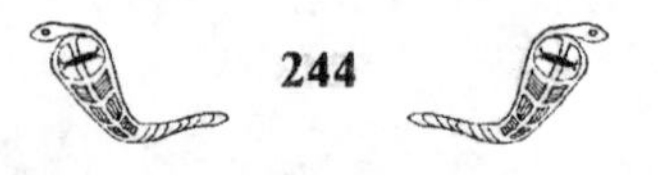

преемника первого святилища Осириса, пока я, погруженный в свои мысли о Прошлом, спускался по тропинке к деревне.

Я нашел место, которое полюбил, и знал, что те неосязаемые чары, которыми опутала меня здесь некая неведомая, но могущественная сила, вновь и вновь будут возвращать меня сюда. Такие места притягивают меня и потом надолго остаются в памяти, призывая вернуться, делают меня своим пленником, и я не вижу возможности вырваться из этого плена.

Только тогда я начинаю чувствовать, что не зря живу на свете, когда мне удается выхватить из потока пролетающих мимо часов несколько мгновений бессмертия. В Абидосе мне это удалось.

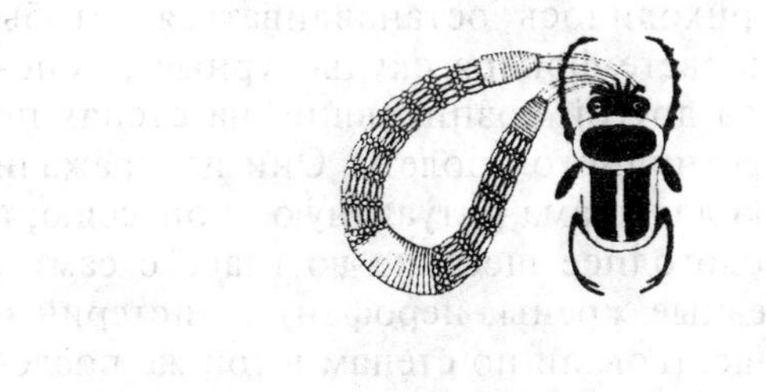

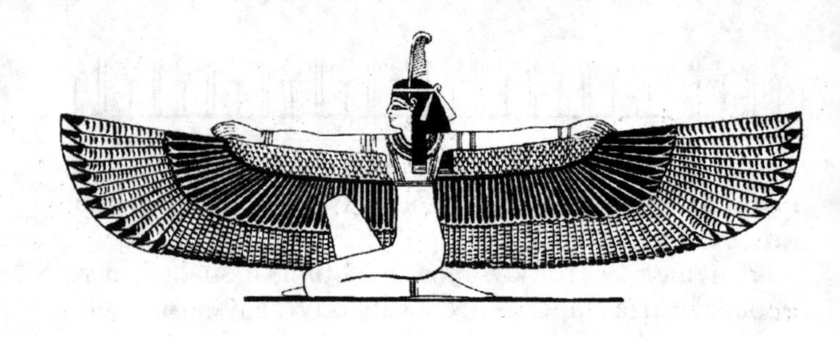

Глава 11

ТАЙНЫЙ РИТУАЛ ЕГИПЕТСКИХ ХРАМОВ

Продолжая свое путешествие по Нилу, я решил осмотреть лучше всего сохранившийся большой древнеегипетский храм богини Хатор в Дендере, более тысячи лет назад полностью занесенный теплым мягким песком и потому не слишком пострадавший от времени. Здесь я и нашел ответ на свой вопрос о происхождении легенды об убийстве Осириса. Я поднялся к храму по невероятно узкой и истершейся лестнице с северной стороны. Мне то и дело приходилось останавливаться, чтобы рассмотреть в свете фонаря скульптурные композиции, одна за другой возникавшие на стенах по всей длине лестничного пролета. Они изображали самую важную для храма ритуальную процессию, а именно — новогоднее шествие во главе с самим фараоном. Резные жрецы, иерофанты мистерий и знаменосцы шествовали по стенам в той же последовательности, в какой их живые прототипы когда-то поднимались вверх по ступеням лестницы. Вместе с процессией я вышел из полумрака на свет ослепительного Солнца и по циклопическим блокам перекрытия направился к маленькому хра-

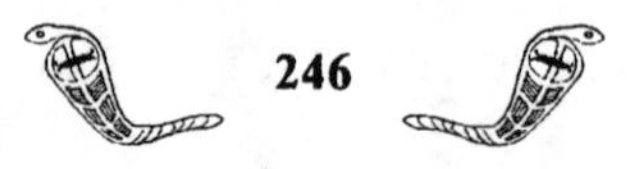

му, уединенно и покинуто стоящему на углу рукотворной террасы. Снизу ее поддерживали колонны с капителями в виде голов богини Хатор.

Я вошел внутрь и сразу понял, что нахожусь в том самом святилище, где мистерии Осириса проводились даже во времена Птолемеев. Стены были украшены рельефами, изображавшими возлежащего на ложе Осириса в окружении слуг и благовонных курильниц. Иероглифы и изображения во всех подробностях излагали историю смерти и воскресения Осириса, а некоторые надписи представляли собой молитвы, предназначенные для каждого из двенадцати часов ночи.

Я уселся на полу, который был в то же время и частью крыши большого храма, и снова погрузился в медитацию о древней легенде. И когда мне удалось уйти в себя достаточно глубоко, мой разум озарила та самая истина, искаженные фрагменты которой дошли до нас сквозь столетия в виде фантастической истории о расчленении и последующем воскрешении Осириса.

Разгадка пришла ко мне вместе с воспоминанием о пережитом в Царской комнате Великой пирамиды, где под покровом ночи ко мне приблизились двое возникших из темноты высших жрецов, и один из них, погрузив мое тело в транс, освободил от его оков мой сознательный дух. И пока тело пребывало практически в коматозном состоянии, оживляемое лишь едва заметным бессознательным дыханием, мой настоящий жизненный принцип находился вдали от него. Я был похож на мертвеца, чья душа покинула тело. Но все же в конце путешествия я вернулся в свою физическую оболочку, и близкое к смерти состояние было преодолено. Что же это было, как не подлинное воскресение: возвращение к обычному земному существованию после непродолжительного пребывания в ином мире? Разве нельзя назвать это продолжением сознательного существования и после смерти?

Я поднялся на ноги и снова осмотрел настенные изображения, чтобы убедиться в правильности своей догадки. Лежащий Осирис был похож на мертвеца, его тело выглядело набальзамированным и, как мумия, завернутым в бинты. И тем не менее, все прочие детали указывали на то, что готовится церемония, посвященная живому человеку, а не мертвецу. Да, это было погруженное в транс тело проходящего посвящение человека. При этом присутствовали жрецы, а курильницы должны были облегчить процесс погружения в транс.

И ночные молитвы оказались здесь неслучайно. Ибо эти посвящения всегда проводились с наступлением темноты. Посвящаемых могли «усыплять» на разное время — чем выше ступень посвящения, тем более глубоким и продолжительным было каталептическое состояние — и на протяжении всех отмеренных посвящаемому ночных часов мертвого сна подле него неотлучно находились жрецы.

Эта сцена проигрывалась во время ритуальных мистерий с незапамятных времен. Но каково же было ее назначение? Убийство Осириса означает ничто иное, как видимое убийство всякого, кто желал принять участие в этих мистериях: то есть желал приобщиться к духу Осириса — родоначальника этих мистерий.

Древнейшие египетские храмы всегда архитектурно делились на две части, то есть каждый храм состоял из двух отделений: 1) для обычных религиозных ритуалов и 2) для тайных мистерий. Последние держались в большом секрете и проводились в особом святилище.

Посвящаемого приводили при помощи гипнотического воздействия (куда входили и сильнодей-

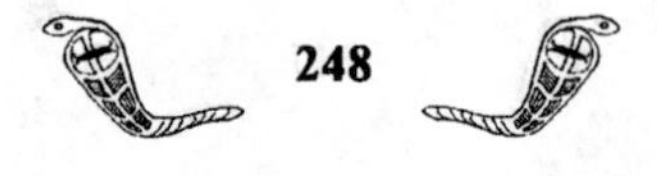

ствующие воскурения и месмерические пассы по всей длине тела) в состояние транса (схожее со смертью), в котором невозможно было обнаружить никаких признаков жизни. И пока тело лежало неподвижно, душа оставалась связанной с ним магнетической нитью, открытой ясновидящему взору руководившего посвящением жреца. Таким образом, жизненные функции сохранялись, несмотря на полное прекращение жизнедеятельности. Целью и смыслом посвящения было убедить посвящаемого в том, что «Смерти нет!». Для этого использовалось самое наглядное и самое убедительное средство — человеку предлагалось самому пройти через весь процесс умирания и заглянуть таким образом на другой уровень бытия. Транс был настолько глубоким, что человека помещали в украшенный надписями и рисунками саркофаг, накрывали сверху крышкой и запечатывали. И что бы там ни говорили, фактически это было самое настоящее убийство!

Но когда положенное время истекало, саркофаг открывали и посвящаемого при помощи особого метода возвращали к жизни. Это и есть собирание символически разбросанных частей тела Осириса с последующим его воскрешением. Сказочное воскресение Осириса на самом деле было реальным воскрешением человека, посвящаемого в тайные мистерии этого бога!

Та часовня, в которой я сейчас находился, видела множество таких «убийств» и «воскресений». В те времена в ней было установлено ложе, и хранились все необходимые для посвящения принадлежности. Когда время транса подходило к концу и посвящаемый уже был готов к пробуждению, его переносили в ту часть комнаты, где на его спящее лицо должны были упасть первые лучи восходящего Солнца.

Доподлинно известно, что в самые древние времена многие египетские жрецы высокого ранга и все высшие жрецы в совершенстве владели секретами гипноза и месмеризма и могли вызвать у человека такую глубокую каталепсию, что можно было констатировать даже наступление у него трупного оцепенения. Высшие жрецы были способны и на большее, намного превзойдя современных гипнотизеров, ибо *они могли сохранять разум посвящаемого бодрствующим даже тогда, когда его тело погружалось в транс.* При этом он ясно осознавал все, что происходило с ним в этом сверхъестественном состоянии, и не терял памяти о пережитом по возвращении к своему нормальному сознанию.

Перед церемонией жрецы объясняли человеку истинную сущность его природы, а затем, постепенно отделяя его душу от тела, доказывали ему реальность существования другого уровня бытия: так называемого духовного мира, символом перехода в который являлся тот самый расписанный саркофаг. Вот почему египтяне вырезали на крышках саркофагов, изображали на деревянных ящиках для мумий и рисовали в своих священных текстах странного птице-человека, отлетающего от мумии или сидящего на ней. Птица с человеческой головой и человеческими руками. Она часто изображается протягивающей к ноздрям мумии руку с вложенным в нее иероглифическим символом распущенного паруса, означающим дыхание; в другой руке она обычно держит крест с круглой петлей наверху — знак жизни. Здесь, в часовне, или на каком-нибудь папирусе, или же вырезанное в граните, это странное изображение всегда несет одну и ту же смысловую нагрузку — оно иллюстрирует учение о существовании духовного мира. Когда в египетской «Книге мертвых» говорится об усопших, речь идет именно об этих «живых мертвецах» — людях, погруженных в столь глубокий транс, что его вполне можно сравнить со смертью: их тела неподвижны и безжизненны, а души витают в ином мире. Речь идет о Посвящении. Этот потусторонний мир мистическим образом связан с нашим, и потому духи могут иногда находиться совсем рядом с нами, смертными. Сами ученые признают, что в природе ничто не исчезает бесследно; и когда человек уходит из этого мира, оставляя в нем свое застывшее бесчувственное тело, вполне логично предположить, что он продолжает жить в эфире — невидимый для нас, но видимый для эфирных существ.

Хотя этот посвятительный процесс внешне напоминает то, что обычно делают наши современные гипнотизеры, все-таки египетские методы гипноза в некоторых аспектах намного превосходят нынешние, поскольку гипнотизер, хотя и может привести в действие человеческое подсознание, все же не в состоянии сохранить у человека память о пребывании на иных, более глубинных уровнях существования.

Осириса считали богом-мучеником, принявшим смерть, но затем воскресшим из мертвых. Таким образом, его имя ассоциировалось для большинства людей с идеей посмертного воскресения, а его победа над смертью давала надежду на нечто подобное и для всех остальных.

Вера в бессмертие души и жизнь после смерти была общераспространенной. Люди верили и в то, что при переходе к этой новой жизни боги судят душу человека, тщательно взвешивая все его добрые и дурные поступки в прошлом. Грешники после этого получают заслуженное наказание, а праведники допускаются в благословенную страну, где воссоединяются с Осирисом. Подобные пред-

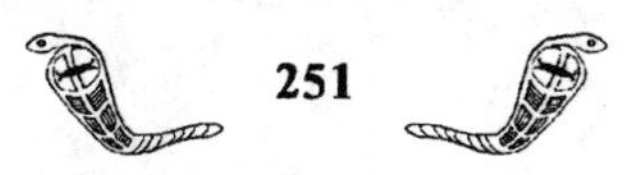

ставления как нельзя лучше подходили для широких масс простонародья, давая непритязательному крестьянскому уму ровно столько, сколько он был в состоянии воспринять. Не было никакой нужды перегружать его сложной философией и тонкими психическими материями.

Все традиционные мифы, легенды и предания следует воспринимать как отчасти исторические, отчасти символические, скрывающие в себе под маской притчи глубинный смысл — единственно правильное их истолкование. Для удержания учения в памяти поколений храмовые жрецы не только учредили определенный ритуал, но и давали по определенным дням своего рода публичные представления, в которых разыгрывалась драма жизни Осириса. Но лишь немногие из этих представлений подходили под определение мистерий (да и то в упрощенной, популярной своей версии). Их можно сравнить с древнегреческими мистериями и изображением Страстей Господних, разыгрывавшихся в средневековой и новой Европе (в Обер-Аммергау, в Баварии, этот обычай сохранился по сей день в виде драмы о Христе). Так что не следует смешивать их с настоящими мистериями, которые никогда не проводились публично и не ограничивались театральным представлением. Публичные церемонии носили священный, но символический характер, они не раскрывали широкой публике никаких сокровенных тайн. Следовательно, древний спектакль о Смерти и Воскресении Осириса никак нельзя отождествлять с самим таинством мистерий.

Публичные богослужения и общедоступные ритуалы проводились для широких масс населения, которые и не требовали большего. Но существовали также и более философское учение, и тайный ритуал, предназначенные для интеллигенции. Ду-

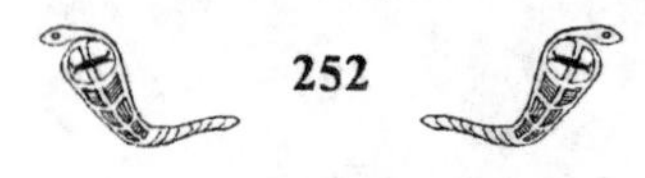

ховно просвещенные и подготовленные египтяне — знать и высокопоставленные лица — знали об их существовании и могли получить доступ к их углубленному изучению, если чувствовали к этому склонность.

В храмах устраивались специальные изолированные помещения для проведения мистерий. А принимать в них участие мог лишь узкий круг избранных жрецов, именовавшихся иерофантами. Эти тайные обряды осуществлялись параллельно с экзотерическими церемониями поклонения богам или даже независимо от них. Сами египтяне использовали для их обозначения слово «таинство» («мистерия»).

Сверхъестественный характер великих мистерий, не имеющих практически ничего общего с ритуальными спектаклями, не раз подчеркивали сами посвященные. Так, один из них сказал: «Благодаря мистериям смерть стала не злом для людей, но благом». Это признание может означать только одно: человек действительно пережил смерть, но извлек для себя из этого огромную пользу. Иероглифические тексты называют таких людей «дважды рожденными», к своим именам они могли добавлять титул — «воскресший к жизни». Иногда археологи находят на гробницах подобную надпись, удостоверяющую высокий духовный статус захороненных в них лиц.

В чем же заключалась самая великая тайна, которую посвящаемому должно было постичь в ходе мистерии?

Это зависело от предполагаемой степени посвящения, но все результаты подобного опыта можно условно разделить на две группы, составлявшие основу получаемого откровения.

На первом этапе посвящаемый должен был познать суть человеческой души, иероглифически

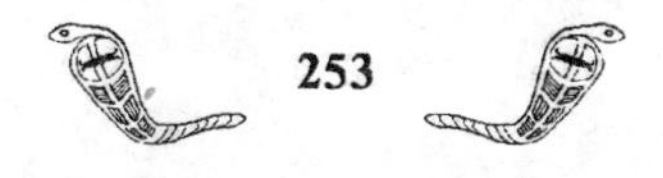

обозначаемой в виде маленького птице-человека. Он должен был осознать, что смерть есть просто переход с одного уровня бытия на другой; что она разрушает физическое тело, но не касается разума и человеческой индивидуальности. Он также должен был понять, что душа не только способна пережить свою смертную оболочку, но и вознестись после физической смерти в более высокие сферы.

На следующем этапе посвящаемого знакомили уже с божественной душой, ему дозволялся личный контакт с Творцом, таким образом, он оказывался лицом к лицу с Божественным. Перед этим ему открывали подлинный смысл «падения» Человека из его первоначального духовного состояния. Ему открывалась тайная история Атлантиды, тесно связанная с этим процессом «падения». И после этого посвящаемый возносился вновь — сфера за сферой — к тому самому высокодуховному сознанию, на стадии которого некогда находился Человек. Таким образом, не отказываясь от своего прежнего бренного существования, посвященный обретал с этого момента благословение вечности.

* * *

Здесь будет вполне уместно ненадолго отвлечься от моих путевых заметок и личных впечатлений и добавить к рассказу о мистериях несколько пояснительных строк, принадлежащих перу человека, жившего в классическую эпоху и лично прошедшему через посвящение (по крайней мере, через его низшую ступень). Ему пришлось клятвенно пообещать не разглашать подробностей происшедшего, поэтому нам придется довольствоваться лишь общими разъяснениями и уклончивыми намеками. Приводимый ниже отрывок является самым подробным рассказом посвященного, прошедшего первую ступень мистерий Изиды. Его автор — Апулей — в автобиографическом сочинении «Люций» говорит о человеке, постучавшем в двери храма в поисках тайного знания.

Египетские мистерии долгое время держались в тайне от иностранцев. Лишь в более позднюю эпоху некоторые из них были допущены к посвящению. Но им, как и всем прочим посвященным, пришлось сперва пообещать сохранить полученное знание в тайне. Правила, ограничивавшие допуск к мистериям, были строгими и неумолимыми.

«День ото дня мое желание участвовать в мистериях становилось все сильнее; вновь и вновь приходил я к верховному жрецу с настойчивыми просьбами позволить мне приобщиться к таинствам священной ночи, посвященной богине. Но он, будучи человеком непоколебимым и известным своим ревностным исполнением всех предписываемых религией правил, спокойными и добрыми словами, какими родители обычно сдерживают преждевременные желания своих чад, смирял мою настойчивость и успокаивал мой смятенный дух утешительными обещаниями иного, не менее важного просветления. По его словам, день посвящения каждого человека назначает сама богиня, так что на жреца, избранного ею на служение, должно указать провидение.

Как и всем остальным, он приказал мне ожидать решения богини с почтительным терпением, строго-настрого предостерегая меня от чрезмерной поспешности и нетерпения, равно как и от впадения в другую, противоположную крайность: мне не следовало ни напоминать о себе, пока обо мне самом не вспомнят, ни мешкать, если меня все же призовут на служение:

“Ведь богиня держит в своих руках как ключ к адским вратам, так и ключ к тайнам вечной жизни. Сам факт посвящения рассматривается как

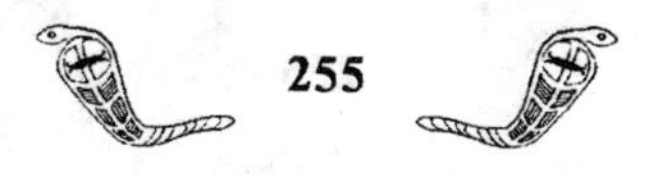

добровольная смерть, готовность пожертвовать жизнью, поэтому богиня обычно избирает тех, чей естественный срок жизни уже подходит к концу и кто уже стоит на пороге ночи. И конечно же, богиня выбирает лишь тех, кому, по ее мнению, она может без опасений доверить свою великую тайну. Таких людей богиня благословляет даром нового рождения, позволяя им начать новую, качественно отличную от прежней жизнь. И ты должен терпеливо ждать волеизъявления небес".

И спасительная милость великой богини не обошла меня стороной: она не стала терзать меня долгим ожиданием и однажды под покровом ночи изъявила свою волю, не оставлявшую никаких сомнений в том, что желанный для меня день настал, и теперь она намерена даровать мне все то, о чем я так страстно просил ее в своих искренних молитвах.

Этим и прочими указаниями верховная богиня наполнила радостью мой дух, и еще до наступления дня я, стряхнув с себя остатки ночного сна, устремился прямо к дому жреца. Я встретил его у самых дверей спальни и поприветствовал. На этот раз я был исполнен решимости просить его дозволения на участие в мистериях намного решительнее обычного, поскольку считал это теперь своим долгом. Но жрец, как только увидел меня, первым обратился ко мне со словами:

"Счастлив твой жребий, Люций, и отмечен благословением, святейшее божество соизволило ниспослать тебе благую весть. Настал тот день, к которому ты так стремился в своих неустанных молитвах. Великая богиня из многих имен избрала твое, и, повинуясь ее божественной воле, я посвящу тебя в тайну священных мистерий".

Потом, вложив мою руку в свою десницу, добрый старец повел меня прямо к дверям великого

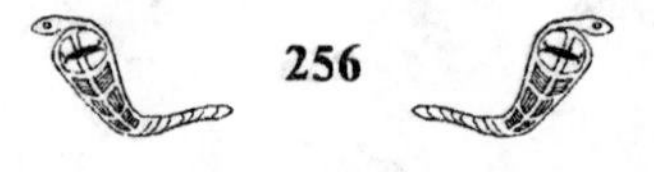

святилища, а после церемонии открывания ворот, положенных богослужений и утреннего жертвоприношения принес из храмовых тайников книги, исписанные непонятными знаками.

Когда мы вернулись в помещение храма, уже миновал полдень. Жрец усадил меня у ног богини и поведал несколько секретов, слишком священных, чтобы я мог раскрыть их перед непосвященными, а затем, уже в присутствии других жрецов, приказал мне в течение десяти следующих дней воздерживаться от излишеств в пище, не есть живой плоти и не пить вина.

Все эти предписания я исполнил с величайшей точностью, и наконец настал день моего посвящения богине. Солнце склонилось к западу, знаменуя наступление вечера, и вот! со всех сторон ко мне потянулись посвященные, и каждый, согласно древнему обычаю, подносил мне какой-нибудь дар. Наконец, когда все посвященные ушли, на меня надели полотняную рубаху, которую до меня не надевал ни один человек, жрец взял меня за руку и повел за собой в самое сердце святилища.

Полагаю, мой добрый читатель, тебе не терпится узнать, что было сказано и сделано в храме вслед за этим. Я с удовольствием рассказал бы тебе обо всем, если бы мне не было запрещено рассказывать; и ты узнал бы все, если бы тебе было позволено слышать. И речь, и слух окажутся пораженными грехом, если я соглашусь удовлетворить столь опрометчивое любопытство. Но, возможно, тобой движет искреннее стремление приобщиться к божественному, поэтому я не стану томить тебя дальнейшим ожиданием. Слушай же и верь, ибо все, что я скажу тебе, правда. Я вплотную приблизился к смерти, я стоял у порога Прозерпины, я рождался в разных стихиях, а затем снова вернулся на землю. Я видел Солнце, сияющее во всей

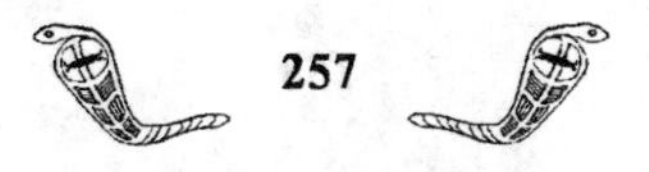

своей красе посреди ночи, я приближался к высшим и низшим богам и поклонялся им, видя их воочию перед собой. Вот я и рассказал тебе обо всем: и хотя ты слышал, что я сказал, ты все равно ничего не узнал об этом, ибо не должен знать».

Год спустя Люций был посвящен в мистерии Осириса, составляющие более высокую ступень в сравнении с предыдущей.

Среди прочих немногочисленных иностранцев, кому было позволено пройти через это египетское посвящение, можно назвать Платона, Пифагора, Фалеса, Ликурга, Солона, Ямвлиха, Плутарха и Геродота. Последний в своих сочинениях говорит о них с величайшей осторожностью. Он во всех подробностях описывает символические спектакли и массовые празднества, зачастую отождествлявшиеся широкой публикой с самими мистериями, но на самом деле носившие исключительно церемониальный характер, и при этом вовсе не раскрывает сути тайных ритуалов, говоря о них лишь следующее: «Об этих мистериях, которые все без исключения мне знакомы, я должен хранить молчание по религиозным соображениям».

Обратимся теперь к сочинениям биографа Плутарха.

«Слушая сказки египтян о богах — об их странствиях, рассечении на части и прочих злоключениях — не следует думать, что все это происходило на самом деле, по крайней мере в том виде, в котором все это описывается. Для изложения вещей божественных разные народы придумали свои особые символы, коими и пользуются. Некоторые из этих символов совсем непонятны постороннему, некоторые имеют более прозрачное значение. Таковы и эти истории о богах, и потому воспринимать их следует как мифы, требующие интерпретации в глубокомысленном философском духе.

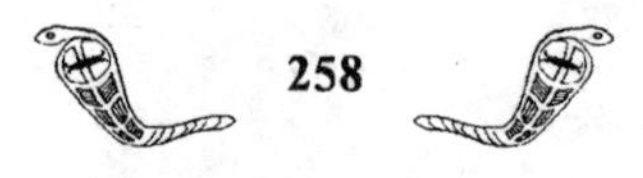

В момент смерти душа испытывает то же самое, что и при посвящении в великие мистерии.

Многие люди удовлетворяются простым и тривиальным объяснением, согласно которому все эти легенды о божествах связаны с сезонными изменениями атмосферы или же с пахотой, а затем — севом и ростом пшеницы. Говорят, что похороны Осириса символизируют сев, когда зерна зарывают в землю, а появление всходов, таким образом, ассоциируется с его воскресением. Но людям следует быть осторожнее, чтобы не допустить неразумного низведения божественных созданий до уровня обычных ветров или течений, сева или пахоты, земледельческих циклов или смены времен года.

У мистерий есть и еще одна цель — сохранение в людской памяти истинного смысла важнейших исторических событий».

Плутарх не идет дальше намеков, излагая все, что, по его мнению, он вправе сообщить; но вся правда состоит в том, что посвящаемому открывалась тайная история Атлантиды и «падения» Человека.

Он раскрывает психологическую суть мистерий в своем трактате «De Iside et Osiride», где, в частности, говорит:

«Пока мы живем здесь, внизу, отягощенные телесными привязанностями, мы не можем непосредственно общаться с Богом, только в философских размышлениях слегка соприкасаясь с ним, будто во сне. Но когда наши души освобождаются [с помощью мистерий] и восходят к невидимым — чистым и неизменным — сферам, Бог становится их непосредственным господином и наставником, и они с самозабвенным восхищением любуются его красой, непередаваемой несовершенным человеческим языком».

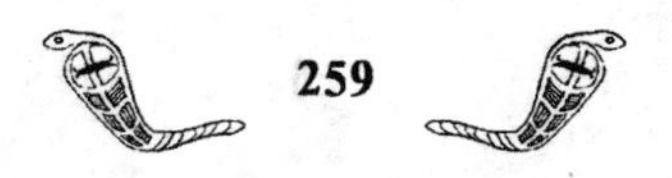

О цели мистерий Изиды он сообщает следующее:

«Благодаря им они становятся лучше подготовленными к восприятию знаний Первого и Высшего Разума, к обретению которого их призывает Богиня. По этой причине храмы ее называются исейонами и служат свидетельством того, что человек может обрести знание вечного и самодостаточного Существа, если ему укажут верный путь к достижению этой цели».

Оставим на этом грека Плутарха. Послушаем теперь, что говорит о египетских мистериях сириец Ямвлих, тоже прошедший посвящение:

«Вся суть и совершенство добродетели заключены в богах, и раньше всех прочих боги поделились своей силой с нами, жрецами. Божественное знание связано с нашим обращением к себе и познанием себя. Я говорю так потому, что божественная часть человека, некогда соединенная с богами осознанием подлинности их существования, впоследствии перешла в иное состояние, где оказалась связанной узами судьбы и необходимости. Следовательно, человеку необходимо найти способ освободиться от этих уз. И есть только один способ достичь этого — приобщиться к знанию богов. С этой целью египетские жрецы возносят душу назад, к божественным высотам».

Еще одним посвященным был Прокл. Предоставим слово и ему:

«Во время посвящений и мистерий боги могут принимать различные формы, а иногда являться просто в виде света. Временами этот свет принимает форму человека, но это не единственная возможная форма. Некоторые видения — вовсе не боги и вызывают страх».

А вот что говорит о мистериях благородный философ Платон:

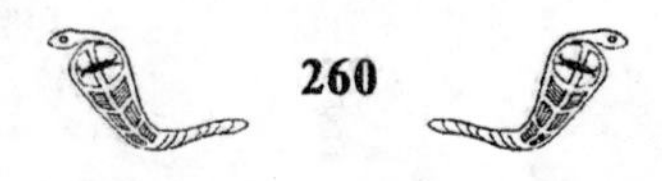

«Тот, кто проходит через это божественное посвящение, становится свидетелем лишь ему одному предназначенного благословенного видения, возникающего в чистом свете. Он очищается и освобождается от оболочки, называемой нами телом и к которой мы привязаны, как устрица к своей раковине».

Платон утверждает также, что главной целью мистерий является возвращение человека к тем принципам, которых наша раса некогда лишилась вследствие своего падения.

Гомер — тоже посвященный — снабдил свою «Одиссею» следующим обращением к читателю:

«Спеши же, лети же на всех парусах
К милой, родной стороне,
когда-то потерянной нами».

Та же самая мысль, что высказывал Платон, только изложенная в поэтической форме.

Еще одним посвященным, которому предание приписывает иноплеменное происхождение, был Моисей, хотя на самом деле он был лишь наполовину евреем, поскольку один из его родителей — египтянин. «Был Моисей сведущ во всякой мудрости египетской», — говорится в Новом Завете. Если понимать это утверждение буквально, то Моисею была открыта вся, даже *самая сокровенная* мудрость египтян, каковой может быть лишь знание, полученное в мистериях.

В том же самом Писании далее сказано, что «Моисей полагал покрывало на лице свое». О природе этого покрывала мы в какой-то степени можем судить по следующей фразе из этого же источника: «То же самое покрывало доныне остается неснятым при чтении Ветхого Завета», — говорится во 2-ом Послании Коринфянам. Эти слова свидетельствуют о том, что здесь имеется в виду отнюдь не покрывало из материи, но покров, наброшенный на истинный смысл каких-то слов, то есть на передаваемое знание. Следовательно, покрывало, которое носил Моисей, на самом деле является обетом молчать, сохраняя в секрете все, что ему было открыто в посвятительных мистериях.

Свою мудрость Моисей обрел во время обучения в знаменитой храмовой школе города Он, который греки, завоевав Египет, назвали Гелиополем (но в *Библии* используется его египетское название — Он). Сейчас этого города нет, но известно его местоположение — в нескольких милях к северу от нынешнего Каира. От подножия плато, где расположены пирамиды, к священному городу Гелиополю вела через долину дорога, тоже считавшаяся священной. Два города — Гелиополь и Мемфис — рассматривали Великую пирамиду как лучшее святилище для проведения мистерий. Город Гелиополь исчез, а вместе с ним исчез и его храм: лишь руины городских стен из сырцового кирпича, да разбросанные в беспорядке храмовые колонны покоятся ныне под слоем земли и песка толщиной в двенадцать футов. Все исчезло, кроме обелиска из красного гранита, установленного в древности возле храмовых ворот. Этот обелиск стоит там по сей день и считается самым древним из сохранившихся в стране обелисков: им любовался еще Моисей, которому не раз доводилось проходить у его подножия. Свет мудрости, исходивший из этого храма, привлекал пытливые умы, как огонек свечи притягивает мотыльков. В числе постучавшихся в его двери были философ Платон и историк Геродот. Они тоже видели этот обелиск, превратившийся ныне в стоящий в унылом одиночестве нелепый монолит, у самого основания которого крестьяне обрабатывают свои поля.

Этот обелиск — родной брат другого, столь же внушительного памятника, некогда установленно-

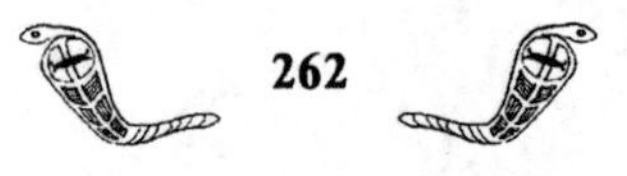

го Тутмосом III перед храмом Солнца в Гелиополе, а теперь смотрящегося в воды Темзы с высоты лондонской набережной. Под новым именем — Обелиск Клеопатры — он продолжает напоминать суетливому миру английской столицы об иной — отдаленной, древней и могущественной — цивилизации.

Устремленный ввысь обелиск стоял как страж у входа в храм, и глубоко врезанные со всех сторон в его поверхность иероглифические надписи сообщали историю его строительства. Но обелиск был не просто каменным столбом, установленным ради привлечения внимания к выгравированным на нем иероглифам, — он являл собой священный символ, и неслучайно его вершину всегда венчала небольшая пирамида.

Гелиополь был важным научным центром, где тринадцать тысяч жрецов — учеников и учителей — изучали и преподавали как священные, так и светские науки. Другими примечательными чертами города были огромная численность населения и выдающаяся библиотека, не без участия которой была впоследствии собрана знаменитая библиотека в Александрии.

Молодой Моисей обходил этот храм вместе с церемониальными шествиями и разворачивал папирусы в его библиотеке, проводя над ними по многу часов в глубоких раздумьях и уединенной медитации.

Не по годам серьезный Моисей так быстро совершенствовал свои знания и характер, что с честью прошел через все стадии посвящения и достиг наивысшего, и потому редкого, звания адепта. После этого он уже мог стать иерофантом. Все эти звания он приобрел за время учебы во все той же тайной школе при Великом храме Гелиополя — Города Солнца. Моисей получил право посвящать

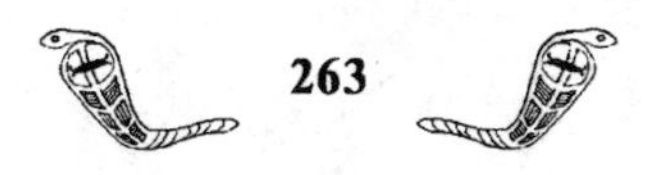

достойных в тайные ритуалы Осириса — высшие ритуалы мистерий.

В те дни он носил другое имя — египетское, в соответствии со своим полуегипетским происхождением. Его первоначальное имя — Озарсиф. (Это вовсе не плод воображения автора. Это имя, равно как и название храма, и еще несколько фактов я почерпнул из древнеегипетских хроник жреца Манефона. Прочие сведения — результат моих собственных исследований).

Когда же в его жизни наступила великая перемена, и он решился возложить на себя миссию, предложенную ему богами и судьбой, он отметил это событие изменением имени, сменив египетское имя на израильтянское. Все образованные египтяне верили в магию имен. Имя, по их мнению, было наделено волшебной силой. Поэтому Осарсиф и принял имя Моисей.

Правивший в то время фараон отличался крайне приземленным характером. Он был упрям и жесток. С израильтянами он обращался так, что жестокие гонения на них вызвали у Моисея сочувствие и растревожили еврейскую кровь, что текла в его жилах. Ему удалось освободить еврейские племена от египетского плена и рабства и вывести их из долины Гошен по древней дороге, с незапамятных времен соединявшей Африку с Азией. По этой самой дороге ехал в свое время на коне Наполеон, едва не утонувший в тот момент, когда уже добрался до ее окончания в Суэце.

Фрагменты последующей истории Моисея (к сожалению, с изрядной примесью слухов) имеются в *Библии*.

В Ветхий Завет входит цикл книг, именуемый Пятикнижием, авторство которого приписывается Моисею. В нем содержатся основы той мудрости, которую Моисей, очевидно, желал передать своему

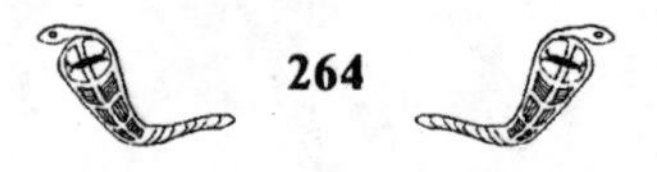

народу, в сочетании с некоторыми более или менее достоверными историческими фактами, касающимися сотворения мира и первых человеческих рас.

Теперь Моисей, будучи адептом, знал и мог использовать священную тайнопись посвященных, то есть иероглифы в их *третьем,* или тайном, духовном значении. Закончив работу над Пятикнижием, он записал еще один текст египетскими иероглифами. Но после того, как израильтяне поселились в Палестине и прожили там столетия, о значении иероглифов у них сохранились лишь самые смутные воспоминания. Мало-помалу жречество забывало значение символов и лишь с большим трудом улавливало их приблизительный смысл. В этом нет ничего удивительного, особенно если вспомнить, что к четвертому веку нашей эры искусство расшифровки иероглифов полностью исчезло даже в самом Египте. Когда примерно через тысячу лет после великого исхода израильтян из Египта старейшины совместными усилиями составили собрание книг, ныне известное как Ветхий Завет, перевод сочинений Моисея на еврейский язык вызвал у них немалые затруднения. Ибо Моисей был *адептом*, а эти старейшины, несмотря на всю свою ученость, не были таковыми. При переводе часто допускались ошибки, символические обороты трактовались как реальные факты, иероглифические рисунки принимались за изображения реальных существ, а метафорическим оборотам давалось самое произвольное истолкование. Достаточно привести лишь один пример: шесть дней творения означали, по замыслу Моисея, шесть весьма продолжительных эпох, символически названных днями по вполне понятным для каждого посвященного причинам. Но ученые, переводившие эти символы буквально, действительно полагали, что здесь имеются в виду шесть обычных дней, продолжительностью в двадцать четыре часа каждый.

Таким образом, древние библейские книги содержат порой весьма забавные фразы, если понимать их буквально. Забавные потому, что даже самого рядового образования сегодня достаточно для их аргументированной критики. Но они содержат также и весьма полезное знание, если прочесть их в свете учений, преподававшихся в тайных храмах Египта.

Моисея, таким образом, можно признать самой значительной личностью из всех, кто когда-либо прошел через мертвый сон посвящения.

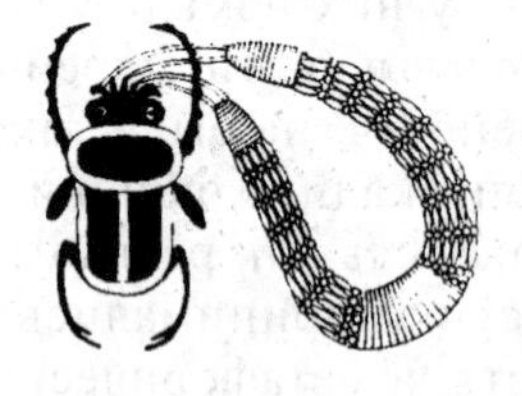

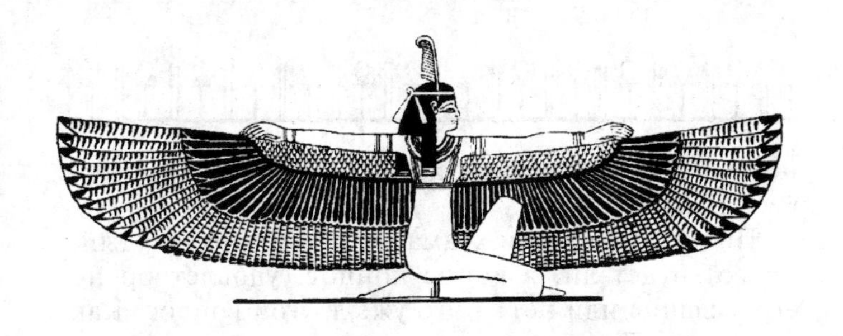

Глава 12

ДРЕВНИЕ МИСТЕРИИ

Всякий, проходивший посвящение в древние мистерии, давал торжественную клятву никогда не разглашать того, что происходило с ним за священными стенами. К тому же следует иметь в виду, что каждый год при совершении мистерий права пройти посвящение удостаивались лишь немногие, и потому число тех, кому были известны их тайны, никогда не было особенно большим. Поэтому ни один из древних авторов так и не оставил полного и последовательного описания этих мистерий, настолько священным для каждого из них был данный обет.

И все же в нашем распоряжении имеется достаточно кратких упоминаний и описаний, почерпнутых из произведений классических авторов, а также отдельных фраз и иероглифических надписей, чтобы составить некоторое представление о сути этой загадочной древней традиции, убеждающее нас в том, что на раннем, чисто духовном своем этапе эти мистерии преследовали возвышенные цели религиозного, философского и морального характера. «В добрый час, о переживший то, о чем ты не мог знать раньше, из человека ты превратился в бога», — такие слова слышал на прощание

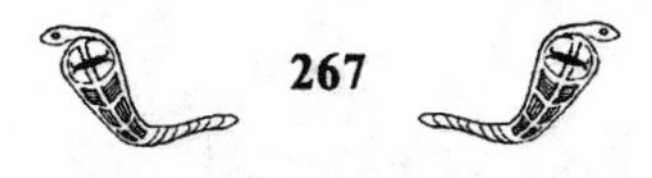

посвященный, прошедший высшую стадию орфических мистерий.

Постучать в двери храма мистерий мог каждый, но вот будет ли, в конце концов, удовлетворено его желание или нет — это уже другой вопрос. Как говаривал Пифагор, выпроваживая неугодных соискателей из своей собственной школы в Кротоне: «Не всякое дерево пригодно для того, чтобы делать из него Меркурия».

Первая стадия посвящения, — доказывавшая продолжение жизни после смерти, — сопровождалась жуткими, устрашающими видениями, призванными подчеркнуть блаженство последующего пробуждения в теле души.

Иногда (но далеко не всегда) во время первичных посвящений применялись и механические методы воздействия, дабы вызвать у человека иллюзию падения в глубокую пропасть или в бурный водный поток или же нападения на него диких зверей. Таким образом испытывались его мужество и находчивость. Но самым тяжелым испытаниям подвергались те, кто желал пройти посвящение более высокой ступени. В тот момент, когда они на время становились ясновидцами, им приходилось сталкиваться с отвратительными существами нижнего мира.

«Смерть вселяет в разум страх и волнение; то же самое происходит и во время посвящения в великие мистерии. На первых порах человека ждут лишь ошибки и неуверенность, трудности, метания и темнота. Как на пороге смерти, так и на пороге посвящения все принимает пугающий облик, человека окружают ужасы и кошмары. Но вскоре они отступают, и вокруг распространяется чудесный божественный свет... Достигнув совершенства в посвящении, свободные и торжествующие шествуют они по обители блаженных». Этот фрагмент заимствован из древнего сочинения, сохраненного для нас Стобеем. В нем запечатлен опыт, приобретаемый всеми посвященными.

На древних папирусах претендента на посвящение ведет за руку Анубис — бог с головой шакала, Повелитель мистерий, именно Анубис должен перевести его через порог невидимого мира мимо всех ужасных видений.

Знания, передававшиеся в посвятительных школах, проистекали непосредственно от изначального откровения, данного первым расам, и потому необходимо было передавать их из поколения в поколение, сохраняя при этом их первозданную чистоту. А потому несложно догадаться, отчего они столь тщательно скрывались от непосвященных и ревностно охранялись от профанации.

То состояние, в котором оказывался посвящаемый, не следует смешивать с обычным сном. Это было состояние транса, где высвобождалось его сознательное *эго*; это был магический сон, в котором человек продолжал бодрствовать, только в другом мире.

Еще большей ошибкой было бы смешивать эти возвышенные эксперименты с ментальным воздействием современных гипнотизеров. Последние вводят гипнотизируемых в состояние, не до конца понятное и тем и другим, тогда как иерофант мистерий, опираясь на традиционное тайное знание, оперирует сверхъестественными силами с полным пониманием происходящего и конечного результата. Гипнотизер пробуждает подсознательный разум погруженного в транс субъекта лишь в ограниченной степени, эмоционально не участвуя в этом процессе, тогда как иерофант сам ощущает все те изменения, что происходят с посвящаемым, и контролирует их. Кроме того, гипнотизер способен управлять своим субъектом лишь в пределах физического, материального мира и проводить аномальные опыты только с его физическим телом. Иерофанты были способны на большее: они могли целенаправленно вести разум кандидата — шаг за шагом — к высшим, духовным мирам, что не под силу ни одному современному гипнотизеру.

В странах Востока и Запада мне доводилось наблюдать гипнотические феномены самого разного свойства, и потому я знаю, что какими бы выдающимися они ни были, они никогда не выходят за рамки феноменов низшего порядка. Их нельзя назвать священнодействием. Конечно, для науки они представляют несомненный интерес, но большой духовной ценности они не имеют. Хотя они и помогают человеку выбраться из глубокой трясины материализма, убеждая его в реальности существования в нем загадочных подсознательных способностей, они все же не могут помочь ему возвыситься до осознанного постижения души как живого, бессмертного и самодостаточного существа.

Опираясь на собственные впечатления от пережитого в пирамиде и на сюжеты резных изображений на стенах храмов, я смог реконструировать ход мистической драмы, разыгрывавшейся во время тайного ритуала поклонения Осирису. Этот священный обряд являл собой сочетание гипнотических, магических и *духовных* процессов, целью которого было освобождение на несколько часов (а иногда и дней) души посвящаемого от тяжелых оков плотного тела, чтобы он мог провести с воспоминаниями об этом великом событии всю оставшуюся жизнь, созидая ее в дальнейшем с учетом этого в высшей степени полезного опыта. Жизнь души после смерти признается многими людьми в силу их религиозных убеждений, но для посвященного ее реальность подтверждается еще и памятью о лично пережитых событиях.

Результаты этого эксперимента может в полной мере оценить лишь тот, кто сам прошел через нечто подобное. Даже в наше время отдельные люди могут непреднамеренно и неожиданно для себя *частично* приобрести подобный опыт. Мне известен один такой случай, происшедший в годы войны с человеком, бывшим тогда офицером ВВС. Ему был сделан наркоз перед хирургической операцией. Лекарство возымело неожиданный эффект. Оно так и не заставило его уснуть, хотя и избавило от боли. Вместо того, чтобы уснуть, он увидел себя висящим в воздухе прямо над операционным столом, откуда мог спокойно наблюдать весь ход операции, как будто ее проводили над телом какого-то постороннего человека! Это переживание радикально изменило его характер. Если ранее он был материалистом, то теперь стал верить в существование души и жизнь свою перестроил в соответствии с открывшимися ему новыми целями и надеждами.

Кем же были те иерофанты, что могли произвести в человеке столь знаменательные перемены?

Этих почтенных стражей высшего знания по необходимости всегда было не слишком много. Одно время в их число входило все высшее жречество Египта, равно как и отдельные, наиболее выдающиеся представители нижестоящего жреческого сословия. Свои знания они хранили в строжайшей тайне, так что даже само название «Египет» стало отождествляться в классические времена с величайшей загадочностью.

В египетской галерее парижского Лувра хранится гробница Птах-Мера — верховного жреца Мемфиса — на которой выведена эпитафия со следующими словами: «Он познал таинства всех святилищ, от него ничто не было сокрыто. *На все увиденное он набросил покрывало*». У иерофантов были

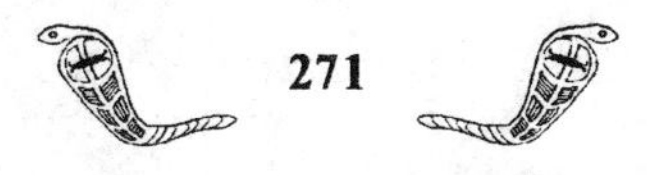

свои причины хранить знание в тайне. Мы можем лишь предположить, что скептиков и зубоскалов, очевидно, следовало держать подальше от экспериментов, столь опасных для жизни посвящаемых. И не менее очевидно, что бисер свой жрецам не следовало метать перед свиньями. К тому же, более чем вероятно, что большинство людей было просто неготово к подобного рода опытам, и приобщение к ним закончилось бы для них, скорее всего, безумием или смертью. Так что посвящение всегда оставалось уделом немногих. И большинство тех, кто когда-либо стучался в двери храма мистерий, так и не были туда допущены; а из допущенных многие подорвали свои нервы или просто потеряли желание проходить посвящение из-за все более усложнявшихся испытаний, которые они должны были перед этим преодолеть. Так, благодаря процессу отсеивания — своего рода естественного отбора — мистерии превратились в один из самых замкнутых институтов древности, и тайны, витавшие за крепко запертыми дверями храмов, доверялись лишь тем, кто давал торжественное обещание никогда не выносить их оттуда. Каждый, кому удавалось проникнуть за эти двери, до конца своих дней принадлежал к тайному обществу людей, продолжавших жить среди непосвященных масс, но преследовавших более возвышенные цели. «Говорят, что те, кто участвовал в мистериях, становятся более одухотворенными, более справедливыми и совершенными во всех отношениях», — писал посетивший Египет сицилиец Диодор.

Но эти посвящения не были прерогативой едино лишь египтян. Многие древние цивилизации унаследовали эти мистерии от своих незапамятных предков, ибо они составляли часть того первоначального откровения, что было дано богами человеческому роду. В дохристианскую эпоху практически каждый народ имел свой собственный институт и традицию мистерий. В частности, у римлян, кельтов, греков, критян, сирийцев, индусов, персов, майя и некоторых других индейских народов были подобные же храмы и ритуалы и своя система различных степеней просветления для посвященных. Аристотель был убежден, что благополучие Греции зависит от элевсинских мистерий. Сократ отмечал, что «те, кто прошел через мистерии, связывают со своей грядущей смертью самые радужные надежды». В числе тех, кто прямо заявлял о своем посвящении в мистерии или намекал на это, можно назвать оратора Аристида, Мениппа Вавилонянина, драматурга Софокла, поэта Эсхила, законодателя Солона, Цицерона, Гераклита Эфесского, Пиндара и Пифагора.

Даже сейчас в японской школе джиу-джицу ученик проходит через серию духовных мистерий, высшие ступени которой известны лишь немногим, поскольку сопряжены с секретами, в которые не разрешено посвящать посторонних. Во время церемонии посвящения учитель джиу-джицу душит своего ученика; правда, процесс удушения длится всего лишь около минуты, после чего фактически мертвого посвящаемого укладывают на специальное ложе. В этом состоянии дух его отделяется от тела и перемещается в миры, лежащие за пределами нашего. Когда же положенный срок смерти истекает, учитель оживляет ученика при помощи особой тайной практики, называемой непереводимым словом «кваппо». Прошедший через этот опасный опыт считается впоследствии посвященным. Во франкмасонстве по сей день сохраняются остатки и пережитки тех институтов, корни которых следует искать в Египте. Члены масонского братства называют Пифагора образцом античного посвященного; но помнят ли они, что посвящение он прошел в Египте? Создатели масонской системы рангов позаимствовали несколько символических обозначений из египетских мистерий.

Неотвратимое перерождение человечества повлекло за собою исчезновение иерофантов (либо их уход от мира) и вытеснение людьми непросветленными, а за этим естественным образом последовало и превращение мистерий в нелепые и опасные пародии на себя самих. Постепенно контроль над ними в Египте и других странах установили дурные люди, занимавшиеся черной магией. То, что некогда было священным, возвышенным и предназначалось исключительно для поддержания в человеческом обществе духовных знаний и идеалов чистоты, превратилось в упрощенное, но губительное орудие в руках темных сил. Все это происходило в историческую эпоху и привело к закономерному исчезновению многих величайших достижений древности.

Но хотя иерофанты унесли свои секреты с собой, до нас все же дошли некоторые свидетельства той мудрости, которую они передали людям во времена своего расцвета. О ней писали многие знаменитые представители рода человеческого — те, кто искал и нашел, прошел через испытания и был принят в число избранных, кому было дозволено познать возвышенные истины посвящения.

Многие тексты на папирусах и древние настенные надписи свидетельствуют о том, каким священным был для египтян ритуал поклонения Осирису и каким огромным уважением среди них пользовались те, кто имел доступ в тайные святилища и заповедные места, где проводились самые сокровенные церемонии, связанные с этим ритуалом. Ибо существовала еще и самая возвышенная, конечная стадия посвящения, на которой душа человека не просто временно освобождалась от своего тела в период его искусственной смерти, доказывая тем самым реальность своего существования и факт продолжения жизни после смерти, но возносилась в высшие сферы бытия, приближаясь к самому Творцу. В ходе этого замечательного опыта несовершенный разум человека вступал в контакт с безграничным разумом его же собственной божественной природы. Человек получал возможность на протяжении некоторого времени зачарованно и молча общаться с Отцом Всего Сущего. И этот недолгий, но невыразимо вдохновенный контакт способен был полностью изменить его отношение к жизни. Человек приобщался к самой священной в мире пище. Он видел ни с чем не сравнимый луч, исходящий от Божества, которое на самом деле является его же собственной истинной внутренней сущностью (тогда как тело души, остающееся жить после смерти физического тела — всего лишь очень тонкая ее оболочка). Это было и в переносном, и в прямом смысле — второе рождение, причем в наивысшей своей ипостаси. Проходивший это посвящение становился совершенным Адептом. О таких иероглифические тексты говорят, что они пользуются расположением богов при жизни и наслаждаются райским блаженством после смерти.

Подобное вознесение души достигалось опять же погружением в состояние транса, внешне схожее с тем гипнотическим состоянием, что сопутствует первым, самым простым стадиям посвящения, но по сути своей радикально отличающееся от него. Никакая гипнотическая сила и никакая магическая церемония не в состоянии вызвать его. Только высшие иерофанты, соединив свои божественные начала и волю с волей посвящаемого, могли вознести сознание последнего к его чистой

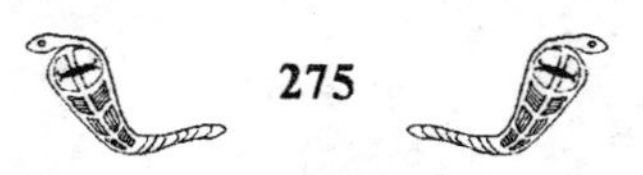

божественной природе. Это было самое благородное и самое впечатляющее из всех откровений, доступных древним египтянам и, возможно (хотя и другими способами), современному человеку.

* * *

Эксперимент с посвящением представляет собой миниатюрную модель того, что рано или поздно должно произойти со всей человеческой расой в процессе эволюции. Вся разница в том, что в первом случае имеет место ускоренный рост, для достижения которого используется искусственный процесс погружения в транс, тогда как во втором случае психический и духовный прогресс происходит сам, естественным путем.

Таким образом, за короткий промежуток времени в душе проигрывается вся драма человеческого развития, неизбежного эволюционного пути каждого человека.

Лежащий в основе этого эксперимента принцип заключается в том, что нормальная физическая жизнедеятельность человека может быть временно парализована глубоким летаргическим сном, в то время как его психическая (или духовная) природа, обычно незаметная, активизируется известным лишь одному иерофанту способом. Человек, погруженный в искусственное состояние комы, показался бы стороннему наблюдателю обычным мертвецом; неудивительно, что на символическом языке мистерий про такого человека говорили, что он «сошел во гроб» или «похоронен во гробе». Избавившись от тела и усмирив на время все личностные побуждения и страсти, посвящаемый и в самом деле становится мертвым для всего земного, в то время как его сознание, его душа на время освобождается от плоти. Только в этом состоянии человек способен ощутить духовный мир так, как ощущают его сами духи, лицезреть богов и ангелов, выйти в безграничное пространство, понять свою истинную сущность и, наконец, познать *истинного* Бога.

Прошедший через это имеет полное право утверждать, что он был мертв, но потом воскрес, что он и метафорически, и буквально был погребен во гробе, но с ним произошло чудо воскресения из мертвых, после которого он обрел великий стимул к более духовной жизни и смог по-новому взглянуть на проблему смерти. И с тех пор на посвященного неизменно распространяется влияние того иерофанта, чьими усилиями было проведено это посвящение. Наставника и ученика соединяет теперь невидимая, но очень глубокая и тесная связь. Учение о бессмертии души рассматривается им уже не просто как доктрина, но как очевидный факт, получивший неоспоримое подтверждение.

Вернувшись к физической жизни, посвященный мог с полной уверенностью утверждать, что из иного мира он возвратился полностью преображенным и духовно переродившимся. Он видел рай и ад и познал некоторые их тайны. Обычно он торжественно обещал не раскрывать этих тайн непосвященным, но вместе с тем давал обет строить всю свою дальнейшую жизнь с учетом реальности существования иных миров. Он продолжал жить среди людей, будучи полностью уверенным в том, что бессмертие реально, и хотя ему не было позволено распространяться о причинах этой уверенности, все же он не мог, пусть даже бессознательно, не заражать этой верой в бессмертие своих ближних. Он нес людям новую надежду и укреплял их веру посредством мистической подсознательной телепатии, всегда существующей между людьми. Он уже не верил в смерть, а верил лишь в Жизнь — вечную, самосущую и неизменно сознательную

Жизнь. Он верил тому, что ему поведал в тайных покоях храма иерофант: что душа существует и представляет собой луч, исходящий от центрального Солнца, которое есть Бог для нее самой. История Осириса приобретала новый, более глубокий смысл. Возрождаясь к новой жизни, человек обретал в себе Осириса, который был никем иным, как его собственной бессмертной сущностью.

Таково подлинное учение самого древнего из священных египетских текстов — «Книги мертвых», которая, впрочем, в своем нынешнем виде являет собой смесь самых разных сочинений, где речь идет как о мертвых, так и о псевдомертвых (то есть посвящаемых), и потому царит неизбежная путаница. То, что в самой древней, подлинной и неискаженной своей форме эта книга повествовала именно о мистериях, отчасти доказывается следующей фразой: «Это книга о величайшем из таинств. Да не падет на нее взгляд ни одного (непосвященного) человека — это будет для нее скверной. Держите в тайне ее существование. “Книга Учителя Тайного Храма” — имя ее».

Более того, умерший (а на самом деле посвященный) в «Книге мертвых» постоянно ставит перед собственным именем имя Осириса. В самых ранних версиях этого древнего текста умерший говорит о себе: «Я — Осирис. Я продвинулся вперед, как и ты. Я живу так, как живут боги!» — что подтверждает подлинность интерпретации мифической смерти Осириса как посвящения через погружение в коматозное состояние, внешне похожее на смерть.

Потому-то и восклицает в красочно иллюстрированном «Папирусе Нут» торжествующий посвященный:

«Я, даже я теперь — Осирис. Я обрел славу. Я видел рождение Осириса и родился вместе с ним,

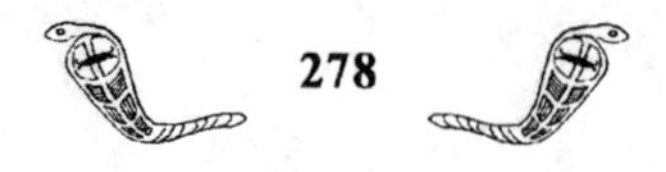

и вернул юность свою вместе с ним. Я отверз уста богам. Я сел там же, где сидит он».

А вот строка из другого папируса той же самой книги:

«Я возношусь к благому Богу, Владыке Великого Дома».

Именно такими были плоды мистерий, в древности всеми почитаемых, а ныне — незаслуженно забытых таинств.

* * *

Таковы были мистерии — самые знаменитые из всех ныне исчезнувших достижений древности. Ибо наступило время упадка и гибели Египта, разделившего судьбу всех прочих древних народов. И сбылось пророчество Гермеса — одного из древних пророков, сказавшего:

«О Египет, Египет! Земля, бывшая вместилищем божественности, лишится присутствия своих богов. И ничего не останется от твоей религии, кроме легенд и высеченных в камне слов — последних свидетелей твоего былого благочестия. Символы мудрости будут ошибочно названы богами, и обвинен будет Египет в поклонении чудовищам преисподней».

Со временем контроль над мистериями перешел в недостойные руки злых, эгоистичных людей, стремившихся использовать огромный авторитет таинств в своих корыстных целях. Перед их злой волей склонялись иногда даже гордые фараоны. Многие жрецы стали средоточием мрачных сил зла, предавшись ужасным ритуалам и зловещим заклинаниям черной магии. Даже некоторые из высших жрецов, всегда служивших связующим звеном между богами и человеком, стали сущими дьяволами в человеческом обличье, вызывавшими из преисподней самые отвратительные образы для

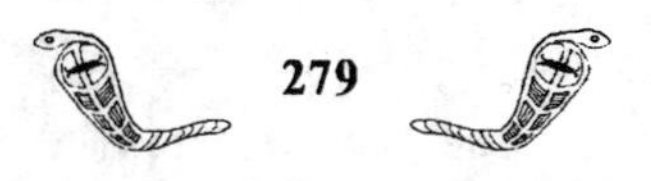

своих не менее отвратительных целей. В самых священных местах духовность уступила место колдовству. В условиях воцарившегося в стране духовного мрака и хаоса мистерии вскоре утратили первоначальный характер и высокое предназначение. С течением времени все труднее становилось находить достойных кандидатов на посвящение, и потому число их уменьшалось. И наступил момент, когда ученые иерофанты, будто по воле своенравной Немезиды, начали быстро исчезать, переходя в иные миры и уже не возвращаясь. Они ушли, не оставив после себя достаточного числа преемников, способных продолжить их дело. А их место заняли недостойные люди. Те немногие, кто оставался здесь дольше всех, уже не могли как раньше выполнять свою духовную миссию, и им оставалось только оплакивать свой несчастный жребий. Всегда готовые к смерти, они скорбно, но спокойно закрывали свои тайные книги, оставляли храмы и подземелья и, окинув прощальным взглядом свои древние обители, молча уходили в никуда.

Они уходили спокойно. Ибо далеко за горизонтом меркнущей египетской звезды они уже видели неизбежное возвращение, предопределенное самой Природой. Они видели ту искру света, что должна была в будущем озарить небо над их страной, и не только над ней. Они видели звезду Христа, которому суждено было поведать миру истину учения мистерий — безо всяких ограничений и недомолвок.

Как говорил один из апостолов Христа, пришло время поведать самым широким массам простых людей «тайну, сокрытую от мира на множество веков и поколений». То, во что в древности посвящались только избранные и лишь посредством сложнейшей процедуры, теперь должно было превратиться во всеобщее достояние силой одной лишь веры. Слишком большая любовь жила в сердце Иисуса, чтобы он мог предлагать спасение только избранным. Нет, он хотел спасти многих. Он показал им путь, следование которому требовало всего лишь искренней веры в его слова. При этом не были нужны никакие мистические оккультные посвящения. И все же этот путь даровал избравшим его не меньшую уверенность в бессмертии, чем древние мистерии.

Ибо Открытый Путь Иисуса учил смирению, а смирение призывает на помощь высшую Силу, всегда готовую внушить человеку уверенность своим постоянным присутствием в его сердце, если только сам человек готов пустить Ее в себя. Верьте переданному вам учению и будьте смиренны, чтобы вас не прельстил ваш разум, — вот и все, что требовал Иисус, предлагая взамен наивысшую награду — осознанное ощущение присутствия Отца. А в Его присутствии, как известно, исчезают все сомнения, и человек воочию убеждается в истинности бессмертия без всякого погружения в транс. Он познает бессмертие потому, что сознание его сливается с Сознанием Отца, и это невыразимое слияние превращает простую веру в божественное озарение.

* * *

Пришло время, когда двери египетских мистерий закрылись навсегда, и с тех пор ни один исполненный надежды претендент не поднимался по священным ступеням, ведущим к воротам храма, и не спускался по уходящему вниз тоннелю в храмовые подземелья. Но история развивается циклично, и то, что было когда-то, должно было рано или поздно повториться вновь. Ныне нас опять окружают мрак и хаос, но внутренне присущее человеку стремление восстановить утерянную связь с высшими мирами вновь не дает ему покоя. Это и позволяет автору надеяться, что когда-нибудь настанет день и найдутся люди, которые создадут новую, возможно, полностью измененную в соответствии с реалиями нынешней эпохи, версию этих мистерий и распространят ее на всех пяти земных континентах.

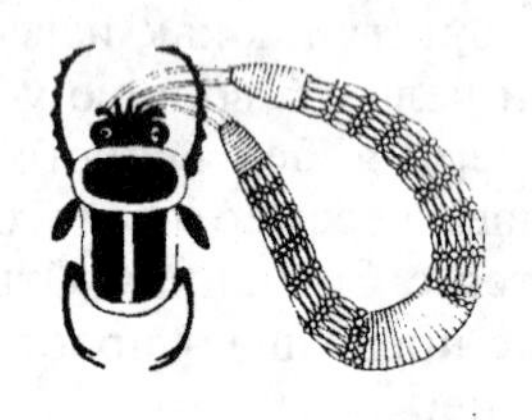

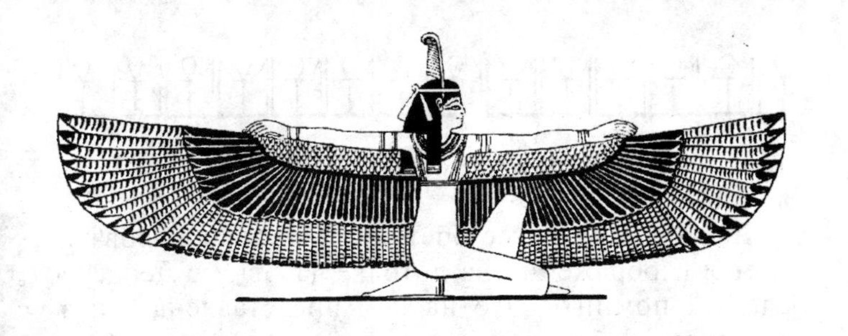

Глава 13

В ХРАМЕ ДЕНДЕРЫ

Перед тем как покинуть маленькую потаенную часовню на крыше храма Дендеры, я обратил внимание на восхитительное изображение Зодиака, вырезанное на ее потолке. Я знал, что это всего лишь копия и что оригинал был более века назад срезан и увезен в Париж, но это была абсолютно точная копия.

Огромный круг, символизирующий Землю, был усеян изображениями животных, людей и божеств. А вокруг него были расположены двенадцать хорошо всем известных знаков Зодиака. Завершали эту удивительную композицию изображения двенадцати различных богов и богинь, коленопреклоненных или стоящих во весь рост вокруг земного шара с поднятыми вверх руками. Казалось, они неустанно следят за тем, чтобы земной шар ни на йоту не замедлял своего вращения. Таким образом, этот замечательный образец художественной резьбы по камню представлял собой довольно точное, хотя и схематичное, изображение всей вселенной в ее непрестанном движении, напоминание о тех шарообразных мирах, что ритмично обращаются вокруг нашего мира. Даже самый скептический ум не смог бы не признать несомненного величия ра-

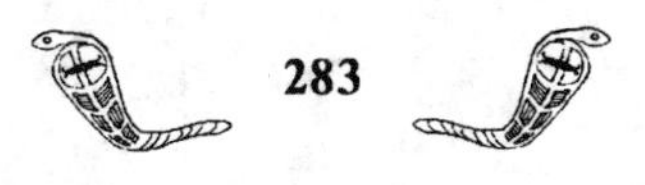

зума, который смог создать подобную модель вселенной.

Желающему более обстоятельно расшифровать смысл изображения на потолке часовни в Дендере следует помнить, что на нем представлена карта звездного неба иной, давно минувшей эпохи (какой именно — это уже другой вопрос). Вряд ли будет уместно вдаваться в сложные астрономические выкладки на страницах этой книги. Достаточно будет сказать, что расположение созвездий в древнем Зодиаке не совпадает с современным.

Так, например, отмеченная в храмовом Зодиаке Дендеры точка весеннего равноденствия смещена по отношению к нынешней, да и Солнце вступает в это время в совсем другое созвездие, чем теперь.

Чем же вызвана столь существенная разница? Ее причина кроется в движении Земли, ось вращения которой в разные эпохи направлена на разные звезды, которые, вследствие этого, становятся Полярными. А это означает, что наше Солнце, в свою очередь, вращается вокруг некоего собственного центрального Солнца. Это почти незаметное возвратное движение точки равноденствия (ее смещение становится ощутимым лишь по прошествии многих столетий), в свою очередь, изменяет место восхода и захода некоторых звезд относительно определенных созвездий.

Исследуя траекторию движения звезды, мы можем вычислить, в какой точке небосвода она находилась тысячи и десятки тысяч лет назад. Тот временной интервал, пока звезда описывает подобным образом полный круг, следуя в обратном движению Солнца направлении, называется великой прецессией или «прецессией точки равноденствия». Таким образом, вследствие этой прецессии, точка пересечения небесного экватора с эклиптикой (а это и есть точка весеннего равноденствия) медленно, но безостановочно перемещается по небосводу.

Иначе говоря, для земного наблюдателя звезды каждодневно смещаются, хоть и весьма незначительно, в направлении, обратном чередованию знаков Зодиака. И это медленное движение небесной сферы, напоминающее неспешное вращение всей нашей вселенной, создает своего рода космические часы, циферблатом для которых служит все звездное небо. С помощью этих часов мы можем отсчитывать время как назад, так и вперед, определяя угол наклона земной оси для любого тысячелетия.

Изучая древнюю карту звездного неба, астроном может уверенно определить, в какой период она была создана. Такая карта порой может принести огромную пользу исследователю далекого прошлого. Когда приехавшие вместе с Наполеоном в Египет европейские ученые обнаружили Зодиак Дендеры, они проявили к нему поначалу немалый интерес, поскольку понадеялись с его помощью определить возраст египетской цивилизации. То, что точка весеннего равноденствия указана в этом Зодиаке в существенном отдалении от современной, было замечено сразу. Но когда впоследствии было установлено, что храм был построен уже в греко-римскую эпоху, и Зодиак, наверное, был списан с греческого, о нем тут же забыли и с тех пор не уделяли ему внимания.

Но теория, приписывающая дендерскому Зодиаку исключительно греческое происхождение, не совсем верна, поскольку вряд ли можно согласиться с тем, что у египтян не было своего собственного Зодиака. Можно ли представить себе, что египетское жречество, тысячелетиями изучавшее астрономию и астрологию, не имело собственного Зодиака до тех самых пор, пока к пологим песчаным берегам Египта не пристали первые греческие корабли, ведомые в неизвестные им доселе морские дали картами звездного неба, на которых были особым образом выделены двенадцать созвездий? Как могли эти жрецы, настолько уважительно относившиеся к астрологии, что она даже стала частью их религии, исполнять свои ритуалы без знания Зодиака? Тем более, что знание астрономии считалось в древности одним из самых главных предметов гордости египтян.

Вернее всего будет предположить, что египтяне скопировали дендерский Зодиак (по крайней мере, частично) с какого-то более раннего образца, ведь храм Дендеры по меньшей мере дважды перестраивался за время своего существования. Так что нет ничего удивительного в том, что этот уникальный астрономический чертеж мог неоднократно реставрироваться и воссоздаваться заново по мере разрушения под воздействием времени. То же самое должно было происходить и с древнейшими текстами, пока их не начали понемногу забывать и не позабыли окончательно после того, как исчезли их последние жрецы-хранители.

В ходе археологических раскопок в Месопотамии были обнаружены таблички из обожженной глины, где халдейские астрономы указывали в качестве начала весны вхождение Солнца в созвездие Тельца. Как известно, в христианскую эру наступление весны всегда приходилось на начало месяца Овна, то есть примерно на 21-ое марта. И подобное расхождение с халдейским календарем объясняется отнюдь не переменой климата, но великой древностью халдейской цивилизации — древностью, о которой не раз говорили сами халдеи. Точно также и расположение точки равноденствия в Зодиаке Дендеры возводит его к эпохе, отстоящей от нашей даже не на века, но на сотни веков! Таким образом, именно к той эпохе следует отнести истоки египетской цивилизации. Ибо местоположение точки равнодентвия свидетельствует, что с тех пор космический циферблат успел отсчитать уже более трех с половиной «великих лет», что Солнце успело сделать вокруг своего собственного центрального Солнца уже более чем три с половиной оборота.

Вычисления астрономов свидетельствуют, что средняя скорость прецессии точек равноденствия составляет примерно 50,2 секунды в год. Исходя из этого, мы можем вычислить дату, на которую указывает нам Зодиак Дендеры. Учитывая то, что полная окружность равна 360 градусам, мы можем определить, что один «великий год» (то есть один полный оборот точки равноденствия по кругу Зодиака) составляет 25800 солнечных лет.

Далее уже несложно определить путем простых вычислений, что Зодиак храма Дендеры указывает на время, отстоящее от нашего на 90000 лет.

Девяносто тысяч лет! Но так ли уж невероятна и невозможна эта цифра? Египетские жрецы-астрономы так не считали. По словам греческого историка Геродота, египетские жрецы говорили ему, что их раса — самая древняя среди людей и что в их тайных школах и храмах хранятся записи, сделанные за 12000 лет до его (Геродота) визита в эту страну. Геродот, как известно, был на редкость осторожен в подборе фактов, за что и был удостоен почетного титула — «отец истории». И все же он счел возможным повторить услышанные им сведения о том, что «Солнце дважды восходило там, где оно сейчас заходит, и дважды заходило там, где сейчас восходит».

Из этого парадоксального заявления следует, что земные полюса иногда менялись местами, что, в свою очередь, приводило к катастрофическим

перемещениям моря и суши. Подобные катастрофы, как свидетельствует геологическая наука, имели место на самом деле; но датируются они весьма отдаленными от нашего времени геологическими эпохами.

Эти катастрофы должны были иметь следствием прежде всего радикальное изменение климата на полюсах (некогда тропический, он только в нашу геологическую эпоху стал арктическим). К примеру, сейчас уже ни у кого не вызывает сомнений, что вся Северная Европа, включая Британские острова, ранее была покрыта толщей льда в несколько сот футов. Льды заполонили все долины, и лишь вершины гор да самых высоких холмов возвышались над ними. Такие изменения на нашей планете могли быть вызваны только крупномасштабными астрономическими катаклизмами. Следовательно, утверждение египетских жрецов выглядит вполне обоснованным.

У египтян не было геологической науки в современном понимании этого слова. Все, чем они располагали, — это древние записи, высеченные на каменных обелисках, выдавленные на глиняных табличках, вырезанные на металле или написанные тростниковой палочкой на листах папируса. Существовало еще традиционное тайное учение и тайная история, передававшиеся лишь в мистериях, — то есть без всякой письменной фиксации из уст в уста на протяжении множества столетий.

Откуда еще было знать жрецам, не знакомым с геологией, об этих древних планетарных катастрофах, как не из письменных источников, которые они хранили? Их знания — лучшее доказательство того, что эти источники действительно существовали; а это, в свою очередь, подтверждает реальность древнего Зодиака, с которого отчасти скопирован Зодиак храма Дендеры.

В свете указанных фактов цифра в девяносто тысяч лет уже не кажется такой уж неправдоподобной. Это не означает, что египетская культура уже в те времена процветала в северо-восточной Африке. Культура и ее носители могли обитать на каком-то ином континенте, а уже потом переселиться в Африку. Разумеется, вышеприведенные аргументы не содержат никаких хоть сколь-нибудь убедительных доказательств этого тезиса; но почему бы не признать, что подобное объяснение выглядит вполне логичным?

Наши версии египетской истории начинаются с правления первой династии, но не следует забывать о том, что страна была заселена задолго до появления первых памятников письменности. История египтян и имена их царей — *terra incognita* для египтологов. Ранняя история Египта связана с поздней историей Атлантиды. Египетские жрецы, бывшие к тому же астрономами, заимствовали свой Зодиак у атлантов. Вот почему Зодиак Дендеры охватывает гораздо больший диапазон прецессии небесной сферы, чем все известные зодиакальные изображения нашей исторической эры.

Каждое новое открытие в области этой ранней культуры вызывает у нас безграничное изумление. Новомодная теория прогресса заставляет нас видеть в ее носителях людей грубых, примитивных и недалеких. Но по мере углубления нашего знакомства с ней мы все больше убеждаемся в том, что создали ее люди культурные, утонченные и религиозные.

Принято считать, что чем дальше в прошлое мы углубляемся в поисках истории человеческой расы, тем более мы приближаемся к первобытному состоянию человека. Но на самом деле мы видим, что даже в самые отдаленные доисторические периоды с первобытными дикарями на нашей плане-

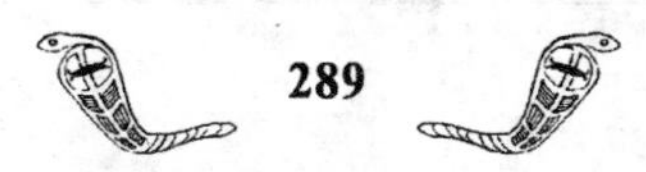

Храм Дендеры

Иероглифы
на стене храма

Зодиак
храма Дендеры

те всегда соседствовали культурные, цивилизованные люди и что современная наука хотя и проникла уже в глубины прошлого, поражающие несовершенное воображение человека, все же не в состоянии пока воссоздать достаточно полную и точную картину жизни людей в ту отдаленную эпоху. Но наука не стоит на месте и рано или поздно справится с этой задачей.

А потому не стоит пока торопиться отвергать приписываемую древнеегипетскими жрецами своим письменным документам 90000-летнюю давность и скупо отмерять им пять, максимум шесть, тысячелетий, как это делают многие. Ибо возраст нашей планеты служит постоянным молчаливым упреком всем тем, кто придерживается столь невысокого мнения о своих предках. А возраст вселенной и вовсе не оставляет камня на камне от аргументов скептиков, отказывающихся признать предложенную египтянами древнюю дату. Ведь в безмерных глубинах космоса встречаются настоящие кладбища миров, где мертвые звезды и остывшие планеты, бывшие некогда обителями блистательных цивилизаций, дожидаются теперь скорбного часа своего полного исчезновения.

* * *

Я снова поднялся на крышу и остановился возле окаймлявшего ее низкого парапета. Передо мной раскинулась непрерывная панорама окружающих храм обработанных полей, плавно переходящих в ослепительно яркие, извилистые песчаные барханы. На крошечных полях виднелись сутулые фигурки крестьян, занятых своим извечным трудом. Их орудия труда и манера работы мало чем отличались от тех, что были известны их далеким предкам, жившим в библейские времена. Их быки честно и терпеливо вращают то же самое скрипу-

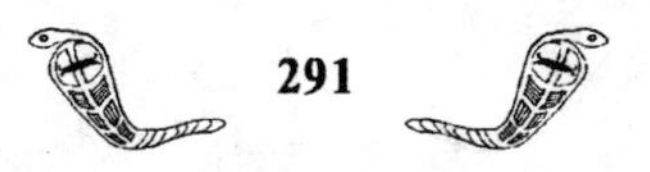

чее водяное колесо, которое когда-то вращали далекие предки этих животных. Их верблюды, пронзительно крича, тащат на себе ту же самую непомерную поклажу, что навьючивали на домашних животных во времена фараонов. Плуг пахаря взрезает и переворачивает плодородную почву на этой узкой полоске земли, именуемой Египтом, с незапамятных времен, и все же она до сих пор не истощилась и никогда не истощится — таковы ее удивительная щедрость и безмерное богатство. Выращивать плоды земные на этих мирных изумрудных равнинах, на жирном и плодородном нильском иле, пожалуй, проще, чем в какой-либо другой точке земного шара. Каждый год Египет получает неизменное благословение в виде разлива Нила, когда его вечно беспокойные воды, как по волшебству, превращаются из голубых в бурые и медленно, но уверенно поднимаются все выше и выше, чтобы оставить на выжженных Солнцем берегах свой бесценный дар — влажную живительную грязь. Да, древний Нил был настоящей матерью своим счастливым детям, жившим на его берегах и неустанно благодарившим свою престарелую родительницу за то, что она питала их своим молоком.

Я посмотрел в сторону реки. Нил! Какая магия кроется в этом имени? Жрецы Древнего Египта дважды в день и дважды за ночь совершали омовение в его водах, дабы сохранить свою чистоту. В Индии жрецы-брамины делают это до сих пор и с той же самой целью. Разница состоит лишь в том, что они омывают себя водой священных рек Ганга и Годавари и не беспокоят себя этим по ночам. И египтяне, и индийцы придерживались одной и той же теории — взаимодействуя с окружающими людьми, человек сталкивается с их невидимым личным магнетизмом, способным оказывать неблагоприятное (если не хуже) влияние. Столь частые омовения как раз и нужны для избавления от этих посторонних влияний.

Нил — не просто широкая полоса пресной воды и даже не просто река, проходящая через добрую половину африканского континента. Это живое и даже разумное существо, возложившее на себя великую задачу — дарить жизнь множеству людей, животных и птиц. На протяжении бесчисленных столетий, слой за слоем, откладывал он на поля свой живительный ил, превращая Египет в неповторимое чудо света. Это единственная известная мне страна, где поля так тучны и где при этом крайне редки дожди. Творцом этого чуда стала добрая река, превратившая широкую полосу пустыни, лежащую меж двух параллельных хребтов темно-рыжих гор, в богатую и процветающую страну. Там, на окружавших храм полях, крестьяне направляли мутную речную воду в узкие канавки, крест-накрест, подобно паутине, пересекавшие обработанную их руками землю. От реки к полям вода подводилась при помощи множества водоподъемников и оросительных каналов. Человек в набедренной повязке, склонившийся над водоподъемником, пел что-то в такт поскрипывающему деревянному механизму, монотонно поднимавшему и выплескивавшему воду из своего ковша. Точно также и во времена фараонов такой же одетый в набедренную повязку человек, склонившись над точно таким же приспособлением, пел в такт поскрипыванию водоподъемника бесконечную песню на забытом ныне языке. Все устройство представляло собой длинный гибкий шест, уравновешенный с помощью закрепленного на его нижнем конце груза на горизонтальной опоре. На другом конце шеста на веревках был подвешен ковш. Для того, чтобы ковш погрузился в воду, необходимо было потянуть вниз привязанную к шесту веревку; затем веревку отпускали, и наполненный водою ковш снова поднимался вверх, — теперь воду из него можно было выливать прямо в канавку. Это древнее изобретение исправно служило здешним крестьянам на протяжении пяти тысяч лет; и даже сейчас, в двадцатом столетии, успешно продолжает им служить.

Я перешел на другую сторону террасы и увидел ту же самую картину, которой любовались в свое время древние жрецы и исчезнувшие фараоны.

На западе круто возвышались Ливийские горы, подобно розовым крепостным стенам, защищающим этот древний храм (что, впрочем, недалеко от истины). В тех местах, где горы несколько снижались или разрывали свою оборонительную цепь, пески пустыни все-таки просочились в долину, образовав бесформенные барханы. Красные вершины напоминали языки пламени, взметнувшиеся из-под земли и каким-то волшебством обращенные в камень. Жар этого пламени, похоже, еще не совсем остыл, поскольку от них веяло удушающим зноем. Казалось, горы вбирают в себя все солнечное тепло разгорающегося дня.

Эта длинная горная цепь тянется через весь Египет до самой Нубии, аккуратно следуя вдоль великой реки. Природа, будто повинуясь воле какого-то высшего разума, воздвигла эти горы в нескольких милях от берега Нила, чтобы не допустить его исчезновения в бескрайних песках африканской пустыни. «А может, это и вправду было сделано намеренно?» — подумал я. Ведь без этого замечательного соседства гор и реки такой страны как Египет просто не было бы на свете, не было бы цивилизации, чьи истоки сокрыты ныне во мраке древности. Ответ пришел, казалось, из самых глубин моего сознания: боги, чьим единственным орудием была Природа, намеренно создали этот ландшафт, дабы подготовить место для могучей цивилизации, которая, по их замыслам, должна была там явиться. Ибо также как каждое великое творение человечества, включая и этот белый храм Дендеры, на крыше которого я стоял, было возведено в соответствии с планом, предварительно родившимся в голове опытного архитектора, так и появление на земле каждого народа происходит согласно замыслу богов — этих небесных зодчих, под чьей опекой и присмотром постоянно жило и продолжает жить человечество.

Спустившись по древней лестнице, я вернулся ко входу в храм, чтобы как следует осмотреть его главное помещение, через которое я прошел с чрезмерной для исследователя поспешностью, поскольку мое внимание привлекала, прежде всего, тайная часовня, с которой я и начал свое знакомство с этим храмом. В просторном открытом вестибюле стоят двадцать четыре огромные белые колонны, чьи прямоугольные капители украшены рельефными ликами богини Хатор (к сожалению, сейчас все они изувечены), а боковые грани — иероглифическими надписями. Они поддерживали увесистый карниз величественного портика. Лица богини были изображены на всех четырех гранях каждой капители, и под каждым абаком был добавлен небольшой пилон, символизировавший ее прическу. Грустно было сознавать, что этот храм, посвященный египетской богине любви и красоты, был столь бережно храним Природой все это время, но пострадал от рук человеческих. Почти все эти исполинские женские лица искромсаны безжалостными руками фанатиков, хотя длинные уши и пышные прически богини все же сохранились. Ведь храм Дендеры считался одним из самых великолепных храмов Египта, и богослужения в нем продолжались вплоть до 379 года нашей эры, когда император Феодосий своим эдиктом запретил древнюю языческую религию, нанеся этим ей, и без того уже умирающей, последний роковой удар.

Посланник императора Кинегий постарался добросовестно исполнить волю своего повелителя. Он закрыл все храмы и места посвящений и запретил все древние мистерии и ритуалы. Христианство (или вернее — церковь) одержало окончательную победу. И тогда толпа фанатиков обрушилась на храм Дендеры. Жрецы были изгнаны, а ритуальные предметы растоптаны. Варвары опрокинули статуи Хатор, разграбили ее украшенные золотом святилища и изуродовали ее изображения там, где смогли до них дотянуться.

Другим храмовым зданиям повезло еще меньше: фанатики разрушили их стены, опрокинули колонны, разбили гигантские статуи — за несколько лет был уничтожен труд нескольких тысячелетий. Такова судьба многих новоявленных религий: сперва их последователи подвергаются гонениям, становятся мучениками за свои убеждения, но со временем сами превращаются в мучителей и гонителей, разрушающих произведения искусства своих предшественников, чтобы на их месте создать свои собственные.

«Гордые венценосные Птолемеи некогда подъезжали к этому храму в золотых колесницах, и собравшийся народ замирал в благоговейном трепете», — так размышлял я у входа в храм, стараясь представить себе толпы народа в этом ныне пустынном дворе.

Я облюбовал себе место между необъятными колоннами портика, откуда мне хорошо был виден красивый голубой потолок, усеянный множеством звезд и украшенный изображением зодиакального круга. Оттуда я проследовал во второй зал, куда

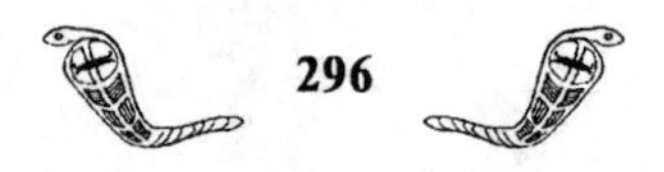

уже не мог проникнуть яркий свет африканского Солнца и где украшавшие его шесть исполинских колонн, в отличие от своих ярко освещенных собратьев в вестибюле, тонули во мраке. Я проникал все дальше вглубь сумрачного храма, освещая себе путь лучом фонаря. То и дело из темноты выступали характерным образом развернутые фигуры, глубоко врезанные в поверхность колонн и окруженные прямоугольными рамками, либо пространными иероглифическими надписями.

Некоторые изображения были отделены друг от друга широкой горизонтальной полосой. Далее следовали рельефные портреты фараонов и древних божеств: некоторые из них шествовали вдоль стен, прочие восседали на тронах. Один из рельефов изображал Птолемея, приближающегося к Изиде и юному Гору с подношениями в обеих руках. Всю композицию венчал живописный лепной фриз. И везде лица были повреждены: либо полностью стерты, либо безнадежно изуродованы. Но было видно, что повсюду присутствует Хатор: стволы каменных колонн украшала ее голова, а на стенах красовались ее изображения в полный рост.

Я продолжал свое неспешное путешествие по главному залу (а протяженность его, кстати сказать, превышает двести футов), несмотря на то, что атмосфера в нем мало способствовала внимательным исследованиям и размышлениям, поскольку это древнее замкнутое помещение служило теперь естественным накопителем пыли, наполнявшей воздух и неприятно щекотавшей ноздри. А где-то наверху под темной крышей и между капителями шевелился и верещал целый легион отвратительных существ, рассерженных моим неожиданным появлением в то время года, когда ни один турист не вторгается в пределы их владений. Это были летучие мыши. «Чужой! — пищали они хором. — Чужой! Сейчас не время путешествовать по Египту. Убери прочь свой мерзкий фонарь, он пугает и смущает нас. И сам убирайся вместе с ним. Дай нам спокойно отдыхать на привычных фризах и рельефах среди изувеченных голов богини Хатор и запыленных карнизов. Ступай прочь!» Но я и не думал уходить, не достигнув намеченной цели — внимательно изучить все великолепные изображения храма. Сквозь плотный слой грязи, скопившейся на необъятном потолке, едва проступали образы огромных скарабеев и крылатых Солнц. К тому же рассматривать их мешали летучие мыши, носившиеся, как полоумные, удравшие из сумасшедшего дома, во всех направлениях, хриплым писком выражая свое недовольство моим присутствием. Только когда я свернул в сторону и спустился в узкий коридор, что вел в храмовое подземелье, они стали понемногу успокаиваться, возвращаясь к обычному полусонному состоянию.

Если главный зал показался мне довольно меланхоличным, хотя и интересным помещением, то подземелье, куда я наконец спустился, навеяло на меня еще большее уныние. Стенами этому мрачному подземному сооружению служила мощная кладка храмового фундамента. Как и верхний зал, они были богато украшены резными барельефами, изображавшими когда-то совершавшиеся здесь странные ритуалы.

Выбравшись из этого напоминающего склеп подвала, я вернулся к величественному портику. Вход в храм запирали некогда прочные двери, окованные сияющим золотом. Я вышел из ворот и направился вдоль наружной стены храма.

Сейчас трудно поверить в то, что когда это здание вновь обнаружил в середине прошлого века Аббас-паша, оно было почти полностью завалено песком и камнями, ставшими для храма могилой,

из которой его смогли вызволить только лопаты и кирки археологов. Множество крестьян проходило через место его погребения, даже не подозревая о том, что под ногами у них скрывается Прошлое.

На внешней стене храма мое внимание привлек знаменитый барельеф на ее тыльной стороне, изображающий Клеопатру, не пожалевшую денег на реставрацию храма, когда он начал разрушаться от ветхости. За это царица была вознаграждена рельефным портретом, вырезанным на стене в ее честь. Рядом с ней изображен ее маленький сын Цезарион, внешностью поразительно напоминающий своего великого отца — Юлия Цезаря. Лицо матери, однако, показалось мне не слишком схожим с оригиналом, древние египетские монеты передают ее черты с гораздо большей точностью. Она была последней в длинном списке египетских цариц — эта прославленная дочь Птолемея — и когда Юлий Цезарь пересек со своими легионами Средиземное море, она стала его любовницей практически с первого дня его пребывания в Египте. «Как странно, — подумал я, — ведь именно эта женщина через Цезаря связала Египет с маленьким далеким островом, которому суждено было сыграть столь важную роль в истории Египта более чем восемнадцать столетий спустя. И как странно то, что эти римские солдаты принесли с собой в Британию, помимо собственных культов, заимствованный ими в Египте культ Сераписа, установив, таким образом, пусть даже опосредованный, контакт между двумя этими странами еще в глубокой древности».

В храмовом рельефе царица, конечно же, была изображена с рогатым диском богини Хатор на голове, из-под которого ниспадала пышная масса заплетенных волос. Лицо ее было полным и круглым, как у женщины властной, привыкшей отда-

вать приказы и добиваться своей цели любыми — и честными, и преступными — средствами. Именно ее влияние подсказало Юлию Цезарю идею перенести столицу своей империи в Александрию, которая должна была стать центром мира. На этом портрете облику царицы были приданы явно семитические черты, в них не было абсолютно ничего греко-египетского. Вероятно, моделью для него послужила какая-то дочь еврейского, арабского или ассирийского племени.

Я сидел на расколотой каменной глыбе и размышлял о том, как со смертью Клеопатры ушла в небытие и политическая самостоятельность Египта, ведь она была не просто одной из самых знаменитых красавиц древнего мира, но и женщиной, сыгравшей довольно заметную роль в истории. Как это ни удивительно, но судьба великого человека и даже целого народа зависит иногда единственно от улыбки женских губ.

Храмовые стены до самого карниза были покрыты барельефами и иероглифическими надписями, также глубоко врезанными в их поверхность. Ровные и гармоничные ряды чередующихся с изображениями надписей уже сами по себе составляли украшение храма. Отсюда можно заключить, что в Древнем Египте, так же как и в Древнем Китае и Древней Вавилонии, каждый желавший обучиться грамоте должен был научиться еще и рисовать. Так что каждый египетский писец и каждый жрец был к тому же немного художником. Первый опыт письменности первобытного человека представлял собой, что вполне естественно, попытку изобразить свою мысль в виде рисунка. Но у египтян не наблюдается обычного в таких случаях постепенного перехода от грубого варварства к основам культуры. Легенда приписывает изобретение уже развитой системы иероглифической письменности богу Тоту, тем самым передавая в популярной форме историческую истину. Эту письменность в виде готового откровения передал эмигрантам из Атлантиды, основавшим колонию на берегах Нила, богочеловек, Адепт по имени Тот (правильнее — Техути). Это было накануне того потопа, что уничтожил последний остров Атлантиды. Тот является также автором «Книги мертвых». В его собственной системе письменности он изображается в виде Ибиса — странной птицы с похожими на ходули ногами и длинным клювом.

Сравнительная филология выдвигает все больше аргументов в пользу того, что многоразличие языков современности развилось из определенных корневых языков, которые, в свою очередь, происходят от единого общего первоязыка. И когда в один прекрасный день историю этих языков удастся проследить до их изначальных корней, их первоисточник, я уверен, отыщется именно в Атлантиде.

В древности считалось, что иероглифы «говорят, указывают и умалчивают». А из этого следует, что в них вкладывалось тройственное значение. Первым было их обычное фонетическое прочтение, необходимое для выполнения ими функции письменности, и дальше этого непосвященный человек не мог проникнуть в их смысл. Но у иероглифов было и другое свойство, понятное древним писцам, — способность символически выражать мысль на папирусе или камне, что делало ее доступной для расшифровки даже неграмотному человеку. И, наконец, — их эзотерическое значение, известное лишь посвященным жрецам и хранимое ими в секрете.

«Слово бога» — таково описательное имя, присвоенное иероглифической письменности самими египтянами; и не только потому, что она была пе-

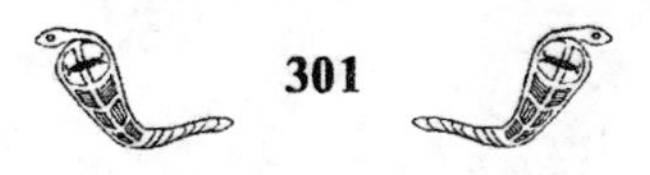

редана людям одним из богов, но и по причине их скрытого значения, понятного лишь немногим избранным.

Это второе их значение открывалось лишь тем, кто проходил посвящение в мистерии. Ни один современный египтолог не продвинулся дальше расшифровки популярного значения иероглифов (хотя и это уже само по себе огромное достижение) и большее им пока недоступно. Ибо «слово бога» требует от исследователя известной духовной утонченности и искреннего желания постичь его глубинный смысл. В противном случае оно вряд ли раскроет свои тайны. То же самое можно сказать и о тайнах, передававшихся посвящаемому в мистериях Египта.

Еще один посвященный, Плотин, живший в древней Александрии, тоже намекал на символический характер иероглифов, когда писал следующие строки:

«В настойчивом поиске истины и при передаче ее ученикам мудрецы египетских храмов не пользовались обычными письменными знаками (которые суть лишь обозначения звуков устной речи), но рисовали символы, куда вкладывали определенные мысли и идеи. Каждый символ, таким образом, заключал в себе определенную долю знания и мудрости. Это была кристаллизация истины. Учителя и ученики, зная значение образа, могли истолковать его словами и объяснить, почему он выглядит именно так, а не иначе».

Все дело в том, что египтяне, как и другие народы Древнего Востока, даже не помышляли об отделении религии от светской жизни и потому не склонны были рассматривать язык, письменность и речь исключительно как средство общения. Они не только наделяли магическими свойствами людские имена и названия вещей, но и считали иерог-

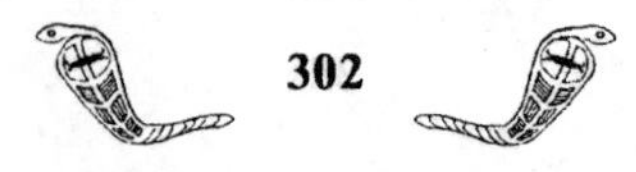

лифы символами тайного знания, передававшегося за закрытыми дверями мистерий.

Лишь тот, кому посчастливилось лицезреть божественного Осириса — победившего «смерть» и дарующего людям «второе рождение» (именно так «Книга мертвых» определяет цель высших ступеней посвящения) — знал и мог правильно истолковать глубинный смысл иероглифов — самой совершенной в мире системы литературного символизма.

Думается, что в сочинениях историка Геродота, который сам был посвященным, можно отыскать подтверждения тому, что иероглифы считались в Египте священными и имели скрытое значение, известное только жрецам самого высокого ранга. А другой посвященный — Ямвлих — писал, что этим тайным языком иероглифов пользуются сами боги.

Вместо того, чтобы во всех тонкостях вникать в суть принципа, заложенного в основу символического значения иероглифов, ограничусь намеком, облеченным в форму вопроса.

В иероглифической письменности фигура сидящего человека обозначает душу, достигшую божественного уровня, поэтому она часто используется при написании имен божеств (например — ее можно видеть над их портретами). А теперь попробуйте поразмыслить над тем, почему египтяне рисовали именно *сидящую* фигуру, а не стоящую?

Не желая навлекать на себя насмешки академических профессоров египтологии, которые наверняка отреагируют именно таким образом на столь наглое и самоуверенное посягательство на их святыни, я оставляю за читателем право найти свой собственный ответ на этот вопрос.

Деятельность знаменитых египтологов (в пределах интересующей их самих сферы) заслуживает всяческой похвалы. Но сокровища, таящиеся на

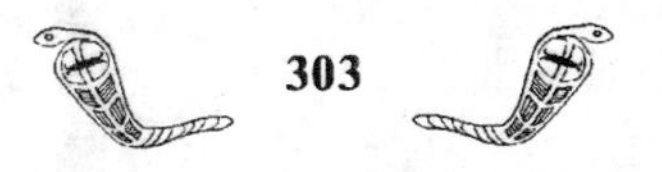

стенах храмов и в свитках папирусов, им недоступны, ибо такова воля судьбы.

Роль судьбы в самом открытии этих текстов просто поразительна. Если бы Наполеон не вторгся в Египет, эти надписи на стенах и папирусах могли бы до сих пор оставаться непрочитанными. Бонапарт, в некотором мистическом смысле, и сам был человеком судьбы, поскольку оказывал заметное влияние на каждую страну, каждого человека и даже на каждый предмет, с которым когда-либо соприкасался. Он был настоящим орудием Провидения, но также и орудием Немезиды.

Его вторжение положило начало ознакомлению Европы с жизнью и мышлением Древнего Египта. Как наглядно свидетельствует история, воин нередко прокладывает дорогу ученому, духовному учителю или торговцу, хотя временами случалось и обратное — вмешательство воина преграждало им путь.

С воцарением в Египте греков древний язык начал понемногу забываться. Новые правители, что вполне естественно, стремились распространить греческое образование и греческий язык среди образованных классов египтян. К примеру, на важные правительственные посты назначались только те, кто в совершенстве овладел греческим. Древняя священная школа в Гелиополе, готовившая новых жрецов и остававшаяся центром традиционного египетского образования, всячески подавлялась властями и наконец была закрыта. За исключением некоторых из жрецов, упорно продолжавших тайно придерживаться традиционной письменности, практически для всего Египта национальным стал греческий алфавит.

К концу третьего столетия христианской эры во всем Египте не осталось человека, способного расшифровать обычный экзотерический смысл иерог-

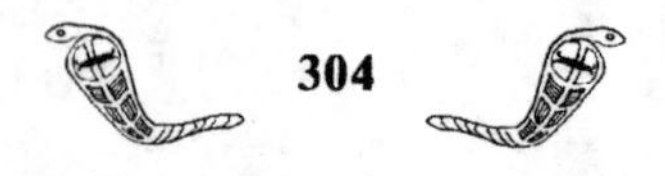

лифических надписей, не говоря уже о том, чтобы добавить к ним свои собственные.

С тех прошло пятнадцать веков. Искусство истолкования иероглифов по-прежнему считалось полностью забытым. И тогда в александрийский порт под самым носом адмирала Нельсона украдкой пробрался фрегат Наполеона.

Вслед за этим его армия занялась возведением фортификационных сооружений и основательным рытьем траншей. Одним из самых важных мест ее дислокации стала стратегическая позиция в устье Нила, неподалеку от портового городка Розетта. Именно здесь молодой артиллерийский офицер — лейтенант Буссар — сделал свое знаменитое открытие, послужившее ключом к разгадке иероглифической письменности. Лопаты его солдат, копавших котлован под фундамент будущего форта Сен-Жюльен, наткнулись на расколотую глыбу черного базальта, которая была извлечена на свет. Лейтенант сразу же оценил важность этой находки, ныне широко известной как «розеттский камень», ибо она содержала надпись с параллельным текстом на разных языках. Это была посвятительная надпись мемфисских жрецов, включавшая восхваления в адрес Птолемея V. Пятьдесят четыре выбитых на камне строки были написаны по-гречески. Рядом шел египетский перевод, выполненный иероглифическим и демотическим письмом.

Камень отослали в Европу, где им занялись ученые, которым удалось-таки выявить египетский эквивалент греческого алфавита. Заполучив этот ключ, они смогли, наконец, прочесть запечатленные в камне и на папирусе тексты, изумлявшие мир на протяжении многих столетий.

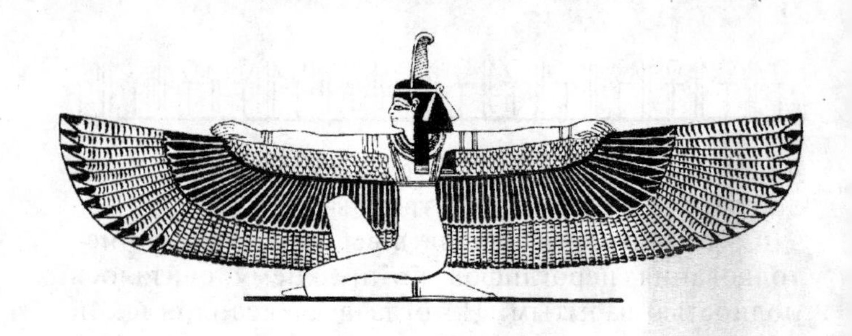

Глава 14

ДНИ КАРНАКА

Наконец я проник в настоящий Египет — захватывающую древнюю страну, где сочетание Нила, храма, поля, деревни и неба создавало яркую и притягательную панораму края, которым правили, утопая в роскоши, гордые фараоны, а каменные своды ежедневно отзывались эхом на песнопения множества жрецов. Здесь, в Луксоре — в 450 милях вверх по реке от Каира — можно было без труда вообразить себя в Прошлом, столь мало изменился за истекшие тысячелетия окружающий ландшафт.

Именно здесь, в Южном, или Верхнем, Египте (как с незапамятных времен окрестили его географы), отчетливее всего видны следы древности.

Его всемирно знаменитая столица Фивы («Стовратный Город» Гомера) уже канула в Лету, но она оставила нам Карнак — некогда главную резиденцию египетского жречества.

И сегодня Карнак — настоящая жемчужина округи. Слава его величественных, хотя и изрядно разрушенных в наши дни храмов облетела весь мир. В их число входит и крупнейший из ныне известных древних храмов Египта — Великий Дом Амона-Ра, которому в свое время платили дань все

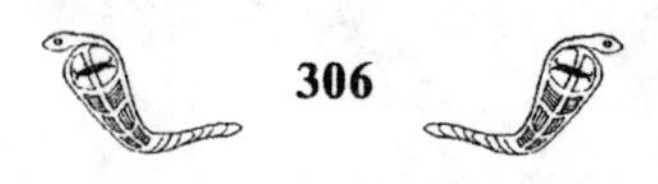

прочие египетские храмы. Потому-то я и решил сделать Карнак завершающим пунктом своего паломничества. Я бродил меж его осыпающихся руин и поваленных колонн как при ярком свете Солнца, так и в тусклом свете Луны.

Карнак, расположенный неподалеку от большой зеленой пальмовой рощи, стоит в двух или трех милях ниже по реке от Луксора и чуть в стороне от берега. К нему по широкой равнине ведет пыльная дорога, открытая палящим лучам сияющего на бледном небосводе светила. После увенчанного белым куполом мавзолея исламского шейха и тамарисковой рощи на пути путешественника неожиданно вырастает огромный, сложенный из песчанника пилон. Повсюду на полях снуют хохлатые удоды, выискивая себе пропитание посреди жнивья. Такой же обыденной частью пейзажа являются разбросанные тут и там безголовые, полуразбитые, полузакопанные или опрокинутые небольшие сфинксы с бараньими головами. Когда-то они стояли по обе стороны дороги на всем ее протяжении от Луксора до Карнака, но теперь в большинстве своем погребены под слоем земли в придорожных полях. Протяженность дороги составляет три мили, так что в древности ее должны были украшать с обеих сторон сотни таких сфинксов.

Довольно живописное зрелище являет собою величественный сторожевой пилон, вздымающийся ввысь на двадцать три ярда.

Такая архитектурная форма как пилон — с его наклонными гранями башен и изогнутым нависающим архитравом — производит яркое впечатление строгой красоты и силы. Фронтальная стена пилона украшена рельефным портретом Птолемея, создавшего этот памятник, — царь был запечатлен в момент подношения даров фиванским богам. Кроме того, величественный портал прорезали

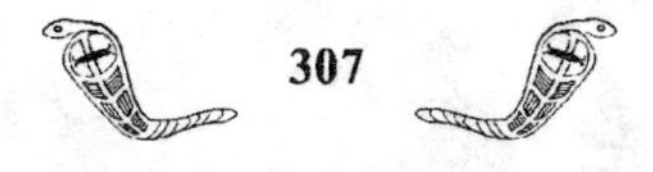

сверху донизу четыре вертикальных желоба, в которых было проделано по нескольку круглых углублений. В эти углубления вставлялись некогда древки флагов, украшавших храм во время религиозных праздников и отпугивавших своей яркой расцветкой злые силы.

Войдя внутрь, я оказался посреди открытого двора храма Хонсу — бога, изображавшегося с головой ястреба. В представлении непосвященных египтян он был сыном Амона. Центр двора занимали два ровных ряда разбитых колонн, от которых уцелели лишь основания. На стенах была запечатлена священная процессия судов, плывущих вверх по Нилу к Луксору, чтобы доставить туда образ Амона-Ра. Я пробрался в разрушенное святилище, где в древности хранилась священная храмовая ладья Хонсу. Обряды и ритуалы, проводившиеся в этих стенах, много значили для народа и для жрецов, стремившихся к усилению своего авторитета; но особое значение они имели для самих царей. И только посвященные не видели в них ничего особенного, поскольку понимали, что все это — лишь символы и иносказания, но никак не проявления реальности.

На восточной стене, примыкающей к святилищу внутренней комнаты, я обнаружил серию любопытных барельефов, для каждого из которых был выделен свой особый фриз. И первым попавшимся мне на глаза резным изображением оказался Сфинкс — мой старый друг, рядом с которым я когда-то медитировал долгой зимней ночью!

Я сразу же понял, что набрел на что-то важное, ибо можно блуждать среди развалин египетских храмов целыми днями и не встретить ни единого изображения Сфинкса ни на стене, ни на колонне.

На следующем барельефе был изображен фараон Рамсес IV, подносящий статуэтку в дар богине

Аменти. Эта статуэтка имела плоское основание, на котором уместились сразу две фигурки. Впереди сидит на корточках ребенок — никто иной как Гор, сын Осириса. С его головы свешивается набок нечто напоминающее густую прядь волос, — Гор увенчан символами Солнца и змеи. Его левая рука покоится на колене, а правая — поднята к лицу, ее указательный палец прижат к губам, — Гор призывает хранить молчание.

А позади него — фигура Сфинкса.

Аменти протягивает свою правую руку навстречу Рамсесу. Ее пальцы сжимают крест с кольцом наверху, направленный как раз между глаз царя.

Что же могла означать эта сцена?

Египтолог, разумеется, сразу же предложил бы очевидное и аргументированное истолкование, которое, на его уровне, в самом деле можно было бы признать правильным. Он сказал бы, что царь приносит жертву богине и ничего более. Такие настенные изображения действительно зачастую посвящены каким-либо историческим событиям (например, победоносной войне). Но эта сцена — явно иного порядка и изображает некий в высшей степени священный ритуал (тем более, что помещена она как раз возле святилища — святая святых храма).

Точно так же, как египетские иероглифы имели эзотерическое значение, известное лишь посвященным жрецам, хотя в то же время могли служить и как обычная система письменности, так и изображения богов тоже значили для посвященных гораздо больше, чем для простолюдинов. Таким образом, скрытый смысл этой картины был понятен лишь тем, кто был хорошо знаком с учением мистерий.

Ключевой фигурой всей композиции является богиня Аменти. Крест с круглой рукоятью (или

кольцом наверху), которым она указывает между глаз Рамсеса, жрецы называли «Ключом к таинствам». Он символизировал доступ к мистериям и их тайнам, хотя для египтолога это просто иероглиф, обозначающий жизнь. Но для посвященного это все же ключ, открывающий двери храма мистерий; а как геометрическая фигура он символизирует торжествующий бессмертный дух посвященного, освободившийся от своего «распятого» материального тела. Круг, не имеющий ни начала, ни конца, означает вечную природу божественного духа; а крест символизирует сходное со смертью состояние транса, в которое погружают посвящаемого.

Таким образом, крест — это смерть посвящаемого, его распятие. В некоторых храмах человека и в самом деле укладывали на деревянное ложе, имевшее форму креста.

Точка между бровями человека приблизительно указывает на местоположение шишковидной железы, сложность функций которой до сих пор удивляет медиков. На первой ступени посвящения эту железу особым способом активизировал иерофант, что на некоторое время делало посвящаемого способным видеть бесплотные существа, неизменно присутствовавшие на этой церемонии. При этом использовались месмерические методы, но помимо них применялись и сильнодействующие воскурения.

Следовательно, указуя крестом на переносицу фараона, богиня Аменти дает ему позволение на участие в мистериях и открывает ему на время видение иного мира. Но фараону нельзя было никому рассказывать о том, что он видел и чувствовал во время посвящения. Об этом напоминает первая фигурка статуэтки — маленький Гор или «Гор горизонта», но на самом деле бог Гормаху, традиционно ассоциирующийся со Сфинксом; его прижатый к губам палец недвусмысленно означает приказ хранить молчание. Подобные образы встречаются во всех храмах и размещаются также возле святилищ. И везде прижатый к губам палец символизирует тайну, окружающую божественные мистерии.

Сама Аменти является женской («сокрытой») ипостасью Амона.

А то, что царь предлагает статуэтку богине в виде подношения, указывает на его готовность сомкнуть уста и навечно сохранить доверенную ему тайну.

Но для чего за спиной у Гормаху помещена фигурка лежащего Сфинкса?

Сфинкс подобен погруженному в транс посвященному, полностью лишившемуся дара речи на все время посвящения, и потому всегда молчит. За всю свою долгую жизнь он не сказал людям вслух ни единого слова. Сфинкс умеет хранить свои секреты. Но какие именно древние секреты он хранит?

То были секреты посвящения.

Сфинксу было поручено охранять самый величественный из всех древних храмов посвящений — Великую пирамиду.

Ведь церемониальная дорога к пирамиде всегда шла со стороны Нила, и каждый, кто шел от берега реки, желая попасть в пирамиду, должен был сначала пройти мимо Сфинкса.

И молчание Сфинкса призвано было еще раз напомнить всем о необходимости свято оберегать тайну посвящения.

Следовательно, фараон тоже был предупрежден о том, что его ждет встреча с самым возвышенным из всех мистических откровений, доступных человеку.

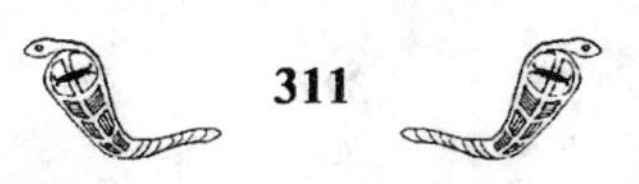

Три следующих фриза продолжали серию мистических картин, изображая последствия приобщения фараона к тайне мистерий. Но если в седой древности доступ к этим картинам был разрешен лишь немногим избранным, то сейчас ими может любоваться каждый путешественник и каждый турист.

На втором панно фараон уже стоит рядом со взрослым Гором, которого сразу можно узнать по его соколиной голове, и богом Тотом с головой ибиса. Оба бога держат сосуды над головой Рамсеса, но вместо потоков воды на царя изливаются египетские (с кольцами наверху) кресты.

Тот, как мы знаем, был одновременно богом мудрости и тайного учения. Здесь он изображен дарующим фараону через посвящение тайное знание о психических силах и духовную мудрость, которой в древние времена так славился Египет. Тот был также и повелителем Луны, поэтому все магические и тайные религиозные церемонии (и прежде всего, посвящение в мистерии) проводились ночью и только в то время, когда Луна обретала наибольшую силу — то есть в новолуние и полнолуние.

Взрослый Гор — бог с головой сокола — считался солнечным божеством. Его участие в этой сцене отражает тот факт, что посвящение, хотя и начинается ночью, завершается уже утром, с наступлением рассвета. Когда лучи восходящего Солнца касаются головы посвящаемого, иерофант обращается к нему со «словами повеления», и тот просыпается.

На третьем панно Рамсеса — уже посвященного — ведут за собой, доброжелательно взяв за руки, двое других богов. Перед его лицом они держат египетский крест, символизирующий его причастность к миру богов благодаря только что приобретенному им знанию. В последней сцене фараон протягивает Амону-Ра статуэтку, изображающую сидящего бога с украшенной пером головой — бога Истины. Теперь фараон приобщился к мудрости и стал обладателем «истинного голоса». Всю свою оставшуюся жизнь он возложит, как жертвоприношение, на алтарь истины — то есть подчинит и мысли свои, и дела правящим людской жизнью духовным законам, только что открытым ему в посвящении.

Вот так эти резные изображения позволили мне заглянуть в тайную внутреннюю жизнь просветленного фараона и пополнить свои знания о знаменитых на весь мир, и в то же время — мало кому известных египетских мистериях.

Мое внимание привлек стоящий немного западнее небольшой, но очень живописный храм, где некоторые из числа посвященных обретали свою мудрость. Это было святилище мистерий Осириса, которое я склонен считать одним из самых важных сооружений Карнака, невзирая на его скромные размеры. У самых его ворот, на косяках дверного проема, я обнаружил рельефы, изображающие Птолемея — строителя этого храма — стоящего перед самим божественным Осирисом.

Переступив порог, я оказался посреди вытянутого портика, крышу которого — сплошь усеянную надписями и рисунками — поддерживали две симпатичные, украшенные изображениями тростника и цветов, колонны с капителями в виде знакомого лица богини Хатор. В восточной стене были проделаны два небольших оконца, забранные каменной решеткой, но в создаваемом ими тусклом освещении уже не было никакой нужды, поскольку от каменной крыши отвалились три огромных блока, и Солнце светило в полную силу сквозь образовавшуюся брешь.

Следом за портиком начиналась небольшая прихожая, со стенами, украшенными четко очерченными барельефами и вертикальными столбцами иероглифов. В обеих боковых и в дальней стене прихожей были проделаны выходы. Их обрамляли три прекрасно сохранившиеся дверные рамы — редкое зрелище в чудом уцелевших до наших дней полуразрушенных египетских храмах. Каждый из трех дверных проемов был увенчан архитравом с изображением не менее двух десятков величественных каменных кобр.

Это были не просто рельефы, вырезанные на поверхности стены, но самые настоящие скульптуры — с поднятыми вверх головами и распущенными капюшонами. Под каждым рядом кобр был расположен уже знакомый знак крылатого Солнца, и вся композиция, таким образом, составляла довольно массивный декор высотой почти в целый ярд.

Присутствие этих королевских кобр означало, на мой взгляд, то, что все три помещения, скрытые за этими тремя дверями, играли очень важную роль в жизни храма. Я проследовал сперва в дальнюю дверь и очутился в маленьком святилище, на стенах которого были изображены молящийся фараон и знак богини Хатор. Прямо у входа в него в каменном полу зияла яма, напоминавшая при свете фонарика полуразрушенный вход в древнее подземелье.

Я обследовал также и обе боковые комнаты и обнаружил в них по углам еще две норы, ведшие в тот же самый храмовый подвал. И в этом не было ничего удивительного, поскольку вся земля в этом месте изрыта всевозможными тоннелями и катакомбами. С правой стороны портика я нашел в полу сразу два отверстия, исследовать которые было невозможно из-за скопившейся в них пыли.

Археологам удалось установить, что один из этих подземных коридоров тянется отсюда до самого храма Хонсу.

Весь пол в храме покрыт таким толстым слоем пыли, что можно было без труда представить себе, как храм смог исчезнуть под ее толщей по прошествии столетий запустения. Я постарался отыскать на поверхности древних камней какие-либо человеческие следы, но не нашел ничего, кроме отпечатка босой ноги, должно быть, оставленной сторожем-арабом из соседнего храма Хонсу. Пыль лежала ровным слоем по всему полу, ничем не потревоженная, если не считать нескольких четко различимых изящных отпечатков, оставленных маленькими змейками, не так давно переползавшими от одной норки к другой. И я подумал о том, как давно молчаливое уединение этого святилища не нарушал ни один турист или путешественник.

Я знаю, что один из путеводителей вовсе не рекомендует туристам заглядывать в этот храм, поскольку он-де не заслуживает их внимания. Я знаю также, что посетителей здесь никто не ждет, да и не приветствует, поскольку правительственный департамент древностей распорядился перегородить вход деревянными воротами и запереть их. Я тоже не мог попасть сюда до тех пор, пока не привел сторожа-араба из большого храма, и тот, выбрав из большой связки нужный ключ, не открыл им дверь этого маленького святилища Осириса. Но почему его закрыли? Может, из-за этих опасных ям в полу?

А для чего понадобились все эти загадочные катакомбы и мрачные коридоры? Мне сразу вспомнился так поразивший меня в Абидосе странный склеп, окруженный рвом с водой, — тот самый, вход в который был на сорок футов завален обломками.

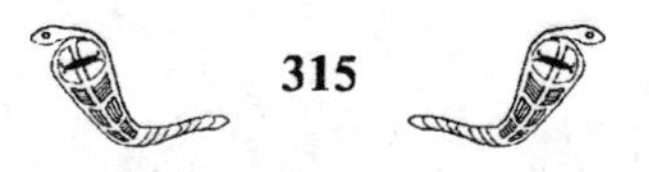

* * *

Пока я размышлял об этом, мое внимание привлекло нечто, похожее на гробницу; и вновь перед моим мысленным взором всплыл древний ритуал, в котором разыгрывалась драма смерти и воскресения Осириса — ритуал, вырезанный в камне на стенах маленького храма мистерий, устроенного на крыше большого храма Дендеры — ритуал, который я видел и через который сам прошел той ночью, когда решил остаться до рассвета в кромешной темноте Царской комнаты Великой пирамиды — ритуал, некогда переданный атлантическим Осирисом высшему жречеству Древнего Египта.

Но почему для мистических посвящений всегда избирались столь мрачные и унылые места?

На этот вопрос имеется сразу три ответа: необходимо было обеспечить полную секретность и безопасность экспериментов, которые не были предназначены для посторонних и могли причинить им вред; посвящаемому легче было погрузиться в транс, если никакие внешние предметы не мешали ему сосредоточиться на внутреннем мире, куда он должен был перейти; и, наконец, — древним всегда был по душе утонченный символизм, а темнота помещения, с точки зрения иерофантов, символизировала духовную тьму и невежество, в которых человек пребывал до посвящения, ибо в момент пробуждения он уже находился в другом месте, и глаза его открывались прямо навстречу солнечным лучам, что должно было означать духовное просветление. После длительного посвящения, начинавшегося среди ночи и завершавшегося только на рассвете, новоявленный посвященный переходил от материалистического невежества — тьмы — к духовному знанию — свету.

Тайные церемонии мистерий проводились в подземных склепах, в пристроенных к святилищам храмов потаенных комнатах или же в маленьких храмах, установленных на крышах больших, и более нигде. Все эти места оставались недоступными для посторонних, которые, как правило, даже не пытались проникнуть туда, памятуя о грозящих за это суровых наказаниях. Иерофанты, проводившие посвящения, тоже брали на себя огромную ответственность, поскольку от них зависела сама жизнь посвящаемого. Ведь неожиданное вторжение постороннего во время проведения священного ритуала могло бы повлечь за собой смерть посвящаемого, точно также как сейчас вмешательство постороннего в проведение сложной хирургической операции может иметь фатальные последствия для пациента.

Собственно говоря, посвящение как раз и представляло собой сложную психико-хирургическую операцию — отделение психической формы человека от его физического тела. Потому-то комнаты для посвящений всегда устраивались в уединенных местах и хорошо охранялись. В комнатах, пристроенных к святилищам храмов, даже днем царила темнота. Как только человек входил в храм, его уже окутывал полумрак, а когда переступал порог святая святых — оказывался в полной темноте. Пока посвящаемый пребывал в трансе, его тело до самого конца процедуры находилось под защитой темноты, и только на завершающей стадии его выносили на свет.

Точно также использовались и подземные помещения, где можно было не опасаться нежелательного воздействия солнечного света. Таким образом, эти склепы можно было назвать могилами не только в символическом, но и в самом прямом значении этого слова.

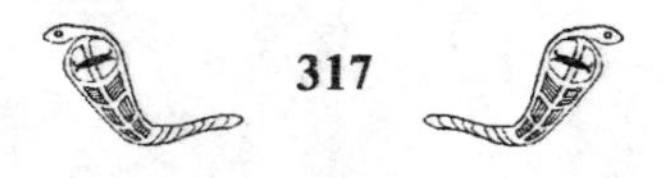

* * *

Забравшись в одну из нор и осмотрев мрачное подземелье, в котором жрецы проводили свои священные церемонии, я с чувством облегчения выбрался на свежий воздух, к ласковым лучам Солнца.

Возвращаясь назад к ветхому великолепию Карнака, я прошел через огромный портал величественного храма Амона-Ра. Можно было подумать, что эти ворота возведены здесь для великанов, а не для простых смертных. Они нависали над моей головой как скала. Любовь египтян к гипертрофированным пропорциям порой перехлестывает через край, как, например, в случае с Великой пирамидой близ Каира или с теми огромными столпами, под сенью которых я теперь стоял. Каждый из них был почти в пятьдесят футов в поперечнике — толще любой нормальной крепостной стены. Такую крепость египтяне возвели для того, чтобы не допустить непосвященный внешний мир в священные пределы храма, носившего в древности гордое название — «Престол Вселенной». Увы! Ныне это — разбитый престол. И когда я вышел в просторный внешний двор, то увидел там лишь изувеченные каменные глыбы, разбросанные в совершенном беспорядке. И только несколько уцелевших колонн немного скрашивали эту картину полного запустения. Я не спеша обходил четырехугольное пространство двора, ступая по неровной земле и сухим сорнякам, хотя раньше здесь была прекрасная мозаичная мостовая протяженностью в несколько сотен футов.

Оставив позади двор, я приблизился к высоким воротам, покрытым раскрашенными барельефами. Их обрамляли две полуразвалившихся башни другого пилона, напоминающего ныне груду разбросанных камней, раскаленных на Солнце. О прежней форме этого пилона можно было только догадываться. И все же в былые времена эти ворота возвышались на сотню футов над землей. Напрочь исчезли семь ступеней, положенных строителями у входа — семь символических степеней эволюционного роста человека, по которым он восходит от суетного материального мира к высшим сферам духа. Египтяне, как и многие другие древние народы, прекрасно разбирались в мистических числах, составляющих основу всей вселенной; они знали, что на седьмой день (или на седьмой стадии) наступает Покой, самое совершенное успокоение для человека, равно как и для каждого существа и для каждой вещи. Я замечал присутствие этих чисел во всех храмах по всему Египту, но особенно наглядное и оригинальное выражение они получили в Большой галерее Великой пирамиды. Так и здесь, у входа в самое величественное и грандиозное сооружение Карнака — Большой гипостильный зал храма Амона-Ра — были положены все те же семь ступеней, ныне выкорчеванных из земли стараниями неумолимого времени и человека.

Я вошел, и взору моему открылась ошеломляющая перспектива из шестнадцати сомкнутых рядов стройных колонн. Ничего подобного в своей жизни я еще не видел. Вся панорама была залита солнечным светом. И практически каждая из ста тридцати вертикально стоящих колонн отбрасывала густую горизонтальную тень на лишенную своего прежнего покрытия землю. Белокаменные столбы выстроились как армия исполинских солдат. Их толщина была не менее поразительной — каждая колонна имела примерно тридцать футов в окружности. Оно было поистине чудовищным, это грандиозное архитектурное сооружение, этот достигающий трехсот футов в ширину лес исполинских каменных деревьев. Это был Египет!

Большую часть этого зала построил фараон Сети, по чьему приказу был возведен еще и тот храм в Абидосе, где мне довелось испытать ощущение невыразимого покоя. Но здесь, в Карнаке, человек проникался иным ощущением — ощущением силы и могущества той древней эпохи, которая смогла воздвигнуть этот храм. Сети не дожил, да и не мог дожить до конца этого титанического строительства, и потому великому Рамсесу пришлось продолжить его, превращая асуанские скалы в огромные резные колонны и устанавливая на них тридцатитонные узорные архитравы, уравновешенные на огромной высоте без помощи цемента или каких-либо металлических креплений. Возведение столь масштабных сооружений могло преследовать, пожалуй, только одну цель — заставить человека задуматься, отвлечь его мысли от мелочных житейских проблем и обратить к более благородным целям и возвышенным устремлениям, направить на поиски более достойного применения своим силам и способностям. Одним словом, при виде циклопических сооружений Карнака у человека возникало желание самому уподобиться Рамсесу, чтобы создавать такие же огромные и величественные храмы, а вокруг них строить просторные красивые города, в которых люди могли бы жить, руководствуясь высокими идеями и благородными идеалами.

Когда-то у этого зала для массовых молений была крыша и мощеный пол; но теперь крышей ему служит бездонная синева неба, а пол заменяет беспорядочное месиво из земли, песка, камней и сорняков. Когда крыша еще была на своем месте, в зале должен был царить полумрак, поскольку единственным источником света здесь были забранные каменными решетками окна над центральным проходом, едва пропускавшие солнечные лучи. Но тяжелая крыша обвалилась, разбившись на сотню осколков, от которых сейчас мало что осталось.

Хотя широкие и мощные колонны явно стоят слишком близко друг к другу, никому не приходило в голову критиковать за это древних зодчих. Ведь более свободная расстановка колонн позволяла бы держать в поле зрения гораздо большее пространство храма, а древние, как известно, заботились прежде всего о символизме, а уж потом об архитектурном изяществе.

Каждая колонна была щедро украшена резными узорами и увенчана массивным каменным бутоном или же изображением цветка, имеющего форму колокола. Идеально круглые поверхности колонн были сплошь покрыты цветными фресками и иероглифическими надписями. Точно такие же украшения были на стенах и на архитравах. В картинах были запечатлены сюжеты из жизни египетских богов и царей. Их краски совсем не потускнели от времени.

Я узнал некоторых из нарисованных персонажей и кое-какие имена, заключенные в продолговатые картуши. Фараон Сети молится в присутствии бога Тота под священным деревом Гелиополя, гонит побежденных хеттов перед своей победоносной колесницей, вывозит могучие кедровые деревья из далекого Ливана, чтобы они служили древками для флагов в его храмах, и с триумфом возвращается в свою родную страну. Там было много и других персонажей; некоторые — полуобнаженные, некоторые — богато одетые, но всех их отличало напряженно-отрешенное выражение лица, присущее многим представителям этого народа. На южной стене вмурованная в кирпич каменная стела повествовала языком иероглифов о самом древнем из известных официальных договоров, заключенном Рамсесом Великим — «доблестным, сыном Сети I, великим правителем Египта» и хеттским царем Хетесаром — «сыном Мересара, великим вождем Хеты» (как его называют в тексте). Договор заканчивался оптимистичной фразой: «Добрый союз мира и братства, утверждающий вечный мир между ними».

Я вышел в узкий открытый дворик, где одиноко стоящий массивный обелиск указывал в небо своим пирамидальным пальцем, отбрасывая на землю лиловую тень. На нем красовался царский картуш его создателя Тутмоса I в окружении трех вертикальных рядов иероглифов. «Гор,Любимый Истиной, Царь Верхнего и Нижнего Египта, Амон. Он воздвиг этот монумент в честь своего отца Амона-Ра — Правителя Двух Стран, установив для него два великих обелиска перед двойным фасадом», — так переводится один из фрагментов этой надписи. Все то же безграничное преклонение перед богами.

Чуть поодаль, среди руин обвалившейся колоннады возвышается другой обелиск — еще более высокий и внушительный, чем первый, похожий на вырывающийся прямо из-под земли змеиный язык пламени. Высота его составляет почти сотню футов — это второй в мире по величине обелиск. В нижней части этого вертикально установленного монолита из ярко-розового гранита видна горделивая надпись, утверждающая, что его вершина некогда была покрыта золотом и серебром, дабы он был хорошо виден даже на большом расстоянии, и что изготовление этого обелиска и второго, ныне исчезнувшего его собрата и доставка их из Сиены заняли всего лишь семь месяцев. А приказала соорудить этот обелиск женщина, которая была для Египта кем-то вроде королевы Елизаветы или даже более того, — властная Хатшепсут. Она управляла Египтом не по-женски жесткой рукою и даже одевалась временами как мужчина. Эта длинноносая и скуластая женщина возводила огромные обелиски и просторные храмы и отправляла исследовательские экспедиции в дальние страны, сжимая в своей руке скипетр фараонов с силой, не свойственной представительницам ее пола, от которого, впрочем, она отреклась (в социальном аспекте) после смерти своего мужа.

Прочтите ее высокомерную надпись, высеченную иероглифами по всем четырем сторонам основания обелиска:

«Я сидела в своем дворце и размышляла о своем Творце, как вдруг сердце мое приказало мне воздвигнуть для Него два обелиска, вершинами своими устремленные в небо, в величественном колонном зале между двумя огромными пилонами Тутмоса I.

Пусть же тот, кто увидит мои обелиски по прошествии лет, восклицает: «Вот что было сделано ею». По моему приказу была воздвигнута эта вершина, покрытая золотом. Я правлю этой страной как сын Изиды; я могущественна и как сын Нут, когда Солнце покоится в Утренней Ладье и пребывает в Вечерней Ладье. И да пребудут они вечно, как Северная звезда. Поистине, Мое Величество украсило два эти обелиска золотом ради Отца моего Амона и из любви к нему, дабы увековечить его имя; и да стоят они вечно в пределах этого Храма. Они сделаны из одного цельного куска гранита, и нет в них ни частей, ни сочленений».

* * *

Я направился к огромным воротам, построенным вторым царем из династии Птолемеев и некогда ведшим к храму Мут, но теперь выводящим прямо в окруженные пальмовыми деревьями поля.

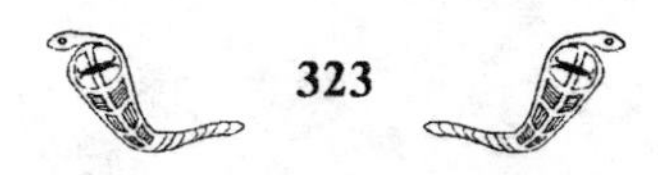

Невозможно было отвести взгляд от их совершенных очертаний и щедро украшенной поверхности. Их свод венчало скульптурное изображение крылатого Солнца (по представлениям древних — оберег, не допускающий проникновения в храм темных сил).

В прямоугольной красной комнате я устало прислонился к стене, на которой было выведено имя Филиппа Македонского (прекрасно сохраненную бережливой египетской землей монету с его изображением я нашел на следующий день в десяти милях от этого места).

Я пробирался сквозь заброшенные дворы мимо разрушенных святилищ Карнака; мимо серых осыпающихся стен, покрытых скульптурными рельефами; мимо святилищ из розового гранита, давно лишившихся своих статуй, изображавших египетских богов и богинь; обходя нагромождения разбитых каменных блоков. Погруженный в свои мысли, я шел по широкой неровной дороге, которая когда-то была зданием — но здание уже давно обвалилось и со временем вовсе исчезло. Предо мной лежало настоящее кладбище искалеченных Сфинксов и идолов с головами львиц. С опаской обходя кусты колючей ежевики, в изобилии произраставшей в разрушенном зале Тутмоса III, я добрался до едва сохранившегося святилища в дальнем его конце и остановился, задумавшись, под его низким архитравом. Какие цари гордо шествовали через этот зал, оставляя на его колоннах и стенах описания своих побед, и где сейчас эти цари? Бородатые лица Тутмоса, Аменхотепа, Сети, Рамсеса, Тутанхамона и Птолемея вереницей промелькнули перед моим мысленным взором и вновь растворились в воздухе. Оправдана ли была их гордость, — подумалось мне, — если всем их творениям все равно суждено было обратиться в пыль? Не разумнее ли было идти по жизни скромно и тихо, никогда не забывая о том, что всем, чем мы владеем, мы обязаны исключительно благоволению высших сил?

Когда моя прогулка по этому городу разрушенных храмов наконец подошла к концу, Солнце уже близилось к закату; подобно змее, выползающей из корзины на зов своего заклинателя, на землю надвигались сумерки.

Один из царей двадцать второй династии решил обнести все храмы Карнака окружной стеной из сырцового кирпича, и когда работа была закончена, общая протяженность стены составила полторы мили. Карнак — это сага в камне, эпос о титаническом труде и неотвратимом разрушении, почти уничтоженная временем, но все же бессмертная слава!

Я подождал до тех пор, пока над горизонтом не разлился, блистая всеми оттенками от золотисто-желтого до ярко-красного, подобно ослепительному трепещущему нимбу над головой ангела, живописный, хотя и скоротечный, закат, и отправился восвояси. Грандиозная панорама пустынной равнины с переливающимися в лучах заходящего Солнца всеми цветами спектра древними развалинами заставила меня на миг замереть на месте от восторга.

Снова и снова возвращался я в Карнак, чередуя серьезные исследования с обычными увеселительными прогулками, и каждый новый день неизменно обогащал меня какими-нибудь необычными фактами и неизгладимыми впечатлениями. Очарование Карнака охватывает вас постепенно, как наползающий от реки туман — его начинаешь замечать только тогда, когда он уже со всех сторон окружил вас. Люди не слишком утонченные и чувствительные, пожалуй, не увидят здесь ничего, кроме полуразвалившихся храмов, разбросанных кирпичей, камней, пыли и засохшего строительного раствора. Тем хуже для них! Но многие души при виде этих величественных развалин пришли бы в благоговейный трепет, ощутив их красоту и достоинство даже в их нынешнем плачевном состоянии.

Мне повезло, во время моего пребывания в Карнаке весь мертвый город был предоставлен исключительно мне одному. Меня никто не беспокоил, и ничто не нарушало царившей вокруг абсолютной тишины, если не считать усыпляющего жужжания пчел и веселого чириканья воробьев. Была самая середина лета, и толпы распаренных туристов уже покинули Луксор, спасаясь от надвигающейся нестерпимой жары и бурного всплеска насекомой и животной жизни, наблюдающегося в Южном Египте в это время года. Мухи, москиты, скорпионы и змеи, не говоря уже о прочих тварях, становятся необычайно активными при температуре, которая парализует людей, но, похоже, оживляет самые отвратительные существа, прежде всего — насекомых. Но возможность вести свои научные изыскания в одиночестве с лихвой компенсировала все эти неудобства, и даже жара, как мне показалось, ничуть не умерила моего исследовательского задора. И вообще, я пришел к заключению, что с Солнцем вполне можно поладить. Отчасти это было вопросом внушенной себе самому ментальной установки. Стоит вам только подумать, что беспощадное Солнце вот-вот вызовет у вас слабость или обморок, и защитный барьер немедленно рушится — вы получаете солнечный удар. А вот искренняя вера в свои внутренние ресурсы весьма ощутимо их активизирует.

Уединенное пребывание в Карнаке принесло мне огромную пользу. Чем больше я проникался

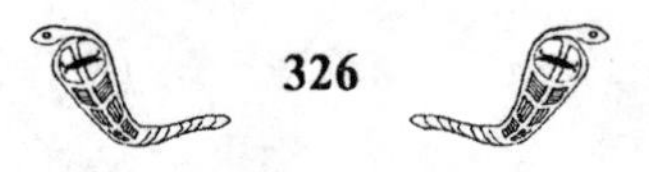

его умиротворенной атмосферой, тем восприимчивее становился мой разум к открывавшимся мне новым впечатлениям.

Способность ценить прелести одиночества не очень-то поощряется в нашу беспокойную эпоху. И любовь к тишине — редкое явление в наш век автоматики. Но я считаю необходимым каждый день хотя бы на краткое время отключаться от повседневных забот, предаваясь в тишине уединенной медитации. Это дает необходимый отдых уставшему сердцу и успокаивает утомленный разум. Наша жизнь напоминает сейчас бурлящий котел, в котором постепенно тонут все люди. С каждым днем человек погружается в этот котел все глубже, отдаляясь при этом от себя самого.

Регулярная медитация и связанное с ней духовное самопогружение непременно принесут со временем щедрые плоды. Медитация придает человеку стойкости в решающий час, мужества для того, чтобы жить своим умом, не следуя на поводу у общественного мнения, и стабильности, что тоже очень важно, учитывая сумасшедшие темпы нашей жизни.

Самое скверное в нашей современной жизни то, что она ослабляет способность человека глубоко и сосредоточенно мыслить. В лихорадочной спешке большого города (такого, например, как Нью-Йорк) человеку просто некогда присесть и задуматься над тем, что внутренняя жизнь его парализована; он помнит только, что ему нужно спешить. Природа, однако, никуда не спешит — ей потребовались многие миллионы лет для того, чтобы создать эту маленькую фигурку, несущуюся куда-то по Бродвею, — и она готова сколь угодно долго ждать наступления более спокойных времен, когда человек сможет вырваться из той пучины бедствий и страданий, в которую он когда-то погрузился по своей же воле, и у него появится возможность заглянуть в бездонный кладезь божественной мысли, погребенный до тех пор под его собственной суетной оболочкой и блестящей, но бесполезной мишурой такого же беспокойного мира, где ему приходится жить.

Мы находимся во власти наших физических чувств, но настало время подчинить их себе. Пришла пора направить священную ладью нашей души в плавание по тем морям, куда наши физические чувства ни за что не отважатся отправиться следом за нами.

Также и учения Пророков — те истины, что изложены в их книгах и речениях — мы сможем понять скорее благодаря медитации, нежели на основе того опыта, который дает нам наша обычная повседневная жизнь.

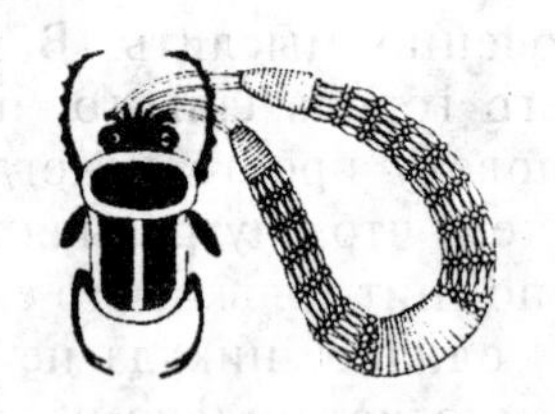

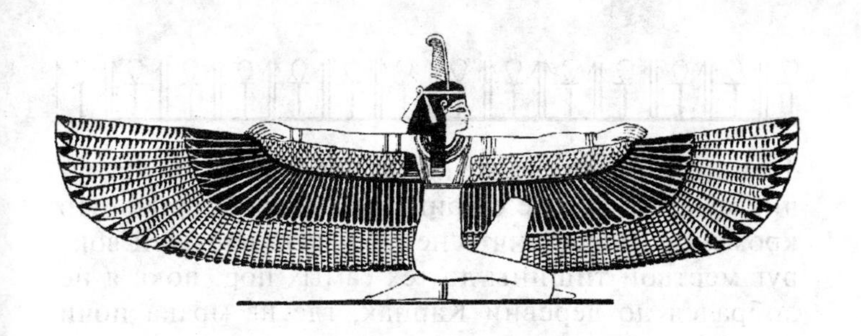

Глава 15

НОЧИ КАРНАКА

Еще более волнующими были мои ночные визиты в Карнак; в особенности один из них, предпринятый мною в ночь полнолуния. Египетские ночи окутывают древние храмы этой страны мистическим светом, открывающим как раз то, что должно быть открыто, благоразумно оставляя все прочее во мраке.

Мне доводилось приближаться к ночному Карнаку с разных сторон и разными способами, и каждое из этих путешествий было по-своему восхитительным. Однажды я плыл вниз по Нилу на лодке под большим парусом при сильном ночном бризе; в другой раз — медленно ехал в седле, возложенном на спину трудолюбивого животного; доводилось мне подъезжать к Карнаку и по древней дороге в более или менее комфортабельной конной двуколке.

Но в ту ночь полнолуния я не нашел более подходящего способа добраться до Карнака, как просто пройти несколько миль пешком, как это делали древние жрецы даже во времена наивысшего расцвета и могущества Египта. Белая пыль, толстым слоем покрывавшая дорогу, по краю которой я шел к Карнаку, была залита серебряным светом.

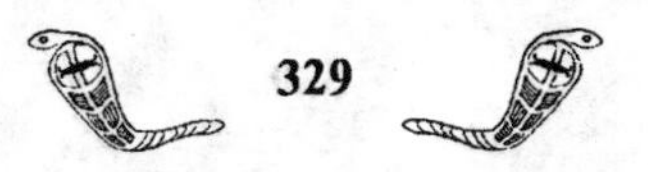

То и дело прямо на меня пикировали сверху летучие мыши и тут же с криком уносились прочь. Но кроме них более ничто не нарушало царящей вокруг мертвой тишины до тех самых пор, пока я не добрался до деревни Карнак, где из мрака ночи мне навстречу выплыли темные силуэты людей в длинных рубахах — некоторые из них держали в руках зажженные фонари, в нескольких незастекленных окнах тоже поблескивали желтые огоньки светильников.

Я совершенно бесшумно ступал по мягкой песчаной пыли, устилавшей землю; но проницательные крестьяне, казалось, каким-то шестым чувством уловили приближение к их деревне странного ночного незнакомца, и стали то по-одному, то по-двое выходить из дверей, чтобы посмотреть на меня, или же просто лукаво поглядывали в мою сторону из окон своих домов. Сцена была сама по себе из ряда вон выходящей, а лунный свет придавал ей просто фантастический вид.

Возникшее среди жителей деревни легкое беспокойство передалось и нескольким собакам, которые сочли нужным отреагировать на мое появление ленивым лаем. Я поспешил успокоить и тех, и других смущенным приветствием, так, впрочем, и не замедлив своих шагов.

Я хорошо понимал этих простых, приятных в общении людей, во многом соглашаясь с их не слишком серьезным отношением к жизни, всю философию которого можно было выразить одним простым словом — *«Малиш!»* («Не стоит беспокоиться!»).

И тут, в конце пути, за деревней замаячил огромный серебряный силуэт пилона Птолемея, подобный призрачному стражу великого храма. Его пирамидальная вершина четко вырисовывалась на фоне индигового неба.

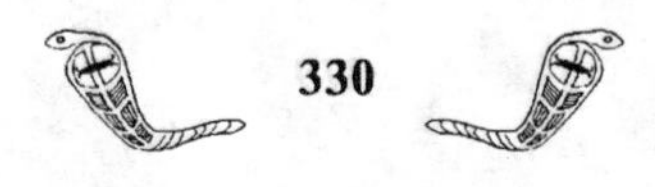

Древний Карнак, однако же, не спешил принять меня, ибо дорога была перекрыта железной решеткой. Я разбудил спящего сторожа. Тот испуганно вскочил со своей узкой койки и долго протирал глаза, щурясь спросонья от неяркого света моего электрического фонарика. После того, как он открыл мне дверь, я с лихвой расплатился с ним за причиненное беспокойство, и он позволил мне бродить в одиночестве по Карнаку, сколько мне вздумается. Я пересек Внешний двор и на несколько минут присел на груду разбросанных песчанниковых блоков, некогда составлявших верхний ярус величественного пилона, отделяющего Внешний двор от Большого гипостильного зала. Я сидел и размышлял о былом великолепии этого монумента, посвященного Амону-Ра, но вскоре поднялся на ноги и отправился бродить среди стройных колонн и живописных руин Большого зала.

Лунный свет выхватывал из мрака колоннаду, вдоль которой я шел, устилая землю ее черной беспросветной тенью. Вырезанные на колоннах иероглифы по мере моего продвижения то освещались лунными лучами, то вновь тонули в темноте. Я выключил свой фонарик, чтобы он не затмевал более мягкий свет Луны, и включал его лишь тогда, когда совсем не видел, куда ступать дальше. В естественном лунном освещении храм стал похож скорее на сновидение, чем на реальность. Неожиданно передо мной вырос обелиск царицы Хатшепсут: он был похож на сияющую серебряную иглу.

Я продвигался сквозь едва рассеянную лунным светом темноту прямо к закрытым святилищам, находившимся по ту сторону внушительной колоннады Большого гипостильного зала, как вдруг почувствовал, что в своем кажущемся одиночестве

я уже не один. Но возможно ли это? Ведь в огромных залах и маленьких часовнях этого храма вот уже пятнадцать столетий не собираются молящиеся, искалеченные каменные боги все это время стоически переносят постигшее их забвение, и я не знаю никого в нынешнем Египте, кто мог бы быть заподозрен в возвращении к религии древних обитателей этой страны. Почему же тогда я *чувствовал* вокруг себя присутствие других живых людей в этом тихом, как сама могила, выморочном месте?

Я включил фонарик и посветил им вокруг, но его быстрый луч озарил лишь развалины каменных сооружений, взломанные полы, да некоторые рельефные изображения и иероглифические надписи. И ничего даже отдаленно напоминающего человеческую фигуру.

Выключив фонарь, я продолжил свое ночное путешествие, и ощущение чужого присутствия вновь нахлынуло на меня. Ночь всегда приносит видения и страхи, придавая жуткий оттенок любому непонятному звуку или движению, но за время пребывания в стране пирамид я научился понимать и любить эти египетские ночи, покорившие меня своей неземной красотой. Однако здесь, в этих полуразрушенных храмах Карнака, все выглядело странным и неопределенным в тусклом лунном свете, и я никак не мог вернуть себе обычное спокойствие. Что же могло так на меня подействовать?

По древней мощеной дороге я направился дальше — к северным развалинам и к очаровательному, хотя и не очень большому, храму Пта. Я миновал заставленный колоннами маленький дворик, прошел еще одни ворота и, наконец, перешагнул через порог самого святилища. Яркий лунный луч осветил одну из самых загадочных статуй этого

Вход в храм
посвящения Осириса
в Карнаке

Фараон Сети I — барельеф

Пилон храма
в Карнаке

храмового комплекса — статую богини Сехмет. Она стояла одна в своей мрачной комнате — всеми покинутая фигура женщины с головой львицы. Ее жестокое, зловещее лицо как нельзя лучше отражало ту роль, что отводилась ей в древнеегипетской мифологии, — роль карающей истребительницы человечества. Какой ужас она должна была внушать своим жертвам, тщетно надеявшимся вымолить у нее пощаду!

Я присел на гранитный постамент, чтобы полюбоваться игрой серебряных лучей на поверхности ветхих стен. Откуда-то издалека до меня донесся едва слышный жалобный вой шакала. Успокоенный собственной неподвижностью, я вновь ощутил вокруг себя сверхъестественное присутствие каких-то незримых спутников, наполнившее леденящим страхом мое сердце, как это всегда бывает при встрече с неведомым.

Неужели призраки гордых жрецов и их многочисленной преданной паствы до сих пор посещают это древнее святилище, неслышно вознося молитвы богу Пта, обладавшему символическим скипетром власти и стабильности? Неужели духи древних жрецов и фараонов все еще витают бесплотными тенями над своими заброшенными святынями?

Мне невольно вспомнилась одна курьезная история, рассказанная моим каирским другом — английским чиновником на службе у египетского правительства. Он познакомился с одним молодым человеком, связанным с аристократическими кругами. Тот приехал в Египет из Англии на несколько недель как обычный турист. Это был беспечный любитель жизни, не озабоченный ничем иным, кроме материальных интересов. Во время своего визита в Луксор он совершил дневную поездку в Карнак, где сделал себе на память фотоснимок Большого зала в храме Амона-Ра. Впоследствии, проявив негатив и напечатав снимок, он с удивлением обнаружил на нем фигуру высокого египетского жреца, стоявшего, прислонившись спиной к одной из колонн, со скрещенными на груди руками. Этот случай произвел на молодого человека настолько сильное впечатление, что он радикально изменил свое отношение к жизни и занялся серьезным изучением психических и духовных феноменов.

Я довольно долго сидел на своем каменном пьедестале, не желая двигаться, чтобы не прогнать эти сверхъестественные ощущения и не прервать ход своих причудливых мыслей. Неподвижность делала меня как бы вполне естественным дополнением к молчаливому сообществу каменных богов Карнака.

Так прошло примерно полчаса, а потом я, должно быть, впал в некое состояние мечтательности.

На мои глаза словно опустилась пелена, а все внимание сконцентрировалось на точке между бровей. И тут меня окутал неземной таинственный свет.

Я увидел, как из этого сияния возникла фигура смуглокожего мужчины с мускулистыми плечами и замерла неподалеку от меня. Я не сводил с привидения глаз, и незнакомец тоже повернулся и пристально посмотрел на меня.

Я узнал его, и меня пробила дрожь.

Ибо это был я сам.

Его лицо было точной копией моего собственного, но одет он был по древнеегипетской моде. И судя по одежде, он не был ни принцем, ни простолюдином, но жрецом пока не известного мне ранга. Об этом свидетельствовала не только его одежда, но и прическа.

От него исходил свет, причем настолько яркий, что освещал даже стоящий поодаль, невесть отку-

да взявшийся алтарь. Он слегка пошевелился, затем направился к алтарю, и когда приблизился к нему, то опустился на колени и молился... молился... молился...

Еще когда он пошел к алтарю, я последовал за ним, и когда он молился, я молился вместе с ним — не как его спутник, *но будто бы он сам.* В этом загадочном видении я был и зрителем, и участником. Я заметил, что в сердце своем мой двойник скорбит, должно быть, о судьбе своей страны, о том упадке, в который по прошествии тысячелетий пришла его древняя родина. Но наибольшую скорбь у него вызывало, конечно же, то, что религия попала в руки дурных людей.

В своих молитвах он снова и снова просил древних богов сохранить светоч истины для его народа. Он завершил свою молитву, но на душе у него не стало легче, ибо он не услышал ответа и понял, что его Египет обречен. Он обернулся ко мне, и я увидел его грустные глаза: тоска, тоска, тоска...

Свет рассеялся, и вернулась темнота. Фигура жреца исчезла, а вместе с ней и призрачный алтарь. Я снова остался в одиночестве рядом с храмом Пта. И в сердце моем тоже не было ничего, кроме безграничной тоски.

Что это было: может, просто видение, навеянное обстановкой древнего храма?

Или это был плод буйного воображения погруженного в медитацию разума? Или же это было следствие самовнушения, видение, порожденное моим интересом к прошлому?

А может, это и вправду было феноменальным явлением жреца, когда-то молившегося здесь своим богам?

Или проснувшееся воспоминание о моей собственной прошлой жизни в Египте?

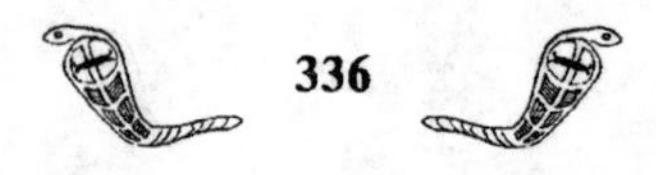

Учитывая то, как глубоко взволновало меня это видение, только одно истолкование происшедшего могло показаться мне в тот момент истинным.

Мудрец, как правило, не спешит с выводами, ибо Истина — дама с характером и, как говорили древние, живет на дне самого глубокого из колодцев.

И все же я признал (просто не мог не признать) истинной самую последнюю свою версию.

Эйнштейн опроверг считавшееся в свое время неоспоримым привычное представление о времени. С помощью математических вычислений он доказал, что человек, способный видеть мир в четырех измерениях, будет совершенно иначе воспринимать прошлое и настоящее, нежели обычные «трехмерные» люди. В свете этого открытия не таким уж нереальным выглядит гипотеза, утверждающая, что Природа во всех подробностях хранит память о прошлом, запечатлев ее в картинах прошлых эпох.

И почему бы тогда не предположить, что в минуты медитации, когда чувствительность человека многократно возрастает, он неосознанно обретает мистическую способность прикасаться к этой памяти.

* * *

Однажды я отправился в расположенную чуть дальше Карнака небольшую деревушку Нага-Тахтани, где у меня была назначена встреча. Оставив позади Луксор и Карнак, я выехал на дорогу, вытянувшуюся вдоль берега Нила. Я ехал по ней довольно долго, пока, наконец, круто не свернул вправо, после чего проехал еще минут двадцать. Было около одиннадцати вечера.

В центре поселка было что-то вроде английской деревенской лужайки, только здесь это была всего

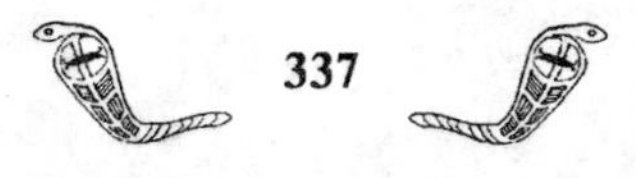

лишь немощеная песчаная площадка. На ней расселись на корточках, прямо в пыли, более двух сотен мужчин. Ни одной женщины не было видно среди этого представительного собрания. Все были одеты в длинные арабские балахоны и белые тюрбаны и выглядели так, как и подобает выглядеть простым, малообразованным деревенским жителям.

На высокой, оштукатуренной и побеленной веранде сидели четверо нотаблей — четверо уважаемых мужчин, выделяющихся своей образованностью и общественным положением. По их лицам и свободно ниспадающим шелковым одеяниям, резко отличающим их от прочих собравшихся, можно было безошибочно заключить, что это — шейхи. Все четверо были седыми старцами. Похоже, что расхожий образ молодого и стройного шейха пустыни, похищающего английских девиц, существует только в дамских романах. Во всяком случае, здесь, в Египте, такие экземпляры точно не встречаются.

Единственным человеком во всем этом собрании, которого я знал, был шейх Абу-Шрамп. Он сердечно поприветствовал меня и представил старшине Карнака — другому шейху. Оба они при этом прикоснулись ладонями ко лбу, а затем к груди — жест изысканной вежливости. После этого я был представлен старшине деревни и прилегающей к ней округи.

Его звали шейхом Мекки Гахба. Это к его дому была пристроена веранда, на которой сидели нотабли. Он немедленно предложил мне традиционную чашку кофе, который мне, к счастью, удалось заменить чаем без молока.

Мне было предложено присесть на подушку рядом с моим другом — шейхом Абу-Шрампом, который жил в деревне Курна — на другом берегу

Нила — и считался самым знаменитым и уважаемым святым во всей области Луксора на двадцать миль вокруг.

Он был ревностным почитателем Пророка (несмотря на слухи о том, что он вызывает джиннов и изготавливает могущественные талисманы) и очень гордился тем, что совершил в свое время паломничество в Мекку. Поэтому вокруг головы он обвязывал плоский зеленый тюрбан. Его густые усы, колоритные бакенбарды и короткая борода были совершенно седыми. Его смуглое лицо было добрым, но серьезным, приятным, но исполненным достоинства. У него были большие глаза, и в спокойной обстановке можно было разглядеть, какая необычайная глубина скрыта в них. Длинная и широкая коричневая рубаха из плотной ткани покрывала его тело до самых лодыжек. На безымянном пальце правой руки он носил невероятных размеров серебряное кольцо с арабской надписью.

На это собрание меня пригласил *омдех* (мэр) Луксора и даже настоял на том, чтобы меня сюда допустили. Мы познакомились на улице в знойный полдень, когда шейх Абу-Шрамп, который прибыл ко мне с обещанным визитом, чтобы выпить вместе со мною чашку чая, слезал со своего покрытого роскошной попоной осла. Мэр тогда поприветствовал меня в традиционной арабской манере:

— Да будет счастлив ваш день.

А через несколько дней мэр пригласил меня от своего имени и от имени шейха посетить ночное собрание дервишей карнак-луксорского округа.

Я был единственным европейцем в этой странной компании и потому по мере сил старался не думать о том, как экзотически смотрится на общем фоне моя европейская одежда.

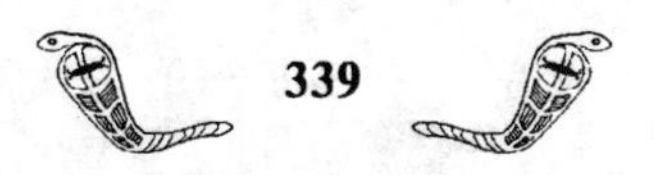

Талисман шейха Абу-Шрампа

Мэр пояснил, что собраний, подобных намеченному, в округе не проводилось вот уже несколько лет. А шейх Абу-Шрамп добавил, что такие собрания дервишей всегда приурочены к определенной фазе Луны — для них необходима ночь новолуния или полнолуния, поскольку именно эти ночи считаются наиболее священными.

— Это будет вовсе не шумное и крикливое сборище, — заверил меня шейх, — мы все — довольно спокойные люди, собирающиеся вместе исключительно из любви к Аллаху.

Я огляделся по сторонам. В центре площадки был установлен высокий флагшток, на котором развевалось розовое знамя, вышитое золотой арабской вязью. Один за другим бедуины и жители деревни поднимались на ноги и подсаживались к флагштоку, образуя правильный круг. На близлежащем поле я заметил множество привязанных животных, на которых, как мне сказали, съехались сюда самые состоятельные участники собрания, чьи родные деревни отстоят отсюда иногда на целых двадцать миль. На собрании не разрешалось присутствовать никому, кроме приглашенных.

Вся сцена, развернувшаяся здесь, под звездным африканским небом, была просто великолепной. Более двух сотен увенчанных белыми тюрбанами голов, сформировавших на земле огромный круг, мерно покачивались вверх-вниз у моих ног. Некоторые из этих голов были уже давно убелены сединами, а некоторые принадлежали совсем еще мальчикам. Высокие пальмы, тяжелые листья которых шумели в потоке ночного бриза, роняя на собравшихся подвижные черные тени, обрамляли площадь с двух сторон. По двум другим сторонам ее стояло несколько прямоугольных строений. Вокруг кишели массы мелких тропических пресмыкающихся. А дальше был мрак ночи, поля,

горы, Нил и пустыня. Помимо Луны и звезд, местность освещала единственная, довольно яркая лампа, подвешенная на веранде как раз над нашими головами.

С наступлением полночи один из дервишей поднялся и чистым мелодичным голосом запел стих из священного *Корана*. Едва он допел до конца последнюю строчку, как из двух сотен глоток вырвался протяжный рефрен: «Нет Бога, кроме Аллаха!».

Мальчик, которому на вид было лет шесть, не больше (хотя на Востоке этот возраст означает все же несколько большую зрелость, чем в Европе), вышел на середину круга, встал возле флагштока и высоким серебряным голоском пропел по памяти еще несколько стихов из *Корана*. Следующим поднялся бородатый старец: он не спеша обошел вокруг каждого ряда сидящих, неся в руках бронзовую чашу с горячими углями, со щедро посыпанными сверху благовониями. Вскоре аромат воскурений разнесся по всей площади и даже достиг нашей веранды.

После этого вокруг флага встали лицом друг к другу трое мужчин и затянули какой-то долгий религиозный гимн, тянувшийся минут пятнадцать-двадцать. Торжественность их голосов была лучшим свидетельством искренности их религиозного рвения. В изнеможении они упали на землю, и тогда четвертый мужчина вышел в центр круга и продолжил пение. Он пел любимую песню дервишей, и в его устах она звучала с какой-то меланхолической страстью.

Ее поэтический арабский текст был проникнут тем безграничным стремлением к Аллаху, которое должен переживать любой настоящий дервиш. И чем дальше он пел, тем сильнее эта песня походила на горестный вопль, исторгаемый из самых глу-

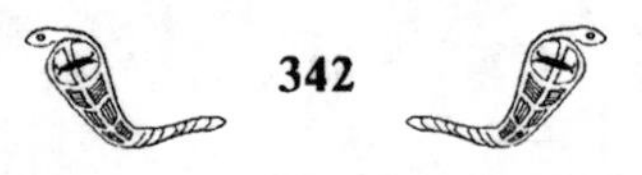

бин его души; вопль, вызванный желанием осознанно ощутить присутствие Аллаха, своего Творца:

Я в этом мире одинок.
Найду ль Того, Кого ищу?
Увы! Ты от меня далёк,
Но я не плачу, не ропщу.

Вокруг меня — лишь ночи мрак.
Надежда тает, как свеча.
Взгляни, тоска в моих очах,
И сердце жжёт огнём печаль.

Как убежать мне от тревог?
Как в слове боль свою вмещу?
Увы! Ты от меня далёк,
Но я не плачу, не ропщу.

О Милосердный, посмотри!
Я — тот, кто просветленья ждёт.
Твой верный раб Ахмад Бакри
Тебя лишь Господом зовёт.

От слов, что передал Пророк,
Вовек свой лик не отвращу.
Увы! Ты от меня далёк,
Но я не плачу, не ропщу.

Когда он закончил петь и сел, я заметил, что большинство собравшихся зримо охвачены тем самым жгучим желанием, о котором была сложена эта песня, но сидевший рядом со мной шейх оставался столь же невозмутимым и бесстрастным, как и прежде.

Все собравшиеся встали, и трое первых певцов вместе с мальчиком нарочито медленно стали обходить их сомкнутые ряды. Сделав шаг, они в унисон поворачивали головы сначала вниз, а затем направо и налево, столько раз повторив при этом — «Аллах, Алла-а-а-х!», что я даже сбился со сче-

та. Это был не просто речитатив, но скорее пение. Повторяя одно лишь слово, они выводили своими голосами приятную, немного грустную мелодию. Тела их монотонно покачивались из стороны в сторону в такт песне. А две сотни собравшихся стояли, не шевелясь, и только смотрели и слушали. Так продолжалось более получаса, пока певцы не сделали полный круг по площади, ни разу не замедлив и не ускорив при этом первоначального ритма. Когда же пение стихло, все терпеливые слушатели снова плюхнулись в пыль. Однако не вызывало сомнений то, что все они — в полном восторге от происходящего.

Наступившая пауза была использована для того, чтобы раздать всем присутствующим маленькие чашечки кофе; для меня же мэр предусмотрительно распорядился принести стаканчик ароматного *каркадэ* — горячего напитка, приготовляемого из цветов произрастающего в Судане растения. Он заваривается точно также, как и чай, но имеет несколько более фруктовый вкус.

Шейх Абу-Шрамп даже не пытался объяснить мне смысл происходящего. Мы просто переглядывались время от времени друг с другом. Он знал, что всегда может рассчитывать на мою благожелательность. Я же знал, что все эти ночные воззвания к Аллаху наполняют его подлинным счастьем. Я вдруг подумал, что где-нибудь в больших городах Европы и Америки тысячи людей точно также (или почти также) собираются вместе, чтобы послушать пение и музыку (джаз, например). Но они слушают песни, в которых нет Бога. Разумеется, многие из них неплохи сами по себе и наполняют нашу жизнь радостью, но все же?...

Я поделился своими мыслями со старым шейхом, и тот просто процитировал мне в ответ стих из *Корана*:

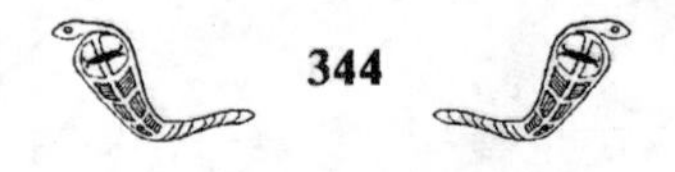

«В вас самих заключены данные людям знаки правильной веры, разве вы их не видите? Думай о Боге в тебе самом — со смирением, почтением и в тишине — и вечером, и утром; и не уподобляйся тем, кто проявляет небрежение. Он дает ответ только тем, кто желает слушать».

Так мы и сидели в лучах желтого света, окруженные со всех сторон темнотой, стараясь настроить свои сердца на преклонение перед Высшей Силой. Мы именовали Безымянного Аллахом. Но кто, познав восторг этого преклонения, смог бы уверенно ограничить эту Высшую Силу каким-либо конкретным именем?

Я молча осмотрелся. Мое внимание привлекли мерцавшие в чистом ночном небе яркие звезды. Каждая из них была отмечена тонкой неосязаемой красотой, сравнимой разве что с прекрасной поэмой; и каждая пробуждала в душе слегка тревожное воспоминание о том, что я — всего лишь транзитный пассажир на нашей летящей в пространстве Земле, окутанной, подобно этой ночи, непроницаемо темным покровом тайны.

Я снова перевел взгляд вниз, на собравшихся. На лице каждого из них застыло искреннее желание узреть своего Бога.

И вновь дервиши затянули свой протяжный напев: «Нет Бога, кроме Аллаха!», качая головами и всем телом — дважды за время каждого повтора этой фразы. Они пели медленно, но через четверть часа вдруг ускорили темп. То, что было раньше протяжным напевом, стало чередой резких, отрывистых восклицаний. Минута за минутой дервиши все больше возбуждались, их восклицания превратились в гортанные выкрики, в такт которым они вертели головами и качались взад-вперед, скрестив руки на груди. И все же в них не было ничего такого, что хоть немного оправдывало бы их прозви-

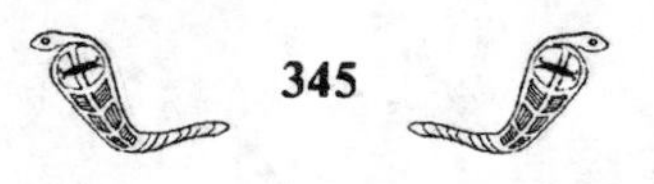

ще — «воющие дервиши». Та высокая степень экстатического пыла, которой они сейчас достигли, вовсе не таила в себе никакой агрессии и прекратилась резко и неожиданно, едва лишь их голоса взорвались пронзительным и восторженным крещендо.

Воцарилась мертвая неземная тишина, которой недавний гул множества голосов придавал просто невероятную глубину. Дервиши отдыхали.

Снова подали чай и кофе, и до самого наступления утра собрание продолжалось в более спокойном ключе. Дервиши пели приглушенными голосами. Время от времени пение становилось хоровым, и тогда две сотни голосов повторяли имя Аллаха, вознося тем самым к небу свое мелодичное и трепетное приношение.

И только когда на площадь проникли первые лучи желанного рассвета, пение дервишей стихло. Наступило время финальной медитации («об Аллахе и в Аллахе» — как называют ее сами дервиши), в которой приняли участие все присутствующие. После нее собрание закончилось, уже в лучах зари, прочертившей светлую розовую полосу вдоль горизонта.

А пару дней спустя шейх Абу-Шрамп заглянул ко мне в гости на чашку чая. Он принес с собой небольшой прямоугольный листок бумаги, сложенный несколько раз в форме пакета. Шейх сообщил мне, что это талисман, на котором написаны стихи из *Корана*, а также некоторые магические символы и заклинания. Он сказал также, что талисман был составлен во время того самого ночного собрания дервишей, равно как и еще несколько похожих бумаг, поскольку пробужденные в то время высшие силы призваны были наложить на них свой отпечаток, нечто вроде магнетического влияния.

На этом листе было написано (арабскими буквами) мое имя. Эту «магическую бумагу», как назвал ее старый шейх, мне следовало носить с собой в кармане всякий раз, когда я захочу добиться успеха в каком-либо начинании или же если мне случится направиться в какое-нибудь место, где мне могли бы грозить враждебные силы.

Правда, он еще предупредил меня — откровенно и даже несколько наивно — чтобы я не брал с собой талисман, если у меня назначена интимная встреча с женщиной, так как в этом случае он на время потеряет часть своей силы.

И хотя я никогда не просил его о столь курьезном подарке, я все же принял его с благодарностью и с надеждой на лучшее.

Абу-Шрамп жил в деревне Курна, ближе всех расположенной к пустынной и унылой Долине царей, и как самый известный человек в своей местности на протяжении многих лет часто принимал у себя с визитами мистера Говарда Картера, когда тот проводил поблизости свои раскопки — настолько часто, что они успели за это время крепко сдружиться.

Рассказывая еще об одном чудодейственном свойстве «магической бумаги», шейх сообщил мне, что в древних гробницах зачастую скрываются ужасные джинны, крайне враждебно относящиеся к людям. На протяжении тысячелетий они оставались запечатанными в своих усыпальницах, но благодаря раскопкам вырвались на волю. По этой причине он — Абу-Шрамп — распространил свои охранительные возможности не только на себя, но и на своего друга Говарда Картера, дабы злые джинны не смогли причинить ему вреда. В подтверждение своих слов он напомнил мне тот факт, что после вскрытия гробницы Тутанхамона многих членов этой археологической экспедиции постигли всевозможные несчастья и даже смерть, но мистера Картера они не коснулись.

До сих пор я ни разу не упомянул еще одну сторону деятельности шейха Абу-Шрампа — исцеление множества больных. Однажды мне довелось своими глазами увидеть то, как он это делает. К нему пришел человек с жалобой на ревматические боли в левом бедре. Примерно с минуту шейх легко постукивал по ноге больного, еще минуту или две читал молитву из *Корана*, после чего заявил, что боль скоро пройдет. Желая увековечить этот факт для истории, я разузнал кое-что о состоянии больного после этого сеанса. Боль и в самом деле утихла, хотя я и не могу сказать точно, полностью ли он был исцелен или же это было только временное облегчение.

Шейх сказал мне, что узнал тайны искусства дервишей от своего деда и что эти секреты передаются в виде устной традиции со времен жизни самого пророка Мухаммеда.

— Да будет благословенно имя Его! — почтительно прибавил он.

Глава 16

ЗНАМЕНИТЕЙШИЙ В ЕГИПТЕ ЗАКЛИНАТЕЛЬ ЗМЕЙ

«Ex Oriente Lux!» («С Востока Свет!» — *лат.*), — гласит древнее изречение. Неутомимые исследования талантливых ученых и замечательные открытия любознательных путешественников не раз подтверждали истинность этой фразы. Мы — европейцы — вполне заслуженно гордимся «косметическими операциями», проводимыми нами над своим миром, но всякий раз приходим в замешательство, когда какой-нибудь полуголый факир производит феномены, которые мы не в состоянии ни повторить, ни объяснить. А такие феномены здесь можно видеть довольно часто, что постоянно напоминает о живущей до сих пор в землях к западу и к востоку от Суэца древней мудрости и ее священных тайнах, и о том, что обитатели этих экзотических стран — вовсе не такие уж тупые, дремучие язычники, каковыми их считают некоторые из нас.

Подобные мысли неизменно приходят мне в голову, когда я начинаю вспоминать о своем знакомстве с шейхом Мусой, который правил в змеином царстве подобно настоящему императору. Я

довольно часто встречал заклинателей змей в разных уголках Востока (даже в наши дни это явление достаточно распространенное), но некоторые члены их братства посвятили меня в свое время во многие хитрые приемы и разоблачающие секреты своего искусства, и с тех пор я утратил былое уважение почти ко всем из них, за исключением немногих. Зная о том, что они производят свои трюки с абсолютно безвредными, лишенными ядовитых зубов рептилиями, я никак не мог разделять восторгов глазеющей на них — как европейской, так и туземной — публики.

Но шейх Муса был исключением из этого правила. Он был настоящим магом — в самом древнем значении этого изрядно затасканного слова — и гордился этим; а еще тем, что одним лишь именем Пророка и использованием старой доброй магии он мог загипнотизировать любую змею. Поэтому он никогда не упускал возможности подтвердить обоснованность своей гордости.

Какой европеец способен бродить по пустыне среди камней в поисках змеи, чтобы затем схватить ее голой рукой, как какую-нибудь палку? Какой европеец позволит только что пойманной кобре укусить себя, чтобы потом с улыбкой наблюдать за тем, как кровь струится из прокушенной руки? И, наконец, какой европеец может, едва войдя в дом, безошибочно определить, где в нем скрывается змея (конечно, если она там есть), и сразу же обнаружить все ее потаенные убежища, будь то нора, недоступный угол или какой-нибудь предмет мебели?

Я же лично видел, как шейх проделывал все эти вещи и не только эти, демонстрируя свою неуловимую власть над еще более неуловимыми созданиями. При всем нашем головокружительном научном прогрессе мы либо не можем, либо не решаемся повторить все эти феноменальные деяния, которые проделываются на Востоке с поразительной безнаказанностью.

В Индии я видел, как однажды в деревню вошел один заклинатель с двумя мешками за плечами. Он продемонстрировал жителям, что в одном мешке у него сидят крысы, а в другом — змеи, ядовитые зубы которых были на месте. Тогда он запустил руку во второй мешок, вытащил оттуда пару змей и позволил им укусить себя несколько раз за руку и в горло. Потом он вынул крысу и бросил ее на землю. На секунду крыса замешкалась, завертев головой, и тут же на нее накинулись обе змеи и укусили в голову. Уже через минуту несчастная крыса испустила дух, столь сильным был яд.

Египетского же шейха, как я уже говорил, звали Муса, что является арабизированной формой имени Моисей. По странному совпадению он носил имя того самого великого патриарха, который удивил фараона и его приближенных тем, что схватил змею за хвост и превратил ее в жезл (если воспринимать текст Книги Исхода буквально).

Муса жил в маленьком городке Луксор, где я смог разыскать его с такой же легкостью, с какой он сам разыскивает в пустыне своих кобр и гадюк; ведь он — не просто самый знаменитый заклинатель во всей округе, но и, пожалуй, во всем мире, потому что Луксор — излюбленное место посещения туристов, и они, возвращаясь домой, разносят славу об этом феноменальном египтянине по всей земле.

Он вовсе не был похож на обычного заклинателя змей, собирающего вокруг себя прямо посреди пыльной улицы небольшую группу людей и демонстрирующего им, как беззубая кобра раскачивается в такт его тростниковой дудочке. Поэтому

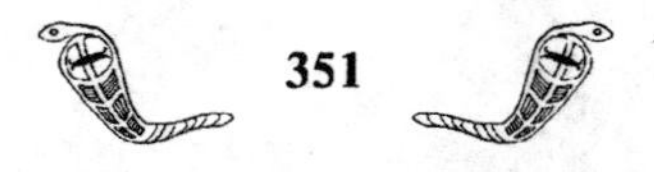

большинство туристов, посещавших Луксор, даже не слышали о его существовании, и лишь немногие постоянные посетители, сезон за сезоном приезжавшие сюда и уже хорошо знакомые с этим городом и его обитателями, рано или поздно сталкивались с ним.

Используя аналогию с до сих пор официально регистрируемой некоторыми европейскими муниципалитетами должностью крысолова, можно сказать, что Муса — неофициальный змеелов, избавляющий горожан от этих рептилий. Стоит только хозяевам какого-нибудь луксорского дома заметить у себя в комнате или в саду, хотя бы мельком, ядовитую змею, как они тут же бегут к шейху Мусе; последний безошибочно определяет, где прячется рептилия, будь то трещина в стене или между балками крыши, или же норка в саду, а затем приказывает ей выползти наружу. И змея, как правило, подчиняется; но если она упрямится, Муса сам резко просовывает руку в ее предполагаемое убежище и вытаскивает за горло. Затем он кладет ее в свою круглую корзинку и уносит. Если крестьянин часто замечает змей на своем участке, где пасутся домашние животные, он тоже посылает за Мусой, и тот избавляет его от этой напасти. Также и владельцы нескольких луксорских гостиниц, прежде чем в очередной раз распахнуть в ноябре или декабре месяце их запертые двери перед новым наплывом туристов, зовут Мусу, подвергающего и сами здания, и прилегающую к ним территорию самому скрупулезному инспектированию, подчас превращающемуся в драматическое противоборство со змеями, которые, как известно, любят селиться в заброшенных домах. Когда Муса заканчивает свой обход, можно дать руку на отсечение, что ни одной змеи в гостинице не осталось, так эффективна его работа.

Когда мы — шейх Муса и я — впервые встретились лицом к лицу, я предложил ему стакан чая и фрукты и заметил, что возле дома уже собралась толпа человек в сорок, если не больше. Они увидели, как он неспеша идет по улице с палкой и круглой корзинкой — непременными атрибутами своей профессии — и справедливо предположили, что ему предстоит где-то серьезная работа. На город уже опустилась страшная жара, и толпы праздных зевак и бездельников, которым нечем было заняться (или же просто не хотелось), почувствовали возможность внести хоть какое-то оживление в свое монотонное полулетаргическое существование и последовали за шейхом по пыльным переулкам прямо к дому, где я поселился. Они стояли у двери и терпеливо ждали возвращения своего невольного «массовика-затейника».

Пока Муса сидел в скрипучем тростниковом кресле, я изучал его внешность. Он был невысок ростом. Его голову покрывал плоский тюрбан, скрученный из множества слоев белого полотна. На груди его проглядывал белый треугольник рубахи, а верхнюю одежду составляло длинное тяжелое одеяние из грубо вытканной козьей шерсти, какое обычно носят поверх широкой белой рубахи арабы-бедуины.

На вид ему было лет сорок восемь, не больше, хотя и лоб, и щеки уже были изрезаны морщинами. Подбородок его густо покрывала недельная щетина, но более всего привлекали внимание его длинные неухоженные усы и луковицеобразный нос. А вот его глаза — водянистые и наполовину скрытые тяжелыми веками — по правде говоря, не произвели на меня особого впечатления. Только линию рта можно было назвать правильно очерченной и приятной на вид. Все выдавало в нем человека простого, непритязательного и довольно

ограниченного, каких бы вершин мастерства он ни достиг в своей профессии.

На обеих руках его красовалось по паре крупных серебряных колец. Выгравированные на трех из них надписи свидетельствовали о том, что Муса носил их в качестве оберега, веря в их мистическую охранительную силу. Четвертое же кольцо служило печатью: на нем было вырезано имя его владельца и заверение в его преданности Аллаху. Я знал, что Мухаммед неодобрительно относился к золоту, и потому его ревностные последователи предпочитают носить серебряные кольца (хотя вполне могли бы позволить себе и золотые).

Закончив чаепитие, мы приступили к работе. Муса предложил мне самому указать место, где ему следует поймать змею, дабы не возникло подозрения, будто он сам предварительно ее подбросил. Он добавил также, что ему совершенно все равно, где я определю место будущей змеиной охоты.

Я выбрал большой сад, примыкающий к одиноко стоящему старому дому, необитаемому на протяжении двенадцати, если не более, лет из-за спора между родственниками, претендующими на наследование этой некогда желанной собственностью. С тех пор как умер прежний владелец этого дома, многочисленные претенденты на него беспрерывно ходят по судам и тратят деньги на авдокатов, стараясь заполучить то, на что они, возможно, и не имеют никакого права; а дом тем временем пустует. Всю мебель уже растащили воры, крышу и пол разобрали, а потрескавшиеся стены давно грозят развалиться; так что спор между наследниками, скорее всего, прекратится сам по себе после того, как спорить станет уже не о чем. В любом случае, я знал, что дом уже давно превратился в уютную, хотя и лишенную мебели, гостиницу для змей, скорпионов, крыс и прочих тварей — гораздо менее сварливых, чем человек. Сад доходил до самого Нила, но был так запущен, что мало чем отличался от пустыря, и его плачевное состояние служило лучшей рекомендацией для всех луксорских змей. Муса, как мне показалось, остался очень доволен моим выбором и, прихватив меня с собой, сразу же принялся за дело. Оборванная толпа в полсотни душ, все это время следовавшая за нами, была настолько возбуждена предвкушением захватывающего зрелища, что, несмотря на расслабляющую жару, дважды или трижды прокричала по-арабски нечто, приблизительно соответствующее нашему — «Да здравствует шейх Муса!»

* * *

После того как мы вошли в сад, Муса, желая рассеять все мои возможные сомнения (хотя таковых у меня не было вовсе, ибо шейх казался мне абсолютно честным, бесхитростным человеком), снял с себя верхнее коричневое одеяние и даже белую рубаху, оставшись в одной нижней сорочке и в носках! Целью этого непрошенного «разоблачения» была демонстрация того, что он не припрятал заранее змей в рукавах и не обмотал их вокруг ног! Я поспешил заверить его в том, что приведенных доказательств более чем достаточно, после чего он снова оделся.

Взяв в правую руку крепкую пальмовую палку трех футов длиной, Муса медленно побрел по усеянному каменными обломками саду. Вдруг он остановился и слегка постучал по одному из камней, издавая при этом языком какой-то кудахчущий звук, после чего затянул высоким голосом коранические стихи, перемежая их магическими заклинаниями и призыванием скорпиона.

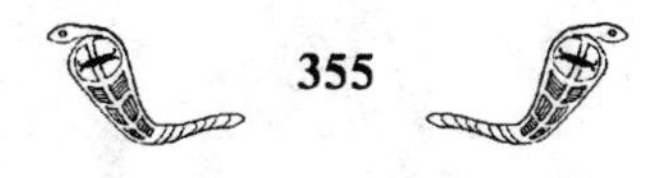

— Под этим камнем сидит скорпион, — пояснил он, указывая на лежащий под ногами бесформенный булыжник, — я чувствую его!

Однако скорпион не показывался, и Мусе пришлось возобновить свои призывы и заклинания — на сей раз более громким и не терпящим возражения голосом. На этот раз ему повезло больше, потому что из-под камня, подчиняясь его повелительному тону, тут же выполз и замер неподалеку огромный скорпион. Муса нагнулся и ничем не защищенной рукой поднял его, после чего поднес ко мне поближе, чтобы я мог как следует его разглядеть. Это была желтовато-зеленая тварь длиной в три дюйма. Неповрежденное ядовитое жало — тонкое, но грозное оружие скорпиона — было хорошо различимо в положенном ему месте на конце хвоста. Его едва заметный желтый пузырек был наполнен сильнейшим ядом, сулившим мучительную смерть любому потревожившему скорпиона человеку. Но, хотя опасное жало было угрожающе приподнято, скорпион даже не пытался воткнуть его в руку Мусы.

— Теперь вы удовлетворены? — спросил заклинатель. — Видите? Он такой большой, но не кусает меня. Ни один скорпион не может меня укусить, потому что я ему это запрещаю!

Он перевернул скорпиона и переложил его в левую ладонь. Смертоносное членистоногое пошевелило несколько раз своим жалом, будто инстинктивно пыталось напасть, но всякий раз останавливало ядовитый шип примерно в четверти дюйма от ладони своего повелителя.

Продолжая демонстрировать свою власть над скорпионом, Муса положил его на землю. Ядовитая тварь тут же заскользила по обломкам, пытаясь удрать, но шейх приказал ей остановиться. И что бы вы думали? Скорпион застыл на месте!

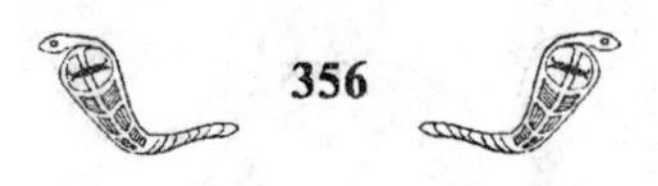

Муса вновь подобрал скорпиона и отнес его в свою плетеную корзину. Последняя представляла собою вместительную емкость причудливой формы, более всего похожую на гигантскую чернильницу. Муса приподял плотно прилегавшую крышку, посадил скорпиона внутрь и снова закрыл корзину.

Мы отправились дальше, на поиски более крупной добычи. Шейх утверждал, что может определить местонахождение змеи по одному лишь ее запаху, но меня мало убедило это объяснение. И все же он уверенно остановился совсем рядом с берегом Нила, грозно выкрикнул свой приказ и постучал пальмовой палкой по корням стоявшего поблизости дерева. За сим последовали все те же монотонные заклинания, чередовавшиеся со строгими и настойчивыми приказаниями змее покинуть свое убежище и, во имя Аллаха, Его Пророка и царя Соломона, не противиться его (заклинателя) воле. Все это Муса проделывал в высшей степени убежденно и сосредоточенно. Время от времени он снова стучал по корням дерева.

Так прошло минуты две, но змея все еще не показывалась. Муса, казалось, немного рассердился и удивился тому, что его приказы не исполняются. По лицу его катились крупные капли пота, губы заметно дрожали. Молотя по дереву палкой, он непрестанно повторял мне:

— Клянусь жизнью Пророка! Она здесь!

Бормоча что-то себе под нос, он на мгновение приложил ухо к земле и закричал:

— Отойдите все! Выползает большая кобра!

Толпа зевак мгновенно расступилась, остановившись на достаточно безопасном расстоянии, я тоже отступил ярда на два, не переставая пристально следить за всеми действиями Мусы. Засучив правый рукав своего коричневого балахона и

еще раз внимательно осмотрев землю у себя под ногами, он с удвоенной энергией повторил свои заклинания и храбро засунул руку прямо в узкую нору, вырытую между корнями дерева. С той стороны, где я стоял, змею не было видно, но она явно предпочла убраться назад в свою нору, потому что Муса с выражением крайней досады на лице вытащил руку, засучил рукав еще выше и снова полез в черное отверстие норы, на сей раз погрузив туда руку почти до самой лопатки; и уже через секунду он метнулся назад, крепко сжимая в кулаке отчаянно извивающуюся змею. Он вытаскивал ее из норы так небрежно, будто это был кусок веревки, а не ползучее орудие смерти.

Муса швырнул змею на землю, позволяя ей свернуться в кольцо, а затем ухватил за хвост. Змея, как могла, старалась вырваться, демонстрируя при этом недюжинную ловкость, но разомкнуть железную хватку шейха ей так и не удалось. Тогда Муса схватил ее за горло, как раз возле головы, и приподнял вверх, приглашая меня подойти поближе и осмотреть эту жертву своего удивительного искусства. Тело рептилии не переставало дергаться; она беспрестанно издавала громкое шипение, беснуясь от ярости за свою беспомощность. То и дело молниеносно выплескивался наружу ее раздвоенный язык. Но шейх Муса был непоколебим. Поняв, наконец, что сопротивление бесполезно, разъяренная кобра немного успокоилась, явно выжидая более благоприятного момента для действий. Тут Муса произнес какое-то очень сильное заклинание и выпустил змею. Та завозилась в пыли, так что Муса на всякий случай снова придержал ее за хвост.

Змея приняла естественную форму и в своем желто-серо-зеленом облачении выглядела весьма колоритно на фоне выжженной Солнцем земли.

Я приблизился на пару шагов и начал с интересом ее разглядывать. Ее капюшон с изображенным на нем характерным для этого вида змей рисунком, из-за которого они получили прозвище «очковых», все еще был распущен, а от покрытого чешуей тела исходил слабый тошнотворный запах. Кобра достигала примерно пяти футов в длину. Ее маленькие, но свирепые глаза зло и немигающе уставились на шейха. Последний же напевно прочел новое заклинание, в которое вложил всю свою волю и решимость. Наставив на змею указательный палец, он приказал ей положить голову ему на ладонь, предварительно запретив ей кусаться. Змея зашипела, как бы пытаясь сопротивляться, выбросила вперед свой раздвоенный язык, но постепенно, едва уловимыми движениями стала подползать к шейху, ни на секунду не сводя с него остекленевших глаз, и, наконец, смирилась с неизбежным.

Прекратив шипеть, она послушно опустила голову на открытую ладонь заклинателя! Грозная кобра стала похожа на ребенка, доверчиво и ласково склонившего голову на колени матери.

Ничего подобного такой сверхъестественной сцене я еще никогда не видел и смотрел, затаив дыхание.

Решив проверить подлинность феномена заклинателя, я постарался убедиться в том, что кобра действительно ядовита. Разыскав большую столовую ложку, я попросил Мусу затолкать ее в маленькую красную змеиную глотку, что он и сделал. Как только вокруг ложки сомкнулись жадные челюсти, по искривленным зубам змеи сразу же потекла непрерывной струйкой янтарного цвета жидкость — змеиный яд. Вскоре серебряная ложка частично наполнилась ядом, напоминающим по плотности глицерин, а по виду — патоку. С удив-

Мой «магический талисман»

Шейх Муса за работой

лением я подумал о том, что одной-двух капель этой жидкости достаточно для того, чтобы убить человека.

В конце концов, шейх Муса поднял змею и одним ловким движением обернул вокруг своей шеи на манер дамского шарфика. Теперь змея казалась окончательно усмиренной и даже столь унизительное обращение со своей персоной восприняла без всякого видимого протеста.

Змеелов снял крышку с корзины, поднес змеиную голову к ее разверстому чреву и одним только словом приказал рептилии самой забраться внутрь. Кобра без промедления скользнула в плетеный сосуд, и вскоре ее гибкое тело полностью исчезло в его сумрачной глубине. А далее случилось то, что должно было случиться — увидев на дне корзины большого скорпиона, кобра, резко изогнувшись, метнулась прочь из корзины и попыталась удрать. Муса повторил свою отрывистую команду, змея на секунду заколебалась, а затем вернулась в свою темницу. Змеелов захлопнул крышку и накрепко привязал ее к корзине.

Что же сейчас начнется в корзине? Я живо вообразил себе злобного скорпиона и свирепую кобру, сцепившихся в смертельной схватке, теряясь в догадках — кто же из них победит? Или же, объединенные общей угрозой, они будут сидеть тихо, не мешая друг другу?

Муса обратил ко мне свое усталое, но довольное лицо. Демонстрация прошла успешно.

Теперь нас окружала многочисленная толпа зрителей, чье мужество возрастало по мере того, как уменьшалась опасность, позволяя им подкрадываться к нам все ближе и ближе. Если первоначальное их число составляло около полусотни, то теперь оно выросло раза в два, поскольку на Востоке новости распространяются с поразительной

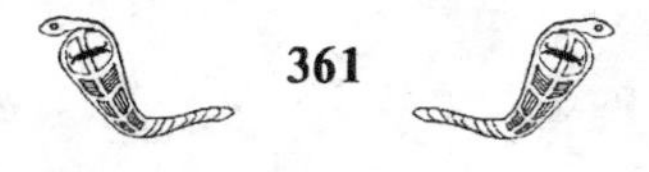

быстротой. Масса людей всех сословий — от нищих до почтенных эфенди, взрослые и дети, стоящие вокруг и лежащие прямо на земле, не сговариваясь, устроили настоящую овацию одержавшему победу заклинателю.

— Слава шейху Мусе! — трижды прокричал дружный хор.

* * *

Два дня спустя, вернувшись домой из краткой поездки вверх по Нилу (я навестил там одну пожилую леди: она была факиром-отшельницей и уединенно жила в своей хижине на одном острове), я снова увидел шейха Мусу: он сидел, скрестив ноги, на веранде и терпеливо ожидал моего появления. Шейх с улыбкой поприветствовал меня, и я, сняв с головы тропический пробковый шлем, пригласил его в дом на чашку чая, но от чая он вежливо отказался, сообщив мне, что желает лишь побеседовать.

Проговорив со мной примерно час, заклинатель змей решил сделать меня своим учеником.

— Вы будете не только моим первым учеником-европейцем, но и вторым моим учеником вообще, — сказал он.

Я сразу же уловил намек. Первым учеником был его собственный младший сын, которого он обучал на протяжении нескольких месяцев, чтобы тот смог унаследовать семейную профессию после смерти отца. А когда мальчик освоил тайное знание, Муса отправил его в пустыню одного, впервые отказавшись пойти вместе с ним, только и сказав на прощание:

— Твое обучение закончилось. Иди и поймай сам свою первую змею.

Мальчик ушел и не вернулся. Отец отправился за ним и нашел его мертвым.

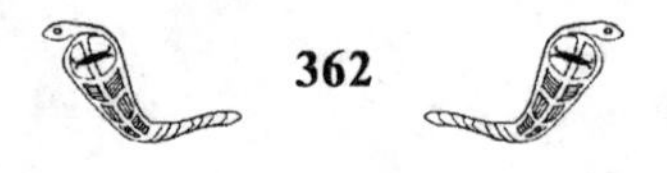

Он лежал, согнувшись пополам; на его лице застыло выражение невыносимой муки, всегда предваряющей смерть от змеиного укуса.

Как объяснил мне шейх Муса, заклинатель змей — это не только профессия, но и призвание, то есть человек должен быть от рождения предрасположен к этому занятию. У его сына не было заметно такой предрасположенности, но отец все равно выбрал его, желая передать свое ремесло по наследству. В любом случае, как он сам мне сказал, у него было еще три сына, и когда пришла старость, а вместе с ней — предчувствие скорой смерти, он понял, что должен передать секреты своей профессии одному из них.

Муса дал мне понять, что я — не наследник его дела, а только почетный его ученик, и заставил меня пообещать, что я никогда не сделаю змееловство своим заработком. Он не стал подробно объяснять мне причины подобного запрета, но можно было догадаться, что он сам был посвящен в тайны своего ремесла лишь после того, как пообещал не раскрывать эти тайны никому, кроме одного из членов собственного семейства, которого он должен был избрать своим наследником. Очевидно, целью этих ограничений было сохранение тайного знания в пределах семьи, что должно было способствовать поддержанию ее высокого статуса, профессиональной исключительности и, следовательно — материального благополучия. Муса сообщил, что его учителем был, соответственно, его собственный отец — шейх Махмед; последнего же обучил ремеслу его отец, дед Мусы.

Про деда своего Муса рассказал мне одну историю, доказывающую необходимость строгого контроля над эмоциями при ловле змей. Однажды в конце лета его пригласили очистить от змей большой дом, что он и сделал, собрав изрядную «коллекцию» всевозможных рептилий. На свободе оставалась лишь одна змея, принадлежавшая к некрупной, но очень ядовитой разновидности гадюк. Она «окопалась» в норе на кухне, наотрез отказываясь покинуть свое убежище. Заклинатель вызывал ее снова и снова, но все безрезультатно. Наконец, потеряв терпение, дед Мусы, вместо очередного заклинания, закричал:

— Раз ты не хочешь выходить ко мне, я сам до тебя доберусь!

С этими словами он просунул руку в нору и попытался поймать гадюку, что ему и удалось. Змею он вытащил, но при этом она успела укусить его за большой палец. Острые зубы прокусили кожу и впрыснули в кровь смертоносный яд. Когда яд распространился по всей руке, та распухла как бревно и совершенно почернела. А уже через несколько минут злополучный змеелов был мертв. Накопив за много лет своей работы изрядный иммунитет, он, тем не менее, в одночасье лишился его. Такова опасность профессии змеелова, — сказал мне шейх, — но на все воля Аллаха.

Очевидно, что змееловство — вовсе не та профессия, которую стремится освоить великое множество молодых египтян, поскольку я слышал и о других несчастных случаях, происходивших с заклинателями. Даже в Индии мне неоднократно сообщали о заклинателях, убитых змеями. Но с другой стороны, я знаю, что только за прошлый год в Индии погибло от змеиных укусов двадцать шесть тысяч человек, никак не связанных с этой профессией, причем, эти змеи-убийцы были в большинстве своем кобрами.

Муса заявил, что может научить меня, как отвращать от себя укусы этой самой ядовитой змеи. Он обнажил свою правую руку, и чуть выше локтя я увидел на ней веревочный браслет с пришитыми к нему семью кожаными мешочками для талисманов — каждый из них размером не более дюйма с четвертью. Они являли весьма красочное зрелище, дополненное к тому же разноцветными шерстяными нитями, которыми эти мешочки были подвязаны. Муса объяснил мне, что в каждом из этих плоских маленьких мешков хранится бумажка со стихами из *Корана* и магическими заклинаниями.

— Я всегда ношу его с собой, как дополнительную защиту от ядовитых змей, — сказал он, — этот талисман обладает магической силой. Вам тоже необходимо обзавестись таким же, я об этом позабочусь. Постараюсь как можно скорее раздобыть для Вас такую бумажку с письменами, чтобы показать Вам ее силу.

Я решил задать ему несколько вопросов относительно устроенной им недавно показательной ловли змей:

— А что Вы делаете со змеями, которых ловите, шейх Муса?

— Держу их у себя, пока они не умрут. Мне нельзя убивать их, иначе я потеряю власть над ними.

— Но в этом случае Ваш дом должен затмить коллекцию рептилий любого зоологического музея! — воскликнул я.

Он рассмеялся.

— Нет, нет! Я отлавливаю змей только трех видов. К тому же самым маленьким из них приходится воевать в моей корзинке со скорпионами, что обычно заканчивается для них смертью. В этом случае на мне нет никакой вины, ведь их убивают скорпионы!

Подобная логика показалась мне весьма сомнительной. Хотя, конечно, главное — чтобы она устраивала не меня, а мстительных ангелов змеиного царства.

Муса сказал, что не может позволить себе вновь выпускать пойманных змей на волю, поскольку нельзя быть уверенным, что они не вернутся после этого назад. И все же было несколько случаев, когда он отпускал змей в пустыню.

— Дня через три-четыре после этого наиболее злые змеи, как правило, сами кусают себя от ярости, свернувшись кольцом, и совершают, таким образом, самоубийство. Но большим и добрым змеям я позволяю умереть естественной смертью — от голода. Таким образом, в обоих случаях я не убиваю их лично.

— А какова природа той силы, с помощью которой Вы выманиваете змей из их нор? Это нечто вроде гипноза?

— Не совсем так. Но клянусь честью мусульманина, мне самому известно только то, что эта способность передается от учителя к ученику при посвящении. Для того, чтобы справиться со змеями, недостаточно одних заклинаний. Талисманы, молитвы и приказы, конечно же, очень важны, как важно и тайное заклинание, которое ученику предписывается произносить лишь мысленно. Но главную роль в укрощении змей играет все же особая сила, передающаяся ученику от учителя. Как в христианской религии придается большое значение возложению епископом рук на голову посвящаемого в сан священнослужителя, знаменующее благословение свыше, — так и при посвящении в заклинатели учитель незримо благословляет ученика властвовать над змеями. И без этого благословения змеи не станут Вас слушаться.

Шейх поведал мне также, что состоит в особом братстве дервишей, специализирующемся на ядовитых змеях, и что это братство является единственным сообществом магов, использующих для ловли змей мистические силы. Еще лет сто или

двести тому назад в Египте было много таких дервишей, но в наше время они практически перевелись. Обычный змеелов не проходит никаких посвящений и не состоит в этом братстве, а потому вынужден работать с безвредными змеями, либо пользоваться защищающей кожу одеждой и другими чисто механическими средствами предохранения от укусов.

Муса изъявил желание передать мне часть своей мистической силы — по его словам, вполне достаточную для того, чтобы обезопасить меня от укусов самых ядовитых змей и скорпионов. Это благословение змеелова, в сочетании с тайными и явными заклинаниями, которым он тоже пообещал меня научить, а также обещанным письменным талисманом, должно было составить мое посвящение в братство дервишей. Правда, от меня требовалось еще неукоснительное соблюдение всех условий, какие он предъявит мне в ходе обучения, и неизменно уважительное отношение к Аллаху и Его Пророку. Я ничего не имел против этих требований.

Пожалуй, самым тяжелым условием (но вполне закономерным для тех, кто знаком с обычной практикой посвящения восточных йогов и факиров) было семидневное затворничество накануне мистического посвящения, во время которого ученик не должен был ничего есть, кроме малого количества хлеба и воды. Всю эту неделю ему следовало посвятить молитве и медитации, отрешившись от всех мирских забот и желаний.

Шейх утверждал, что мистическая способность укрощать змей, равно как и все сопутствующие ей тайные заклинания, традиционно передаются со времен царя Соломона, к которому он сам питал особое уважение. И в этом убеждении он был далеко не одинок, ибо я давно заметил, что почти

все египетские факиры с почтением вспоминают Соломона как первого и величайшего факира, непревзойденного знатока оккультной мудрости и мага, чье могущество не знало пределов.

* * *

Настал день, когда все подготовительные этапы были пройдены. Шейх передал мне тайное арабское «заклятье», по его словам, безотказно воздействующее на всех змей, если его мысленно произносит подготовленный человек. Он принес мне и обещанный талисман. Это был клочок бумаги, весь испещренный арабским текстом, являвшим собой смесь магических заклинаний и коранических стихов. Он принес мне также собственноручно сшитый кожаный мешочек, куда мне следовало поместить этот талисман после нескольких дней его изучения. Сам этот мешочек, представляющий собой две сшитые полоски красной овчины с изображенными на одной из них пересекающимися диагональными линиями, уже был достойным внимания объектом. С помощью большой петли из переплетенных красной, зеленой и желтой шерстяных нитей, продетых через верхний краешек мешка, его можно было крепить к одежде.

— Этот талисман может принести пользу только Вам и никому более, потому что я написал на нем Ваше имя, — предупредил меня Муса. — После того, как я вложу его в мешочек, всегда носите его с собой под рубахой, поближе к телу, и постарайтесь его не потерять, ибо утратив раз, Вы его уже никогда не найдете. Кстати, этот талисман должен храниться в свернутом виде.

Сама церемония предачи мистической силы прошла довольно быстро — без всякой суеты и напыщенности, без возложения рук и продолжительных молений. Теперь, как сказал мне шейх, я при-

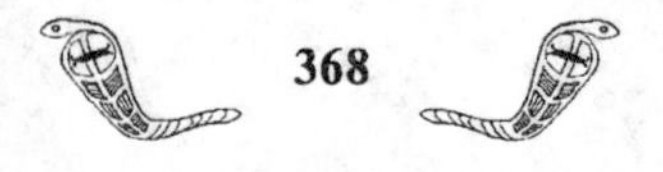

обрел иммунитет к укусам змей и скорпионов. До сих пор у меня еще не было случая проверить эффективность этого посвящения, хотя Муса и уверял меня, что иммунитет будет сохраняться два года, после чего мне придется вновь разыскать его и повторить церемонию, если, конечно, я пожелаю обновить переданную мне через посвящение мистическую силу.

Глава 17

Я СТАНОВЛЮСЬ ДЕРВИШЕМ-ЗАКЛИНАТЕЛЕМ

Чем-то вроде прелюдии к моему непосредственному обучению искусству змееловства стало заучивание заклинаний братства рифаи, отработанное затем на безвредных змеях. Я старался, как мог, и все же мои подопытные рептилии частенько проявляли своеволие и с большим удовольствием кусали меня. Ощущение эти укусы доставляли пренеприятнейшее — как будто рыболовный крючок прокалывает кожу. Но и раны после них тоже оставались неглубокими, к тому же можно было не опасаться яда. Следующим этапом стали упражнения со змеями, у которых были вырваны ядовитые зубы. Эти несчастные рептилии тоже не упускали случая цапнуть новичка, но со временем заклинания, похоже, и в самом деле обрели силу, и я постепенно уверился в том, что моя воля в состоянии возобладать над волей любой змеи. Вскоре я понял, что эта обнадеживающая вера, наряду с предельной концентрацией мысли и воли, тоже играет очень важную роль в укрощении змей.

Далее последовала поездка вместе с шейхом через Нил, в пустыню, где нам пришлось ловить уже

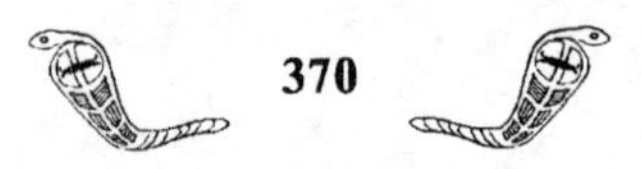

настоящих ядовитых змей, чьи зубы были в полном порядке. Шейх поймал двух змей: большую кобру с красивой зеленой кожей в желтую полоску и еще одну — поменьше, с головой в форме бриллианта и целой цепочкой маленьких бриллиантиков вдоль всей спины. Мы посадили их в корзинку и триумфальным маршем понесли в Луксор.

Поставив корзину на открытом месте в саду, шейх Муса резко откинул крышку и запустил туда руку, крикнув мне:

— Вот и начался твой первый урок. Хватай эту змею!

Шейх протянул мне извивающуюся кобру.

От неожиданности я растерялся. Никогда я еще не видел так близко от себя ничем не огражденную ядовитую змею и уж точно никогда не мечтал о том, чтобы взять ее в руки. Я никак не мог решиться выполнить приказ шейха.

— Не бойся! — постарался успокоить меня Муса.

И тут я понял, что это не просто первый урок, но и испытание. Мысли заметались в моей голове с удвоенной быстротой. И снова я не мог решиться — да и кто бы не призадумался, прежде чем схватить только что пойманную смертельно ядовитую кобру, сулящую любому, кто приблизится к ней, жуткую мучительную смерть. Но тут я словно телепатически уловил мысли своего учителя, пытавшегося убедить меня в том, что испугаться змеи в решающий момент — значит провалить самый важный экзамен и, возможно, окончательно расстаться с мечтой стать заклинателем. Я понимал, что профессия змеелова требует безусловной решимости — либо в овладении ею, либо в отказе от нее. От меня требовалось первое, поскольку я пока не спешил прекращать знакомство со змеиным племенем.

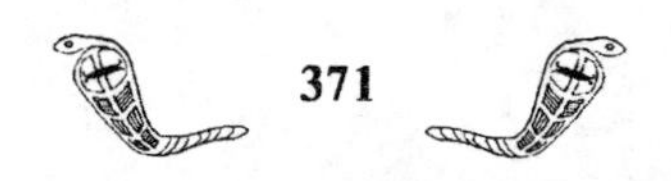

— Хорошо! — мысленно сказал я себе. — Все равно рано или поздно придется умирать, *малиш* (не стоит беспокоиться)!

Я вытянул руку и схватил извивающееся тело кобры. Я ожидал прикосновения к чему-то холодному и скользкому, но ощущение, к моему удивлению, показалось мне даже приятным.

Змея повернула голову, чтобы получше рассмотреть своего нового мучителя. Наши глаза встретились, и кобра на секунду застыла как натянутая струна, внимательно разглядывая меня.

И вновь меня охватило вполне естественное, почти животное чувство страха, но длилось оно не дольше, чем вспышка молнии. Вскоре ко мне снова вернулась решимость пройти через все до конца, чего бы это мне ни стоило; решимость, которая с тех пор никогда меня не покидала.

Муса посмотрел на меня и одобрительно улыбнулся.

— Видишь, ты уже стал ее хозяином, — гордо возвестил он.

Однако сам я был еще не совсем уверен в том, что змея полностью разделяет точку зрения шейха. Ведь неслучайно же змеи повсеместно снискали себе репутацию существ хитрых и коварных. В общем, я не спешил отождествлять эту первую победу с окончательным триумфом надо всем змеиным племенем. Будучи новичком, я еще не выработал в себе той непоколебимой внутренней уверенности, которой могут похвастать более опытные змееловы — такие, как мой учитель.

Кобра вновь начала извиваться. Она отчаянно брыкалась, не отворачивая от меня своей раздувшейся головы, глядя на меня злыми глазами и беспрестанно выстреливая в мою сторону своим тонким раздвоенным языком. Ее яростное шипение напоминало затрудненное человеческое дыхание.

На меня глядел хищник, не знавший, да и не способный знать, что такое жалость. Всю жизнь он вел беспощадную борьбу с окружающим миром, подобно исмаилиту, прекрасно осознавая, что принадлежит к классу отверженных существ, ненавидимых всеми прочими обитателями животного царства и почти всеми представителями рода человеческого.

Змея все ближе и ближе придвигала ко мне свою маленькую острую мордочку, и я решил, что настал момент моего второго испытания. Я не слишком цепко держусь за эту жизнь и не сомневаюсь в том, что смерть — это вовсе не конец, но напротив — новое начало; и все же я предпочел бы, чтобы жизненная сила покинула мое тело естественным образом, по истечении положенного срока. Но Муса забрал у меня кобру и положил на землю. Мне не хотелось больше укрощать ее, опять брать в руки эту непривычно гладкую пресмыкающуюся тварь, но ее вид странным образом завораживал меня, и я был рад тому, что смог рассмотреть ее так близко. Теперь она извивалась у меня под ногами, дюймах в восемнадцати, не больше; ее голова с частью туловища примерно на такую же высоту приподнялись над землей, и змея снова испытующе уставилась на меня.

Я тоже не сводил с нее глаз, размышляя при этом о смертоносной силе ее крошечных зубов. «Как странно, — думал я, — страшная сила этой змеи сосредоточена внутри ее маленького, почти незаметного рта; также как в ее неподвижных, немигающих глазах сосредоточена главная ее тайна».

Укус египетской кобры впрыскивает в тело яд, быстро парализующий нервы, выводя из строя или даже разрушая нервную систему. А это означает неизбежное прекращение сердцебиения или же остановку дыхания.

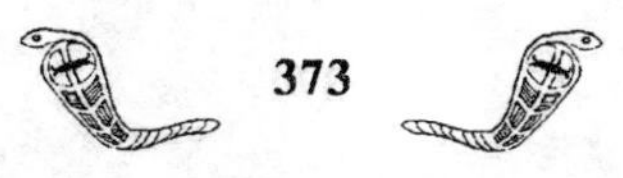

«Каким же образом Природе удалось наделить змей подобной властью над жизнью и смертью?» — молча спросил я себя. И, наконец, попросил Мусу показать, как устроен рот кобры. Он сразу же согласился удовлетворить мое любопытство и, схватив кобру за шею, сунул палочку в узкую щель ее рта, так что мне открылась вся его доселе незнакомая анатомия.

Изнутри змеиный рот оказался окрашенным в ярко красный цвет, резко контрастирующий с зеленым и мутно-желтым цветом ее кожи. Но более всего меня поразило совершенство открывшейся мне при этом техники кусания. Два кривых зуба, или, вернее — клыка, расположены прямо на передней части челюсти, по бокам от центра, прячась в кожных складках противоположной челюсти, когда змея закрывает пасть. Челюсти непрестанно двигались, так как змея старалась выплюнуть палку, неприятно царапавшую нёбо. Это позволило мне сделать еще одно важное открытие — пара ядовитых зубов вовсе не была жестко закреплена в деснах; с ядовитыми клыками был связан какой-то мускул, благодаря которому змея могла выдвигать их вперед, приводя, так сказать, в боевое положение, а затем возвращать на прежнее место. Я не знаю, какие еще животные могут похвастать подвижными зубами.

Эти боевые зубы «в мирное время» прятались в слизистой оболочке нижней челюсти. Позади них я заметил другие клыки, которые змея, видимо, держит в резерве; а по обе стороны от каждого клыка располагались маленькие мешочки, где накапливался яд. Наполнявшая эти емкости железа, очевидно, работает по тому же принципу, что и наши слюнные железы.

Еще одна отличительная черта змеиного клыка состоит в том, что он полый. Поэтому вполне уме-

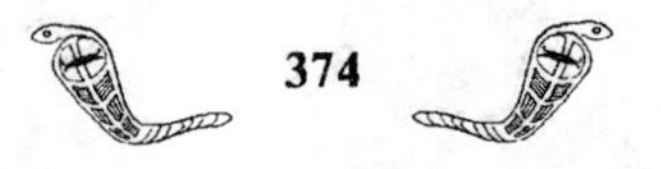

стным, на мой взгляд, будет сравнить его действие с действием шприца для подкожных инъекций. Кобра без труда вонзает свои острые, как иглы, клыки в плоть своей жертвы, в то же время сокращая мускулы, связанные с мешочками, хранящими отраву. При этом яд выдавливается в клык, а оттуда — в только что нанесенную им рану. Не так ли действует и шприц, игла которого протыкает кожу, одновременно с этим впрыскивая лекарство, выдавливаемое из емкости?

Шейх предложил мне провести со змеей еще один эксперимент: мне предстояло силой собственной воли заставить змею уснуть. В то же время он хотел проверить эффективность написанного им для меня талисмана, без которого, по его словам, успешное проведение этого эксперимента было бы невозможным.

Он отпустил кобру и отошел в сторону. Рептилия немедленно сосредоточила внимание на моей персоне, уставив на меня свои неподвижные и блестящие черные глаза. Решив проверить, насколько змея внимательна, я начал медленно обходить вокруг нее, не сокращая дистанции между нами, пока, наконец, не описал полный круг. И все это время, кобра изящно поворачивала в мою сторону голову и все свое гибкое тело, не оставляя без внимания ни один мой шаг. Взгляд этих ужасных глаз не отпускал меня ни на миг.

Очевидно, мои передвижения разозлили кобру: она приподняла плоскую голову еще выше, громко и злобно зашипела, снова начала выстреливать в мою сторону черным тонким языком и распустила свой королевский капюшон. Мне кажется, что раскрывая капюшон и придавая ему впечатляющую изогнутую форму, напоминающую развернутый зонт, кобра тем самым наводит страх на свою жертву. Очковый узор в верхней части капюшона в этом случае должен усугубить устрашающий эффект.

Я знал, что кобре даже не нужно нападать и кусать меня, чтобы причинить вред. Ей достаточно лишь плюнуть в меня своим ядом, и если он попадет мне в глаза, я могу навсегда остаться слепым. Кобры делают так довольно часто, и не только кобры.

Я постарался сконцентрировать всю свою волю и направить ее на змею. «Усни!» — мысленно приказывал я ей. Взяв талисман в правую руку, я приблизился к змее на несколько дюймов, не переставая мысленно повторять свой приказ. И вот: шипение прекратилось, капюшон уменьшился, покачивания стали более вялыми, и агрессивная стойка кобры заметно потеряла свою прежнюю царственность. Я свернул бумажку вдвое, в виде крыши, и положил ее на голову кобры. Змея сникла сразу же, так что мне пришлось поднять и снова водрузить ей на голову упавший талисман. После этого змея совсем ослабела и, приняв форму латинской буквы «S», неподвижно распростерлась в пыли.

Она будто оцепенела. А был ли это действительно сон, или гипнотический транс, или просто полное бессилие, вызванное «магией» талисмана, я не стал выяснять.

Таким был мой первый опыт заклинания змей.

* * *

И еще несколько раз мы с Мусой совершали кратковременные экспедиции в пустыню, где отлавливали змей и живыми приносили с собой. Мне пока было трудно их разыскивать, но Муса сразу же находил их повсюду: и в пустыне, и даже на нильских берегах, в местах, не обжитых людьми. Он утверждал, что находит змей по запаху, чему нельзя научиться иначе как на практике, по-

скольку настоящий профессионализм и квалификацию змеелов приобретает только в ходе работы, и требуется год или два для того, чтобы он стал настоящим мастером.

Иногда змеи злобно шипели и даже плевали в Мусу ядом, когда он выманивал их из нор; однако, в конце концов, сдавались и безвольно заползали к нему в руки. Но однажды несчастье все же произошло.

Мы ловили рогатую гадюку, с которой у нас с самого начала возникли проблемы. Лишь с большим трудом нам удалось «уговорить» ее выползти к нам, и когда Муса, наконец, приказал ей лезть в корзину, она, видимо, приняла движение его руки за нападение (оказывается, некоторые змеи — на редкость нервные создания) и в целях самозащиты укусила его. Я и глазом не успел моргнуть, как она впилась своим маленьким ртом в его правую руку. Кровь сразу же заструилась по коже. Струйка крови становилась все обильнее, и я поспешно перевязал рану платком, чтобы остановить ее. Но я понятия не имел, что делать дальше, и потому застыл в нерешительности, ожидая распоряжений самого шейха. Я думал, что он передаст мне свою последнюю волю и попросит через меня кого-либо из своих родственников позаботиться о его жене и детях. Но Муса, заметив мою тревогу, улыбнулся.

— *Малиш!* — пробормотал он. — Пустяки! Эта гадюка для меня не опасна. И укусила она меня только зубами, а не клыками.

Я снова остолбенел, но уже от удивления.

— Ни одной змее не позволено кусать меня ядовитыми зубами, — пояснил он, — но укусов обычными зубами мне порой не удается избежать. Такое случалось и раньше, я уже привык.

И это была правда — шейх не боялся, что змея укусит его, какой бы опасной она ни была для ос-

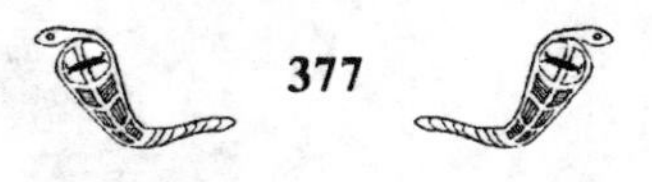

тальных. Чтобы доказать свою неуязвимость, Муса заставил змею открыть пасть и подставил свои пальцы прямо под ее ядовитые клыки. В любой момент змея могла, если бы пожелала, вонзить свои зубы под кожу его пальцев и убить его. Но змеиная челюсть оставалась неподвижной, и шейх, подождав немного, вытащил руку из ядовитой пасти целой и невредимой.

На следующий день я увидел, что рана не воспалилась, но напротив, начала заживать.

Когда я впоследствии рассказывал эту историю некоторым своим знакомым, они часто вспоминали известные им случаи, когда заклинатели для подстраховки заблаговременно вырывали у змей ядовитые зубы. Их стремление докопаться до истины весьма похвально, но я слишком уважаю своего читателя, чтобы умалчивать о подобных ухищрениях моего учителя, если бы они на самом деле имели место.

Что же касается иммунитета от змеиных укусов, приобретенного мной, по его словам, на один-два года, то я могу сказать только, что мне не раз приходилось брать в руки смертельно ядовитых кобр и опасных гадюк и даже класть их себе на шею, но ни одна из них ни разу не попыталась напасть на меня. Они вели себя со мной почти как ручные. Я же со своей стороны не упускал возможности поближе рассмотреть эти таинственные создания. Муса предупреждал меня, однако, что среди скорпионов наиболее злобной и непослушной является их черная разновидность; так что при встрече с черным скорпионом я должен был помнить, что могу не справиться с ним. Маловероятно, но все же не исключено было и то, что какая-нибудь змея все-таки сможет меня пересилить.

— Такую змею, — учил меня Муса, — можно распознать, произнеся при встрече с ней тайное

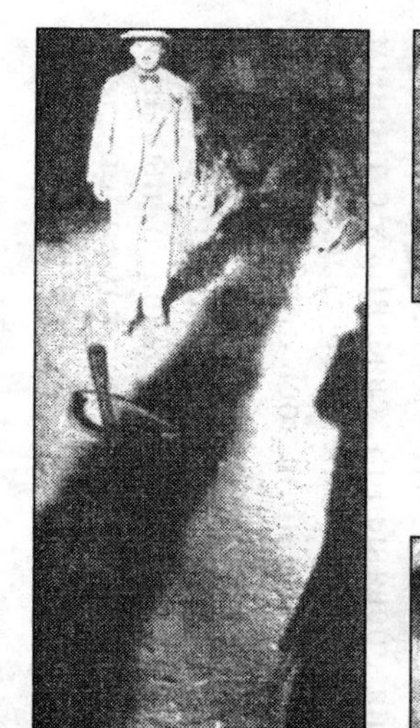

Автор перед
приготовившейся
к броску коброй

Змея «усыплена» магическим талисманом,
положенным ей на голову

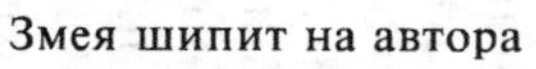

Змея шипит на автора

Автор
с пойманной
змей в руках

«заклятие». Если змея не обратит на него внимания и не перестанет двигаться, значит, ее лучше оставить в покое — это очень злобная змея, способная убить человека, несмотря на все талисманы и заклинания.

Немного позже мне предоставился случай вступить в схватку и со скорпионом. Это случилось уже после того, как я расстался с шейхом, решив продолжить свое путешествие по Южному Египту. Я тогда исследовал величественный древний храм в Эдфу и решил спуститься в отверстие в полу маленькой, примыкавшей к святилищу комнаты, несмотря на то, что ведшие некогда вглубь него ступени уже давным-давно развалились.

Прогуливаясь по таким полуразрушенным подземельям, следует соблюдать предельную осторожность, поскольку они являются излюбленным прибежищем для змей. Рептилии с большим удовольствием заползают в трещины каменной кладки, сдавливающие их тела и помогающие соскрести с себя старую кожу, когда приходит время освободиться от нее. Им также нравится одиночество, темнота и сумрачная прохлада этих древних убежищ, и потому они водятся там в изобилии.

Пробираясь ползком по узкому тоннелю, к тому же густо покрытому непотревоженной пылью столетий, я проник в другой такой же пыльный коридор, который привел меня в низкий подземный склеп. Я сразу же понял, что он был предназначен для проведения посвящений, связанных с тайным ритуалом древних мистерий. Там царил кромешный мрак, так что мне пришлось прибегнуть к помощи карманного электрического фонарика.

Проведя детальный осмотр помещения, я направился обратно и снова забрался в пыльный тоннель, как вдруг из трещины в каменной стене выполз огромный желтый скорпион и кинулся

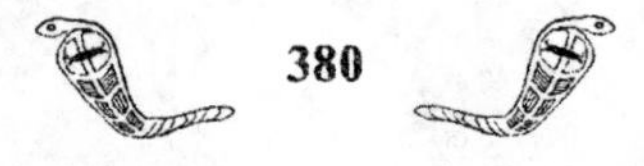

прямо к моим ногам. Скорпионы тоже питают слабость к древним подземельям. Разбитые плиты, полная темнота и низкий потолок тоннеля не позволяли мне двигаться свободно и быстро, поэтому я даже не попытался бежать, но вместо этого нацелил на ядовитое членистоногое большой палец, вполголоса произнес «заклятье» и решительно повелел ему остановиться. Муса предупредил меня, что заклинания я должен произносить, предельно сконцентрировавшись и вкладывая в них всю свою силу (только так и должны произноситься все магические заклинания).

Скорпион тут же остановился как вкопанный, будто наткнувшись на какой-то невидимый барьер! Он оставался неподвижным до тех пор, пока я не выбрался из тоннеля. И кто знает, может он до сих пор стоит, окаменев, на том же месте в ожидании команды «Вольно!»

Иногда Муса, развлечения ради, подходил к дереву, в котором, как нам было известно, постоянно прячется скорпион, и приказывал ему выйти. Скоро или не очень скоро, скорпион действительно выбирался наружу и прыгал прямо на плоский тюрбан шейха!

А однажды, когда мы с Мусой беседовали о мистических способностях дервишей-заклинателей, принадлежащих к братству рифаи, и я попросил его сформулировать, на основании собственного опыта, суть этих способностей, шейх смог (или счел нужным) сказать мне только следующее:

— Змеи подчиняются нам только по воле Аллаха. Нам запрещено убивать их собственными руками, и змеи знают это и верят, что мы не преступим этот запрет. Поэтому наши заклинания всегда включают в себя стихи из Священного *Корана*.

Пожалуй, я не выдам никакой важной тайны, если приведу здесь в качестве примера одно из

заклинаний, используемых дервишами ордена рифаи, в члены которого я был в свое время посвящен, поскольку это заклинание не относится к разряду тайных, и его уже слышали в исходной мелодичной форме (на арабском языке) сотни непосвященных людей.

Если верно то, что высказанная мысль уже является материальной силой, то почему бы этому переведенному тексту не сохранить все способности, присущие его оригинальному арабскому варианту? Хотя одно только это заклинание вряд ли способно выманить змею из норы или заставить ее положить голову на чью-либо ладонь! Как бы то ни было, вот его текст:

«О змея! Явись! Заклинаю тебя именем Аллаха, будь ты вверху или внизу, выйди ко мне!

Нет никого сильнее Аллаха, и никто не может Ему противиться. О! Мой помощник в час испытаний! Во имя Святой Мечети и Святой Книги, заклинаю тебя, явись!

Во имя Того, чья слава открывает все двери, приди и покорись завету. Я — повелитель Слова.

Самым Великим из имен, именем Владыки Спасения призываю тебя. По воле моего шейха и господина моего братства, Ахмада Ар-Рифаи. — Явись!

Во имя Соломона Мудрого, властвующего над всеми пресмыкающимися тварями. Слушай! Аллах повелевает тебе. Покажись, о змея! Выйди ко мне! Да пребудет с тобою мир. Я не причиню тебе зла».

* * *

Расставшись с шейхом Мусой, я много думал о том, что в основе учений и методов дервишей рифаи, вероятно, лежит какой-нибудь древний змеиный культ, истоки которого затеряны в глубине веков. Я знал, что Муса, искренне считающий

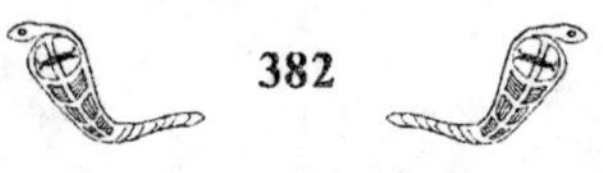

себя добрым мусульманином, ни за что не согласится с этим предположением. Я как-то попытался намекнуть ему на это, но он сразу же закрыл тему, напомнив мне, что нет Бога, кроме Аллаха! И чем настойчивее я впоследствии старался подвести его к этой мысли, тем убежденнее он ссылался на верховенство Аллаха, и я, в конце концов, пришел к выводу, что он либо не хочет, либо не может правильно меня понять; и мне, волей-неволей, пришлось отказаться от этих дискуссий.

Вспомнив все, что мне было известно о заклинателях и сравнив эти данные со своими познаниями о культе змеи, который до сих пор открыто практикуется в Индии и, насколько мне известно, был распространен в Древнем Египте, а также проанализировав свое новое, изменившееся отношение к змеиному племени, развившееся во мне после посвящения, я пришел к выводу, что мое предположение справедливо. Чем больше я размышлял над этим вопросом, тем больше обнаруживал свидетельств тому, что это странное знание является ничем иным, как реликтовым пережитком одной из древнейших религий исчезнувшего континента.

Я обнаружил в себе постепенную, но существенную перемену в отношении к миру рептилий. Я больше не испытывал стойкого, непреодолимого отвращения к змеям, как это было раньше; и леденящий ужас, непроизвольно вползающий в сердце каждого человека при виде змеи, оставил меня. Я больше не видел в них ни злобных и безжалостных врагов всего живого, ни ползучий символ предательства и коварства. Напротив, медленно, но верно я проникался своего рода восхищением перед красотой их гибких блестящих тел и грациозностью приподнятых над землею шей. Я научился уважать их за ярко выраженное своеобразие и сверхъестественную загадочность и даже слегка жалеть их. Это была не просто перемена в образе мыслей, но новое ощущение, само по себе развившееся в моей душе.

По странному несовпадению во всех христианских странах змий символизирует исключительно зло или даже самого дьявола, тогда как почти у всех древних цивилизаций и даже у большинства сохранившихся до наших дней первобытных народов (например, в Центральной Африке) символический змий был и остается разделенным на две ипостаси — злую и божественную.

По всей Африке, в Индии, среди друидов и во многих областях Центральной Америки, где звучит еще эхо Атлантиды, существовал культ змеи. Стены огромного ацтекского храма в Мехико, длина которых составляла целую милю, были украшены скульптурными изображениями змей.

Дравиды — аборигенное темнокожее население Индии, ныне почти полностью вытесненное на юг страны — почитают кобру (в особенности очковую) как божественное существо и никогда не убивают ее без крайней необходимости, хотя с другими змеями расправляются без всякого сожаления. Некоторые дравидские жрецы даже держат кобр с вырванными ядовитыми зубами при храмах, кормят их молоком и сахаром и используют в церемониальных богослужениях. Такие змеи становятся совершенно ручными и с готовностью выползают из нор, когда их вызывают оттуда звуками дудочки. А когда какая-либо из этих кобр умирает, ее труп заворачивают в саван и сжигают, будто это — умерший человек.

Многие крестьяне как на юге, так и на севере, западе и востоке Индии с удовольствием поклоняются изображению кобры с распущенным капюшоном или же оставляют пищу перед норой настоящей кобры, которую считают воплощенным носителем некоей высшей силы, некоего духа, требующего уважения и почитания. Эти воззрения они почерпнули из древнейших традиций своей страны и, наряду со многими другими малопонятными теперь обычаями, принимают их как данность. Никакой другой вид змей не пользуется у них таким почетом.

В святая святых многих храмов — погруженных во тьму или же освещавшихся лишь тусклыми лампадами и неизменно закрытых для всех людей иной веры — часто можно увидеть скульптурное изображение кобры, свернувшейся вокруг алтаря или же распустившей свой капюшон, изготовясь к атаке. Если же мы обратимся к Южной Африке, то увидим, что у зулусов, живущих вдали от городов и не приобщившихся еще к цивилизации, змея, заползшая в дом или в хижину, считается в некоторых случаях воплощением умершего родственника. Таких змей зулусы не убивают, но просто стараются выгнать их из дома, часто прибегая при этом к помощи колдунов-знахарей, многие из которых, помимо всего прочего, владеют искусством заклинания змей.

Глядя в глаза кобры, я часто вспоминал этот загадочный обычай зулусов. Несмотря на неестественную и пугающую неподвижность этих глаз, меня порой невольно охватывало жуткое ощущение того, что за ними скрывается разум, почти не уступающий человеческому.

Однажды я повесил себе на шею на редкость большую и толстую змею. Не прошло и минуты, как мой разум почему-то начал терять контроль над окружающей обстановкой, впадая в доселе неведомое мне странное психическое состояние. Я почувствовал, что теряю связь с физическим миром и постепенно погружаюсь во внутренний мир

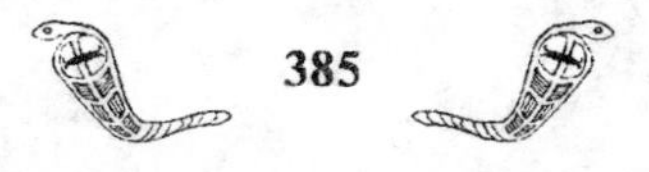

души. Казалось, я переношусь из привычного земного мира в чужую призрачную вселенную, с атмосферой, явно пропитанной злом. Меня вовсе не прельщала перспектива погрузиться в иную реальность, когда в физическом мире совсем рядом с моим лицом маячит ползучая смерть. Поэтому я снял змею с шеи и осторожно положил на землю.

В ту же секунду мое сознание вернулось к своему нормальному состоянию, сфокусировавшись на хорошо знакомом мне физическом окружении. Такое случилось со мной только однажды, но и этого было вполне достаточно, чтобы я запомнил этот случай на всю оставшуюся жизнь.

Быть может, я настроился на сознание самой змеи? Неужели она способна жить одновременно в двух мирах? А этот второй мир — неужели это нижний мир ужасов? Кто знает?

В одной из своих экспедиций по джунглям Южной Индии я увидел однажды жуткую картину — ничто иное, как собрание кобр. Несколько рептилий образовали круг, грациозно приподняв над землей свои тела. «Любопытно, что обсуждают между собою эти укрытые капюшонами головы, — подумал я, — какие тайны поверяют они друг другу?» Но должен признать, что просто удрал подальше от этого места, не досмотрев сцену до конца. Вид даже одной кобры в то время мог ввергнуть меня в панику, а уж скопище змей было для меня поистине невыносимым зрелищем.

Среди резных и рисованных изображений Древнего Египта змея и вовсе встречается на каждом шагу. Над архитравом гигантского входного пилона карнакского храма Амона-Ра возвышаются сразу две величественные кобры — застывшие символы могущества. А стоящий неподалеку маленький храм Осириса украшен целым сонмом скульптурных изображений змей, выстроившихся сомкнуты-

ми рядами. В расположенной по другую сторону реки Долине мертвых, где в глубине Фиванских гор покоятся иссушенные временем мумии, стены почти каждой царственной гробницы свидетельствуют о том, какое важное место змея занимала в религии и мышлении Древнего Египта.

О том же повествуют и многие изображения публичных храмовых церемоний, встречающиеся по всему Египту. И, наконец, святилища, где проводились тайные ритуалы мистерий, также вносят свою безмолвную лепту в этот и без того щедрый поток доказательств. Вершину каждого обелиска и почти каждого храмового портика тоже венчает змеиная скульптура. К тому же от изображения диска, символизирующего всеми любимое и почитаемое Солнце, довольно часто исходят две змеи с распущенными капюшонами.

Все эти символы связаны с психическим миром, что дает объяснение последующей дурной репутации змей, помимо устрашающих физических качеств этих созданий. Ведь контакт с миром души, став достоянием злых людей, мог быть низведен до уровня черного колдовства, что со временем и произошло.

Египтяне осознавали такую возможность и потому изображали двух змей — добрую и злую. Первую обычно изображали с приподнятой головой, а вторую — ползущей. Древнеегипетским повелителем злых сил (то есть дьяволом) был свернувшийся черный змей Апопи.

Но существовал еще и высший символизм и заключался он в следующем:

Змея наилучшим образом олицетворяет активизирующую, творческую силу Высшего Духа, создавшего вселенную, и сам процесс творения. Головные уборы египетских фараонов были украшены спереди изображением распустившей капюшон

змеи, что означало божественное происхождение их владельцев. Таким образом, змея олицетворяла не только дьявольское (в некоторых случаях), но и божественное начало.

Добрая змея — это та божественная сила, которая первой всколыхнула неподвижную поверхность темной бездны в самом начале Творения. Изгибая свое пластичное тело, змея может принимать сотни разных поз, оставаясь при этом тем же, чем и была, то есть змеей. Точно также и вселенная может проявляться в неисчислимом многообразии форм (предметов, существ и явлений), по сути своей оставаясь все тем же единым Духом. Этот тезис (о единстве вселенной) с недавнего времени начинает признавать и наука, только для Духа она пока старается подобрать другие определения. Также как змея время от времени сбрасывает свою старую кожу, облачаясь в новую, все существующие во вселенной формы рано или поздно умирают, возвращаясь к первоначальному состоянию материи. «Из праха рожденный в прах и отыдешь»... Но и этим символизм змеи не исчерпывается. Ее новая кожа олицетворяет новую форму, которую должна обрести материя. Несмотря на смерть старой кожи, змея продолжает жить. Так же и Дух — бессмертен, несмотря на смерть своих внешних форм.

Змея движется сама по себе — ей не нужны для этого ни руки, ни ноги, ни какие иные конечности. Так и Животворящая Сила — движется сама по себе от одной формы к другой, порождая как отдельные существа, так и весь мир в целом.

Когда египтяне изображали покрытую чешуей змею, кусающую свой собственный хвост, очерчивая, таким образом, замкнутый круг, они подразумевали под этим ничто иное, как проявленную вселенную. Чешуйки — это звезды. То, что змея

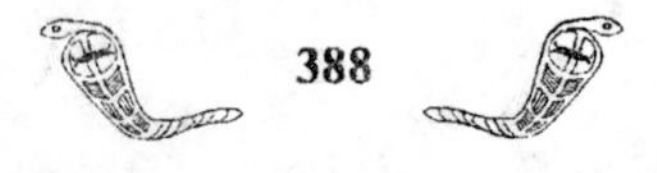

кусает сама себя, означает самоуничтожение вселенной, неизбежно наступающее после того, как материя оказывается покинутой Духом.

Символизм змеи имеет еще много иных значений, варьирующихся от божественного до дьявольского. Даже в мистериях для него нашлось свое особое место.

В этом тайном ритуале змея олицетворяла Силу, освобождающую душу человека во время посвящения; Силу, постепенно охватывающую тело погружаемого в транс неофита, вползающую в него, подобно змее.

Следовательно, распустившая свой капюшон надо всем древним миром змея имела две головы: дьявольскую, которой следует опасаться и сражаться с ней, и божественную, которую следует почитать и поклоняться ей; ибо змея была Творцом Всего Сущего (включая и все существующее в мире Добро и Зло).

Глава 18

ВСТРЕЧА С АДЕПТОМ

В Луксоре, всего лишь в нескольких милях к западу от Нила, возвышается коричневато-розовая горная цепь, отделяющая возделанную речную долину от Ливийской пустыни. В этих горах затерялась выжженная Солнцем теснина, где нет, да и не может быть никакой растительности; где не увидишь ничего, кроме камней и сухого песка; а единственные ее обитатели — змеи и скорпионы. С незапамятных времен покоились в этом пустынном месте царственные повелители древних Фив, ибо это и есть знаменитая Долина царей. Я сказал «покоились», а не «покоятся», потому что многие из этих мумифицированных тел были не так давно исторгнуты из своих мрачных подземелий и выставлены в душных галереях великих музеев на всеобщее обозрение. Но некоторые гробницы не найдены до сих пор, и вовсе не потому, что для этого не хватило времени, сил или денег.

Я наметил для себя довольно обширную программу исследований: уже давно оставшиеся без крыш храмы в нескольких милях от Долины; развалины древних Фив, ныне едва возвышающиеся над землей; сами гробницы; и даже окраина самой Западной пустыни. Для таких частых и непродол-

жительных экспедиций из Луксора наилучшим транспортом был, конечно же, осел. Ни одно другое животное не может пробираться такой уверенной поступью меж валунов, среди острых камней или по краю пропасти.

Я нанял «мальчика», чтобы он прислуживал мне, и первым же поручением, которое я ему дал, было найти хорошего поставщика, снабдившего бы меня подходящим для недальних поездок ослом. Моего слугу звали Юсефом, а мальчиком я его назвал, лишь следуя традиционной терминологии путешественников, поскольку «мальчику» уже перевалило за сорок и у него была жена и трое детей. Он часто напоминал мне о том, что у него есть семья; собственно говоря, всякий раз, когда я вытаскивал свой бумажник, чтобы расплатиться с ним. А когда я, шутки ради, делал вид, что хочу повесить ему на шею змею, он начинал возмущенно протестовать, повторяя, что если змея его укусит, то его семью «некому будет кормить»!

Очевидно, выработанная годами привычка кормить ослов способствовала тому, что и свою семью он начал ставить в один ряд с этими животными, видя в своих домочадцах лишь не менее прожорливых едоков, начинающих также громко кричать, если вовремя не задать им корма. Как бы то ни было, он был довольно благовоспитанным человеком с изумительным чувством юмора; одним словом — он мне нравился.

Он нашел «ословладельца», оговорил с ним условия контракта и в назначенный срок явился ко мне, ведя за собой крупного и симпатичного, уже оседланного белого осла. Я забрался в седло, и он тут же тронулся. Все шло хорошо: мы добрались до берега реки, где все трое сели в лодку и, переправившись через широкий мутный Нил, оказались на западном его берегу. Там я снова сел на осла, и наше семимильное путешествие в Долину царей началось.

Уже через четверть часа стало понятно, что симпатичный внешний вид животного вовсе не соответствовал его деловым качествам. Мы не проехали еще и половины пути, как мне пришлось пожаловаться Юсефу на то, что на сей раз его признанный талант разбираться в ослах явно подвел его, или же стадо «ословладельца», у которого он позаимствовал это животное, настолько мало, что в нем не нашлось ничего получше. Я добавил еще, что в жизни не видел такого ленивого осла, поскольку ему, похоже, гораздо больше нравилось спать, чем двигаться. Юсеф всплеснул руками и, воздев очи горе, удивленно воскликнул:

— Ин-ша-Аллах! Кто мы такие, чтобы вмешиваться в промысел Всемогущего?

На этот вопрос я не смог найти ответа и потому решил более к нему не возвращаться. Оставив позади кукурузные поля, мы задержались, чтобы посмотреть на Колоссы Мемнона — пару гигантских статуй-близнецов, чьи изувеченные лица теперь невозможно реконструировать даже мысленно и чьи обветшавшие тела, сидящие на тронах, когда-то были установлены как часовые перед пилоном ныне не существующего храма-дворца, построенного Аменхотепом III, а теперь возвышаются на пятьдесят футов над пшеничным полем, расположенным на месте этого старого храма. Лишенные ртов, носов, глаз и ушей, Колоссы сидят на своих местах, как и сотни лет назад, сожалея, быть может, лишь о тех повреждениях, что нанесли им персидские захватчики царя Камбиза (судя по надписи, нацарапанной на постаменте римлянином Петронианом). Когда-то за ними была проложена мощеная дорога длиной свыше тысячи футов, обрамленная по бокам статуями и сфинксами, причем пары одинаковых статуй стояли друг напротив друга. От них сейчас тоже ничего не осталось. Свернув в сторону от щедрой растительности, покрывавшей пологий берег Нила, и избрав путь, уводивший нас прочь от реки, мы устремились прямо к Фиванским горам, время от времени встречая по дороге обычных для этих мест путников — мужчин в долгополых белых рубахах и женщин в черных платьях.

Затем мимо проплыла такая же обычная деревня — несколько низеньких побеленных глинобитных домишек, миниатюрный минарет, пристроенный к такой же крошечной мечети с белым куполом, и, конечно же, непременная пальмовая роща — эти деревья высаживают здесь специально ради их приятной тени.

Я задержался возле деревенского колодца, чтобы напоить томимого жаждой осла, а заодно и его пассажира. Осел немедленно погрузил свой нос в необычное корыто, в котором я сразу же узнал разбитый каменный саркофаг, возможно, служивший некогда какому-то покойному древнеегипетскому властителю!

Дальнейшее наше путешествие проходило без остановок. Нас не соблазнили ни полуразрушенные храмы Курны, ни раскопанные погребения фиванской знати в Абд-Аль-Курне, ни даже величественный некрополь Дира Абун Нага.

Я хотел добраться до ведущей к горам маленькой пустынной долины прежде, чем раскаленное Солнце вознесется над нашими головами. Мы отправились в путь еще на рассвете, что вовсе не было излишней поспешностью в этот летний месяц. Ибо я знал, что на этих каменистых вершинах любая жара немедленно удваивается из-за того, что солнечные лучи здесь льют свое тепло не только сверху, но и снизу, отражаясь от скал.

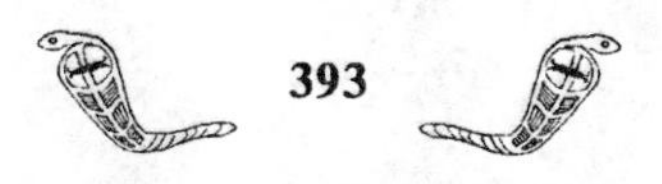

Шаг за шагом мы продвигались на запад по древней дороге, затем обогнули большую россыпь валунов самой причудливой формы и, достигнув, наконец, подножия гор, въехали в первое узкое ущелье.

А вскоре мой едва плетущийся по песчаной, окруженной с двух сторон острыми камнями дороге ишак вступил в пределы знаменитой Долины, куда в древности приносили могущественных при жизни, а теперь беспомощно скорчившихся в объятиях неизбежной смерти фараонов.

Островерхие розовые скалы, возвышающиеся подобно стражам по обе стороны узкого ущелья, великолепно смотрелись на фоне кобальтового небосвода вдоль всего нашего пути, насколько его можно было охватить взглядом. Их вершины сияли, отражая льющийся с небес ослепительно белый солнечный свет, а разбросанные на дне ущелья раскаленные камни пылали отраженным солнечным теплом. Сжатое с обеих сторон отвесными известняковыми стенами, это уединенное и лишенное какой бы то ни было растительности ущелье наилучшим образом соответствовало своему скорбному предназначению — служить местом последнего упокоения мумифицированных египетских фараонов. А по другую сторону ущелья сооружались гробницы для знати и высшего жречества.

Я направлялся к противоположному краю ущелья — туда, где находятся открытые гробницы и вся земля изрыта могильными ямами, свидетельствующими о немалом усердии древних египтян, ибо каждую такую могилу им приходилось выдалбливать в каменном массиве скалы. Мой осел, уверенно переставляя копыта, как мог петлял по все более тесному ущелью, ибо разбросанные вокруг разновеликие валуны и острые, как бритвы, осколки кремня и кварца не позволяли ему идти прямо. А слева и справа от меня тянулась все та же неприступная зубчатая стена, вершины которой, казалось, почернели от зноя. Груды пышущих жаром камней и известковые склоны так блестели на Солнце, что больно было смотреть. Зной завис над землей в виде марева, беспрестанно дрожащего от восходящих потоков горячего воздуха. Ни единого дюйма тени не было заметно вокруг, и мне показалось, что я направляюсь прямо в жерло огромной печи. Язык мой пересох, губы потрескались. Картина была на редкость унылой, но все же не лишенной какого-то необъяснимого великолепия.

Повсюду царила мертвая тишина, не нарушавшаяся даже птичьим пением. Горячий воздух пустыни отпугивал птиц и, казалось, убивал все живое, не давая пробиться сквозь нагромождения камня и песка ни единому цветку или травинке.

Беспрерывная горная цепь наконец-то завершилась высоким угловатым пиком, чьи склоны были сплошь покрыты каменными осыпями. Но еще до того, как мы до него добрались, перед нами открылась панорама гробниц. Здесь покой древних скал, некогда превращенных в место захоронения набальзамированных мумий и их сокровищ, сравнительно недавно был вновь потревожен человеком; и все, что должно было найти здесь свое последнее пристанище, оказалось вновь извлеченным из недр земных.

* * *

Отвесные стены Долины были сплошь усеяны нисходящими тоннелями, которые вели к погребальным камерам. Это был настоящий подземный город мертвых. Спуск по вырезанным в скале ступеням лестницы, а затем погружение в темный наклонный коридор одной из этих гробниц напом-

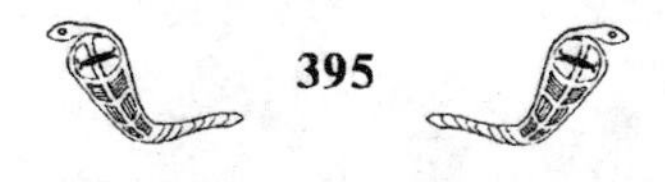

нили мне сошествие в преисподнюю. Я зажег фонарь и осветил его лучом стены тоннеля. От самого пола и до потолка их покрывали ярко раскрашенные лепные изображения извивающихся змей, царей и жрецов, молитвенно простирающих руки к своим божествам, священных лодок, духов-охранителей, крокодилов с человеческими головами, погребальных жертвоприношений, жуков скарабеев и стилизованных летучих мышей, составлявших непрерывную цепь сюжетов, посвященных странствиям усопшего в загробном мире. Изображения перемежались столбцами иероглифов, тоже призваных помочь новоприбывшей душе в ее опасном путешествии в мир теней, ибо это были священные тексты из «Книги врат» и «Книги пребывающего в нижнем мире». В них говорилось о мире духов, охраняющих его змеях и бездонной преисподней, где царит непроницаемый мрак. А еще о том, как можно избавить душу от подстерегающих ее тяжких испытаний, как следует обращаться к богам правосудия и как отвечать на их вопросы.

Продвигаясь все дальше по наклонному коридору, я добрался до погребальной камеры, откуда, как оказалось, вел еще один тоннель, заканчивавшийся очередным склепом. За ним следовал новый коридор, и так далее, пока я не проник вглубь скалы футов на триста.

Над моей головой нависали тысячи тонн каменной массы. И каждый дюйм поверхности стен был покрыт либо надписями, либо изображениями, составлявшими в совокупности грандиозную панораму древнеегипетской жизни и ее зеркального отражения — царства мертвых. В главном склепе в полу была устроена глубокая ниша, в которой покоился тяжелый гранитный саркофаг. Некогда этот каменный гроб служил последним пристанищем для завернутого в просмоленные бинты и осыпанного драгоценными украшениями тела фараона. Но теперь оно, разделив судьбу всех прочих найденных мумий, перенесено в какой-то ярко освещенный зал музея древностей ради удовлетворения научного интереса и праздного любопытства нынешней общественности.

Вырвавшись, наконец, из поля зрения с любопытством наблюдавших за мной со стен бесчисленных нарисованных глаз, я снова перенесся из жутковатой, но прохладной темноты тоннеля в невыносимое пекло Долины, под безжалостные лучи теперь уже полуденного Солнца, но лишь затем, чтобы, пройдя несколько ярдов по каменной тропинке, погрузиться во мрак другой, не менее глубокой и красочно оформленной усыпальницы. Таким образом я обошел с полдюжины гробниц, повсюду встречая бесконечные ряды самых разных назидательных изображений. Разумеется, это был всего-навсего беглый осмотр, но я намеревался непременно приехать сюда еще раз для проведения более тщательного исследования. Довольно внушительно выглядела гробница фараона Сети, врезавшаяся в недра скалы более чем на четыреста футов. Но и она не произвела на меня такого впечатления, как более скромный склеп Рамсеса IX, где я обнаружил скульптуры и фрески, несколько отличающиеся по своим сюжетам от прочих изображений Долины царей. Я бы сказал, что они выделялись своей одухотворенностью — светом и оптимизмом, не подавляя разум напоминанием о неизбежности смерти, но скорее наводя его на мысли о возвышенном предназначении человека и таком же несомненном его бессмертии.

Над внешним порталом был изображен ярко-красный солнечный диск, которому поклоняется сам фараон Рамсес. Упрощенно символизм этого изображения можно объяснить следующим обра-

зом: солнечный диск становится красным на закате, перед погружением в ночную тьму, следовательно — душа царя, как и Солнце, тоже неминуемо должна погрузиться во мрак могилы, следуя за его телом; но то же самое Солнце вновь восходит с наступлением утра, и душа фараона с ликованием возродится к новой жизни. Изо дня в день Солнце садится на западе и восходит вновь на востоке, потому что оно бессмертно. Точно также и душа фараона после смерти, пройдя сквозь тьму нижнего мира, неизменно возрождается в мире души, ибо она тоже бессмертна.

Но для тех, кто прошел посвящение в древние мистерии, это изображение имело гораздо более глубокий смысл. Смерть не страшна тому, кто уже «умирал» при жизни. Им известно не только то, что душа продолжает жить после смерти, но и то, что ей суждено снова *воплотиться* в этом мире. Я вошел внутрь коридора и осветил лучом своего фонарика левую стену: передо мной возникло изображение Рамсеса, сопровождаемого великими богами — Осирисом, Харахтом и Амоном-Ра. Я прошел дальше и увидел того же Рамсеса, возжигающего для богов фимиам. Я миновал две комнаты, над дверями которых были записаны иероглифами похвалы богу Солнца, а на следующей стене увидел фигуру жреца, изливающего на фараона (как при крещении) поток различных символов, среди которых был и египетский крест с кольцом — ключ к мистериям и символ вечной жизни. Здесь Рамсес был изображен в другом одеянии, поскольку он уже уподобился Осирису. Его душа уже была освобождена и оправдана, что означало подлинное воскресение и давало фараону право предварять свое имя божественным именем Осириса.

Не случайно он сам говорит в своей взволнованной молитве: «Смотри, я стою пред Тобою, О

Владыка Аменти. И нет греха в теле моем. Я никогда не говорил заведомой лжи и не делал ничего, чему противилась бы душа моя. Дай же мне присоединиться к тем избранным, кому позволено следовать за Тобой, чтобы стал я Осирисом, которому благоволит Прекрасный Бог и которого любит Повелитель Мира».

А бог Тот, записывающий на своих скрижалях результаты взвешивания сердца умершего и приговор суда великих богов, говорит: «Выслушай же приговор. Взвешена была вся правда, что есть у Осириса в сердце, и душа его свидетельствовала о нем. И был он признан праведным, пройдя испытание взвешиванием на Великих Весах. И не нашлось в нем никакого порока. Не причинил он никому зла своими поступками и не говорил со злобою, пока жил на земле».

И все собрание великих богов поддерживает его: «Отныне все, что исходит из уст твоих, будет объявлено истинным. Праведен и свят победоносный Осирис. Не совершал он греха и нам не причинял зла. Да не будет он предан во власть Всепожирающего. Да откроют ему дорогу к богу Осирису, и пусть отныне его обителью станут Поля Вечного Покоя».

В третьем коридоре царь жертвовал богу Пта статуэтку богини Истины. А следом шло изображение его простертой мумии, уже достигшей просветления Осириса. Поэтому над ней было нарисовано восходящее Солнце, диску которого была придана форма жука скарабея — символа новой жизни и непременного воскресения души.

После двух пройденных комнат я добрался, наконец, до главного склепа, уже давно разграбленного, а не так давно лишившегося даже мумии фараона и всех ее саркофагов. Только окрашенная площадка напоминала о том, что здесь когда-то

стоял большой саркофаг. На стенах склепа были заметны различные символы бессмертия, например — юный Гор, сидящий перед крылатым Солнцем. А сводчатый потолок был украшен картиной звездного вечернего неба с обозначенными на нем зодиакальными созвездиями, составлявшими главное звено всей композиции.

Покинув переполненные нижние миры и верхние сферы блаженных, я вернулся к выходу. В лучах электрического фонарика передо мной разворачивалась одна сцена за другой. Картины менялись, как кадры в кинофильме. И вот меня вновь ослепил невыносимо яркий дневной свет.

Эти открытые гробницы являют собой прекрасный пример того, какую пользу может принести серьезное отношение к древней традиции. Диодор около 55 года до н.э. записал, что, согласно хроникам египетских жрецов, в Фивах были похоронены сорок семь фараонов. Современные египтологи поверили Диодору, что позволило им открыть этот некрополь в Долине царей, настоящей жемчужиной которого оказалась неразграбленная гробница Тутанхамона.

Но меня уже порядком утомил этот поход к фараонам, искавшим ложного бессмертия в мумифицировании и просмоленных бинтах! Солнце уже приближалось к зениту, воздух немыслимо сгустился от полуденного летнего зноя, горло мое пересохло, и я отправился вдоль по каменной дорожке на поиски Юсефа — хранителя заветной фляги со спасительным чаем. Но он куда-то скрылся, видимо, надеясь отыскать поблизости хоть какую-то тень. Я высматривал его повсюду, но Юсеф как будто растаял от жары вместе с ишаком и со всем нашим скарбом. Глаза мои ничем не смогли мне помочь, но зато выручили уши. Ибо из глубин отдаленной усыпальницы одного прославленного египетского фараона-воина до меня донесся чей-то могучий, торжествующий храп. Я поспешил к этой гробнице и увидел распростертого на полу человека в белом одеянии. Судя по выражению его лица, ему снились самые сладкие сны.

Это был Юсеф!

* * *

Жажду приобщения к тайным знаниям и священным ритуалам исчезнувшего фиванского мира я утолял неспеша. Это было приятное времяпровождение, затянувшееся не на один день. За это время я успел довольно близко познакомиться (если не сказать — «подружиться») с этими бесстрастными и величественными богами и богинями, а также с их серьезными и озабоченными смертными почитателями. Я узнал их, пожалуй, так же хорошо, как и ныне здравствующих обитателей Луксора — наследника древних Фив. В атмосфере некоторых гробниц все еще чувствовались едва уловимые признаки какого-то психического присутствия, но свидетельствовали они лишь о том, что некогда великая раса с течением времени деградировала до черного колдовства.

Во время одной из таких исследовательских экспедиций я встретил человека, свою беседу с которым я решился описать в этой книге лишь после долгих раздумий, поскольку многие высказанные им утверждения я не в состоянии проверить на основании своего собственного опыта, а наш прозаический век наверняка воспримет их по меньшей мере с удивлением, а еще вероятнее — просто посмеется над ними и над их анонимным автором, а заодно и надо мной, поскольку я счел достойными внимания подобные бредни. И все же я тщательно взвесил все *за* и *против* и пришел к выводу, что *за* все-таки несколько перевешивают. Более того,

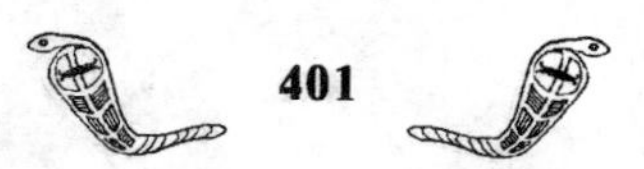

мой собеседник сам желал, чтобы его слова были опубликованы. Видимо, он оценивал их важность для нашей современной жизни гораздо выше, чем это делаю я в силу своего относительно слабого знакомства с миром духов.

Я благополучно завершил очередное исследование царских погребений, начавшееся еще утром и закончившееся, когда день уже клонился к вечеру. Чтобы сократить свое возвращение, я поехал верхней тропой, ведущей к уникальному пещерному храму Дейр Аль-Бахри, через Ливийские горы. Это, конечно, сулило мне нелегкий горный переход, но зато позволяло сберечь время, избавляясь от необходимости долго петлять меж горных хребтов по древней дороге.

Тут-то мой осел, который поначалу так меня разочаровал (но впоследствии реабилитировал себя настолько, что я вполне с ним примирился и даже проникся к нему некоторым уважением), в полной мере проявил свои способности в скалолазании, уверенно шествуя среди обрывов и осыпей. Его копыта прекрасно удерживались на поверхности шатких камней и осыпающихся скал, в изобилии встречавшихся на нашем пути. Я даже не пытался управлять им. В этом не было нужды, поскольку, благодаря своему безошибочному инстинкту, он гораздо лучше меня знал, куда ему следует поставить копыто. Это животное, несомненно, было намного выносливее и крупнее, чем его английские собратья. Ростом он был почти с целого мула. Мы взбирались все выше и выше, приближаясь к вершине огромного пика, превосходившего своей высотой все окрестные горы. А раскаленное Солнце тем временем немилосердно палило нас обоих. Дорога по большей части была вполне сносной, но иногда встречались опасные подъемы, где мне приходилось спешиваться и гнать осла перед собой, чтобы поберечь его силы. Наконец, наш подъем по скользким валунам ущелья подошел к концу, и я снова занял свое место в седле, чтобы мой осел не сбежал от меня, но на самой вершине опять спешился, чтобы дать запыхавшемуся животному отдохнуть, и невольно залюбовался грандиозной панорамой, развернувшейся в двух тысячах футов под нами. Вершина, на которую мы взобрались, безраздельно господствовала над всеми окружающими горами и раскинувшейся у их подножия равниной. Между желтой пустыней и буйной зеленью возделанных полей пролегала резко очерченная граница. Весь пейзаж был проникнут такой недвижностью и покоем, что меня самого охватило чувство полной отрешенности от внешнего мира.

Я обернулся, сделал несколько шагов и вдруг увидел перед собой незнакомца.

Он сидел, скрестив ноги, на плоском валуне, предусмотрительно покрытом расстеленным платком. Вокруг его головы был обмотан тюрбан, из-под белых складок которого выбивались черные как вороново крыло волосы, кое-где уже тронутые сединой. Он сидел неподвижно, словно его тоже заворожила великолепная картина, раскинувшаяся у нас под ногами. Это был низкорослый мужчина, одетый в аккуратную серую рубаху с маленьким разрезом на груди. По виду он был еще не стар. Несмотря на украшавшую его лицо острую бородку, ему вряд ли можно было дать многим больше сорока. Но когда он посмотрел, наконец, в мою сторону, и я разглядел его глаза, мое первое впечатление о его возрасте сразу показалось мне обманчивым. Стоило мне только оценить в полной мере силу его взгляда, как я понял, что передо мной — не совсем обычный человек и что этой встрече суждено остаться в моей памяти навсегда.

Глаза были, несомненно, самой выразительной частью его лица. Большие и красивые, идеально круглые и блестящие, они поражали невероятной белизной, на фоне которой сверхъестественно глубокими казались черные как смоль зрачки.

Около двух минут мы молча смотрели друг на друга. Его лицо было столь властным и исполненным достоинства, что мне казалось почти дерзостью заговорить с ним первому. К великому сожалению, я теперь вряд ли смогу когда-нибудь вспомнить те слова, с которыми он обратился ко мне, поскольку мысли мои поначалу совершенно перемешались от неожиданности этой встречи. Но зато я почувствовал, как во мне постепенно начинает проявляться нечто вроде способности к ясновидению. Я увидел перед собой светящееся колесо с расходящимися из его центра в виде спиц лучами. Оно вращалось с огромной скоростью прямо у меня перед глазами; его верхний обод даже немного нависал над моей головой. И по мере его вращения мои физические ощущения все более притуплялись, уступая место некоему аномальному эфирному состоянию сознания.

Скажу только, что незнакомец обратился ко мне, как только видение колеса исчезло, и я снова вспомнил, что стою на вершине самой высокой из Фиванских гор, окруженный со всех сторон унылым великолепием пустыни.

В ответ я просто сказал ему по-арабски:

— Добрый день.

Он тут же ответил мне на безукоризненном английском языке, не лишенном, впрочем, приятного акцента. В самом деле, закрой я в это время глаза, я вполне мог бы вообразить, что беседую с коренным англичанином и к тому же выпускником колледжа, а не с одетым в долгополую рубаху азиатом.

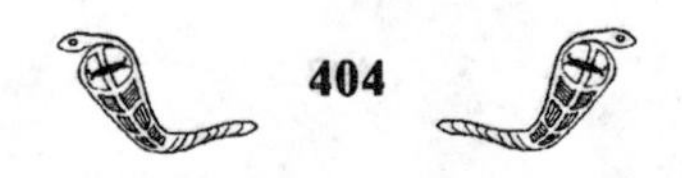

Не успел я обдумать, на каком же языке мне следует продолжать разговор, как с моих губ вдруг сорвались, будто под давлением какой-то неведомой внутренней силы, такие слова:

— Сэр, мне почему-то кажется, что Вы сможете объяснить мне природу довольно странного видения, посетившего меня прямо сейчас, пока я стоял здесь, рядом с Вами. — И я описал ему только что виденное мною светящееся колесо.

Некоторое время он испытующе смотрел на меня, а затем кивнул головой.

— Смогу, — спокойно ответил он.

— Я довольно чувствителен к изменениям обстановки, а тот факт, что Вы находились рядом со мной в момент появления этого видения, наводит меня на мысль о том, что Вы, должно быть, обладаете какими-то феноменальными способностями, — продолжал рассуждать я.

И вновь он смерил меня испытующим взглядом, после чего сказал:

— Я намеренно вызвал у Вас это видение. С его помощью я хотел кое-что показать Вам, и мне это удалось!

— Так значит Вы?...

— Я хочу рассказать Вам о Братстве, к которому я принадлежу.

Я уже успел догадаться. Весь его внешний вид указывал на то, что передо мной факир или йог довольно высокого ранга. В этом можно было убедиться даже без всякого колеса, достаточно было просто заглянуть в его глаза.

Первое, что привлекало к себе внимание, это, конечно же, поразительно огромные глаза — властные и блестящие, способные подолгу задерживаться на одном месте, что я успел заметить, когда он смотрел на меня. При разговоре с ним я никак не мог отделаться от ощущения их двойствен-

ной — пронизывающей и вместе с тем гипнотизирующей — силы. Они будто и читали в моей душе, и руководили ею. Они сразу же разглядели в моей памяти все или почти все мои секреты и заставили меня смириться с этим.

— Для меня это очень приятная неожиданность, — воскликнул я, — и право же, весьма удивительно то, что единственный человек, встретившийся мне в этой безлюдной пустыне, оказался членом тайного Братства.

— Вы находите это удивительным? — отозвался он. — А я нет. Просто настало время для этой встречи. То, что мы сейчас разговариваем с Вами, — не случайность. Уверяю Вас — эта встреча была предрешена, а затем и подготовлена не случаем, но высшей силой.

Я впитывал каждое его слово с плохо скрываемой жадностью. Мои мысли отчаянно метались, пытаясь критически оценить ситуацию, в то время как мои чувства заставляли меня относиться к собеседнику с почтением, поскольку подсказывали, что я имею дело с человеком выдающихся духовных способностей.

А он тем временем продолжал рассказывать мне о том, как пути некоторых людей сходятся и пересекаются по воле незримых сил и как кажущиеся совпадения на самом деле оказываются намеренно созданными звеньями причинной цепи, призванной привести в будущем к определенным следствиям. Он рассказывал мне еще о многих других вещах, при этом называя себя Адептом — без какого-либо намека на чванство, но совершенно спокойно, будто касался давно и хорошо известного факта.

— Это слово я предпочитаю всем прочим терминам. Оно вполне устраивало древних, включая египтян, вполне устраивает и меня. В те времена

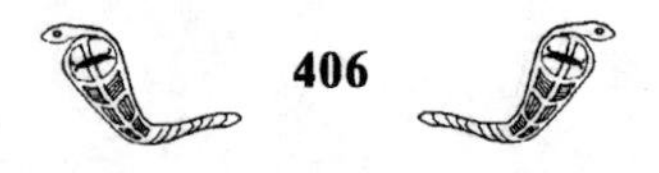

все знали, что такое Адепт и каков его статус. Но сейчас об Адептах мало кто слышал, а если и слышал, то смеется над теми, кто верит в реальность их существования. Но колесо сделает очередной оборот, и ваш век тоже вынужден будет признать действие закона духовной эволюции, неизменно порождающего тех, кто способен одинаково свободно действовать как в материальном мире, так и в мире души.

Я интуитивно чувствовал, что все его слова — правда. Он и в самом деле был одним из тех загадочных людей, которых так часто упоминает восточная традиция, — одним из Адептов, допущенных к сонму богов и познавших глубочайшие тайны души, никогда не открывавшиеся человеку.

Они предпочитают действовать тихо и скрытно, чтобы им не противодействовал внешний, материалистически настроенный мир. А если им понадобится установить прямой контакт с человечеством (что бывает довольно часто), они отправляют в мир своего ученика, который, таким образом, превращается в мишень для насмешек непосвященных и нападок злопыхателей.

Мой новый знакомый заявил мне также, что по собственному желанию он способен обмениваться мыслями с другими Адептами, на каком бы расстоянии от него они ни находились. Адепт может на некоторое время воспользоваться телом другого человека (обычно — ученика), если обладатель данного тела сам ничего не имеет против этого и готов к этому — то есть достаточно восприимчив и пассивен. В этом случае Адепт как бы проецирует свою душу в чужое тело особым методом, обозначаемым термином — «наслоение».

— Я ждал Вас, — заявил он мне с едва заметной улыбкой. — Вы пишете. А у меня есть послание, которое я хотел бы передать миру. Я передам его

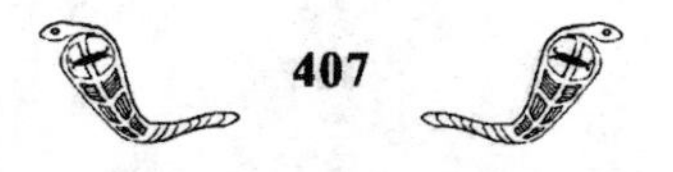

Вам, а Вы, пожалуйста, сами сделайте его достоянием гласности, поскольку это очень важно. Но сегодняшняя наша встреча — это всего лишь знакомство, мистер Поль Брантон!

Я даже отшатнулся от неожиданности. Откуда ему известно мое имя? Но ведь Адепты всегда славились своим умением читать чужие мысли на каком угодно расстоянии.

— Позволено ли мне будет узнать Ваше имя? — собравшись с духом, спросил я.

Он поджал губы и зачем-то еще раз обвел взглядом расстилавшийся под горой ландшафт. Я же смотрел на его благородный профиль и ждал ответа.

— Да, пожалуйста, — сказал он наконец, — но это только для Вас, а не для вашей публикации. Я не хочу раскрывать всем свое настоящее имя. Вы же назовите меня Ра-Мак-Хотепом. Да, это древнее египетское имя, и ваши египтологи, я уверен, блестяще справятся с его дословным переводом, но для меня оно имеет только одно значение — *покоящийся*. Египет — вовсе не мой родной дом. Теперь мой дом — весь мир. Азия, Африка, Европа и Америка — мне знакомы все эти земли, я везде успел побывать. И египтянин я сейчас только по одежде, потому что в мыслях я не принадлежу ни одной стране, а в сердце своем принадлежу только Покою.

Он говорил быстро, уверенно и с чувством, хотя было заметно, что все свои эмоции он держит под непрестанным контролем.

Более часа длилась наша беседа о духовном. Все это время мы сидели на вершине горы, прямо под лучами Солнца, которое все еще слепило глаза, но палило уже не так нещадно, как в полдень. Или же я просто не замечал ни яркого света, ни зноя, увлеченный своим новым знакомым и его речью.

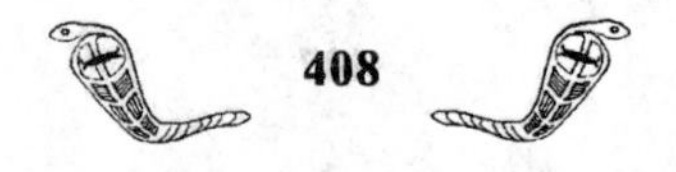

Он рассказывал мне о многих вещах, касающихся всего мира, и много такого, что касалось лишь меня одного. Он дал мне наставления и подсказал упражнения, необходимые для того, чтобы я смог достичь духовного равновесия и просветления еще более высокого уровня, чем уже достигнутый мною на тот момент. И если моему дальнейшему духовному росту препятствовали какие-либо причины личного характера, возникшие по моей собственной вине, он говорил о них открыто и жестко, даже беспощадно. Наконец, он назначил мне встречу на завтра — у римского алтаря в колоннаде луксорского храма, стоящего на берегу Нила.

Затем, ссылаясь на большую занятость и обилие забот, он извинился за прерванную беседу и, не вставая со своего валуна, попрощался со мной.

Я расставался с ним с сожалением, не желая так скоро заканчивать познавательный и увлекательный разговор с человеком, чья личность сама по себе была в высшей степени загадочной и вдохновляющей.

Спуск с горы оказался крутым и скользким; мне пришлось пробираться пешком по камням и булыжникам, ведя осла за собой под уздцы. Когда же мы спустились на равнину, я вновь взгромоздился в седло и, обернувшись, бросил последний взгляд на пик, величественно возвышавшийся над нашими головами.

Ра-Мак-Хотеп все также неподвижно сидел на прежнем месте. Его силуэт ясно вырисовывался на фоне бледной вершины.

Что же это было за «обилие забот», удерживавшее его на вершине горы в полной неподвижности? Неужели он останется сидеть там даже тогда, когда Солнце опустится за горизонт и над розовыми террасами Ливийских гор сгустятся сумерки?

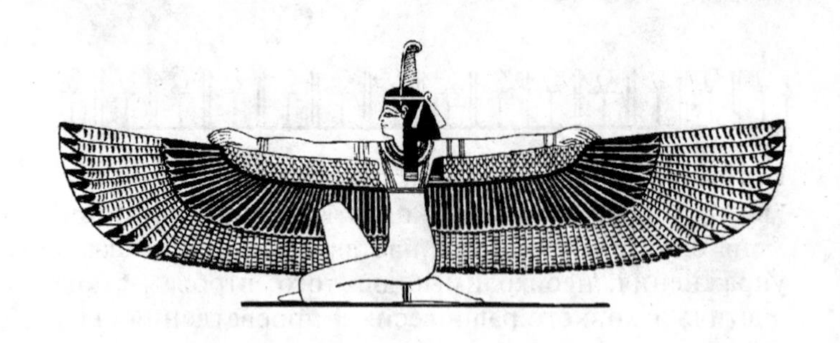

Глава 19

ГРОБНИЦЫ:
ПОСЛАНИЕ АДЕПТА

Вторая наша встреча, как и было намечено, состоялась в разрушенном храме Луксора. Я сидел на покрытой резными иероглифами продолговатой каменной глыбе.

На ней же сидел, скрестив ноги и повернувшись ко мне лицом, мой знакомый Адепт.

Моя записная книжка была заблаговременно раскрыта, авторучка застыла в руке. Я был готов в любую секунду начать записывать все, что он мне скажет, покрывая чистые белые страницы не столь красивыми, как древние, но зато более понятными современными иероглифами — стенографией!

Ра-Мак-Хотеп не стал тратить время на предисловия, но сразу же перешел к сути послания:

* * *

«Те, кто открыл древние египетские гробницы, выпустили на свободу силы, потенциально опасные для всего мира. И грабители прошлых эпох, и нынешние археологи, сами о том не подозревая, открывали и продолжают открывать гробницы тех, кто был при жизни связан с черной магией. Ибо в

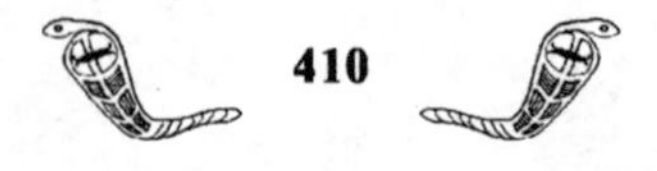

последнем цикле египетской истории жреческое сословие — сословие хранителей знания — в значительной мере выродилось, и в среде его распространились черная магия и колдовство.

Когда белый свет истины, некогда озарявший чистую египетскую религию, стал меркнуть, его сменили мрачные тени ложных материалистических учений, то появился обычай мумифицирования и сопутствующие ему сложные ритуалы. С мумифицированием были связаны многие хитроумные лжеучения, но всегда за ними стоял скрытый своекорыстный мотив: подольше сохранить связь с физическим миром, не давая разрушаться набальзамированному телу.

Первоначально эта практика предназначалась лишь для египетских Царей-Адептов доисторического золотого века и духовно просветленного высшего жречества той эпохи, поскольку и те, и другие служили подлинными проводниками Божественной Силы, и потому их физические тела, будучи набальзамированными, еще долгое время могли излучать заключенную в них благотворную энергию. Но впоследствии развился своего рода культ предков, когда тела умерших мумифицировали исключительно для того, чтобы показать последующим поколениям, как выглядели их предшественники. Это была всего лишь жалкая имитация того мумифицирования, что практиковалось в раннем Египте для сохранения священных останков просветленных царей и жрецов. Для Египта наступила мрачная эпоха, когда свет истинной духовности померк, а те, в ком еще оставались знания, но уже давно умерло сострадание, призывали вместо божественных сил темные силы нижнего мира. В это время мумифицирование стало практиковаться не только для царей и жрецов, но и для прочих представителей правящего класса. Иногда оно служило целям черной магии, иногда было вызвано страхом перед возможным разрушением духа в чистилище, куда он попадал после смерти, а иногда и просто свойственной невежественным людям привычкой следовать общей моде. Но практически во всех случаях мумифицированию предшествовали масштабные приготовления (в частности — строительство гробницы), осуществлявшиеся человеком еще при жизни. После сооружения гробницы ее пока еще живой владелец вызывал (сам или с помощью сведущего в подобных делах жреца) духовное существо — искусственное элементальное создание, не воспринимаемое физическими органами чувств — иногда доброе, но чаще злое, чтобы оно следило за сохранностью мумии и служило духом-охранителем гробницы.

Прежде всего, для защиты мумии гробницу старались хитроумно спрятать; но помимо этого людям внушалось, что осквернитель гробниц будет жестоко наказан духами-охранителями. Древние египтяне искренне верили в это, и потому покой гробниц долгое время никто не нарушал. Но прогрессирующий упадок жречества и царской власти привел к тому, что даже простолюдины начали терять свою наивную веру и появились гробокопатели, охотившиеся за драгоценностями, практически всегда укладывавшимися в могилу рядом с мумией, поскольку мумифицирование оставалось уделом людей знатных и богатых.

То, что к набальзамированному телу приставляли духа-охранителя, оберегавшего покой гробницы и наказывавшего непрошенных гостей, — это правда (хотя такой страж есть, конечно же, не у всех мумий, но только у тех, чьи обладатели при жизни занимались магией или находились под покровительством других, хорошо знакомых с магией лиц). И эти духи бывали порой невероятно свирепыми, жестокими и беспощадными. Они жили в замурованных гробницах, где могли оставаться тысячелетиями, если их никто не тревожил. Следовательно, ваши археологи, ничего не знающие о духах-охранителях, очень рискуют, когда вскрывают древние гробницы.

Возможно, все было бы не так трагично, если б дело касалось только безопасности самих археологов и членов их семей. Но, к сожалению, их действия влияют на безопасность всего мира.

Среди раскопанных археологами в последнее время гробниц знатных и не очень знатных египтян попадались и те, что были защищены в древности с помощью магии. А когда такую гробницу открывают, из нее в наш *физический* мир вырывается целый сонм доселе заключенных внутри нее вредоносных духов. И каждая мумия, извлеченная из могилы и отправленная в какой-нибудь европейский или американский музей, в силу своей эфирной связи с этими духами, переносит с собой все их пагубное влияние. Это влияние способно принести миру лишь беды — несчастья самого различного характера, вплоть до разрушительного воздействия на судьбы целых народов. И у вас — европейцев — нет от них никакой защиты. А то, что они невидимы для вас, вовсе не делает их менее могущественными.

Возможно, что ваш мир все-таки сможет когда-нибудь понять, сколь злобные духи заключены во многих гробницах. Но возможно и то, что понимание это придет слишком поздно, ибо к тому времени уже все гробницы будут найдены и открыты, и все дьявольские создания успеют разлететься по свету. Помимо всего прочего, они способны подстрекать людей и к шпионажу, и к государственным изменам. Незнание законов Природы, к сожалению, не избавляет человека от страданий в тех случаях, когда он пытается их нарушить, а неосведомленность о существовании черных магических сил не освобождает вас от бедствий, вызываемых вашими же собственными неосторожными (и вовсе не такими уж необходимыми) вторжениями в их царство.

На протяжении нынешнего столетия уже немало таких искусственных элементальных духов вырвалось на свободу из своих психических сфер — слишком нематериальных, чтобы люди могли их видеть, но в то же время — недостаточно духовных, чтобы можно было избежать их взаимодействия с физическим миром, который они теперь терроризируют. Для нас — Адептов — главной заботой является духовное благополучие человечества, поэтому мы сражаемся с этими темными силами в их собственном мире. Но законы Природы не позволяют нам разрушать эти создания, также как нам не позволено умерщвлять людей, которые, как нам известно, таят в себе потенциальную опасность для всего остального человечества. Все, что мы можем делать, это защищать от их пагубного воздействия отдельных людей и конкретные общественные институты.

Предметы, извлекаемые археологами из гробниц вместе с мумиями — священные скарабеи, драгоценности, амулеты и так далее — тоже несут на себе отпечаток психической атмосферы своего прежнего местопребывания. Если эти предметы не имеют никакой магической связи со злыми духами, то их обнаружение и присвоение никому не принесет вреда. Но если такая связь имеется, то их извлечение из гробницы может повлечь за собой какие угодно бедствия и злоключения. Но подавляющее большинство археологов и египтологов даже не подозревают об этом и, как следствие, не могут отличить безопасные захоронения от опасных, безрассудно раскапывая и те, и другие. Я не знаю, прислушается ли мир к моему предостережению, но все же я должен передать ему через вас следующие слова: *не открывайте гробниц, психическая атмосфера которых вам неведома. Оставьте их в покое до тех пор, пока не осознаете в полной мере, к каким последствиям могут привести подобные вторжения.*

Практически все древнеегипетские цари в той или иной мере обладали оккультными способностями, поскольку проходили посвящение под руководством верховных жрецов, и пользовались этими способностями для достижения своих целей — либо благих, либо дурных.

Поначалу магическая способность причинять вред другим людям использовалась только для самозащиты и обуздания преступников. Но когда высокие идеалы раннего египетского общества были преданы забвению, это знание превратилось в орудие злой воли и использовалось либо для расправы с врагами на расстоянии, либо для мести со стороны черного мага тем, кто стоял на пути его самого или его могущественного патрона. То же самое знание применялось и для охраны гробниц.

Таким образом, вскрытие каждого древнеегипетского захоронения может сопровождаться незримым столкновением с разрушительными силами психического характера. Даже проникновение в могилу царя, обладавшего доброй душой и прославившегося благими делами, может навлечь на мир бедствия, как наказание за то, что люди святотатственно нарушили покой столь праведной души. Правда, изъятые из такого захоронения вещи, — например, священные скарабеи, — будут нести с собою уже не пагубное, но, напротив, благотворное влияние. Если эта вещь попадет в руки человека, помыслы которого неблагородны, она ему ничем не поможет; но зато сможет принести пользу человеку, преследующему благие цели. Эта последняя закономерность относится ко всем без исключения благородным душам, независимо от продолжительности их праведной земной жизни. Примером такой души может служить фараон Тутанхамон. Человеком он был возвышенным и обладал немалыми оккультными познаниями. Вторжение в его гробницу навлекло несчастья, прежде всего, на самих возмутителей его спокойствия, но также незримо отразилось и на всем остальном мире. Спустя несколько лет миру придется дорого заплатить за подобное осквернение праха древнеегипетских усопших, хотя все эти материальные потрясения, в свою очередь, приведут к значительному духовному росту.

Следовательно, те иностранцы, которые в поисках сокровищ или же из чрезмерного любопытства, обычно маскируемого под научный интерес, производят раскопки в древней стране, где некогда была хорошо известна и широко практиковалась магия, подвергают и себя, и весь мир серьезному риску. В тибетской Лхасе тоже есть тайные захоронения великих лам, наличием которых, отчасти, объясняется нежелание тибетцев допускать в свою страну иностранцев. И все же наступит тот день, когда людям будет позволено увидеть эти гробницы и даже проникнуть в них, неизбежно навлекая на себя при этом неисчислимые бедствия.

В древности главным средоточием магического знания и магического искусства был Египет. По части магии — как белой, так и черной (то есть направленной либо на благие, либо на дурные цели) — Египет превосходил даже Индию. И хотя контроль за этими могущественными психическими силами уже давно утрачен, они и сейчас продолжают влиять на судьбы этой страны и ее населения, принося порой благие, а порой губительные плоды. Последние, например, проявляются по сей день в виде болезней (таких как экзема). И никому невдомек, что они могут быть следствием тлетворного магического влияния, все еще витающего над этой страной, продолжая причинять страдания ныне живущим, ни в чем не повинным египтянам.

Пусть с Вашей помощью это предостережение облетит весь мир. Именно в этом заключается цель нашей встречи. Пусть даже его встретят пренебрежением и насмешками, мы с Вами будем знать, что честно исполнили свой долг (если, конечно, Вы сочтете своим долгом исполнение моей просьбы). Природа не намерена прощать незнания своих законов, но даже и этого смягчающего обстоятельства люди отныне будут лишены».

На этом послание Ра-Мак-Хотепа закончилось. Я добросовестно записал его слово в слово и теперь выношу на суд читателя, не изменив в нем ни единой фразы.

* * *

Перед тем, как я продолжил свое путешествие, отправившись дальше на юг Египта, мы встретились еще несколько раз. И с каждой нашей встречей я все больше и больше узнавал о структуре и учениях того таинственного Братства, к которому он принадлежал. А однажды, когда я рассказал ему о своей встрече в Индии с молодым йогом, утверждавшим, что его Учитель живет на свете уже более четырехсот лет, Ра-Мак-Хотеп подтвердил возможную истинность его слов, огорошив меня еще более поразительной и невероятной информацией — по его словам, некоторые Адепты, жившие

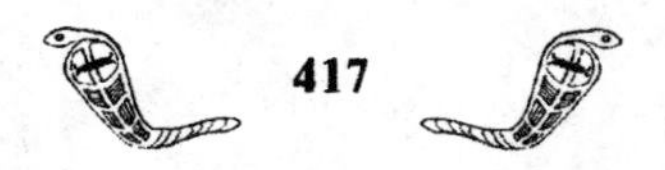

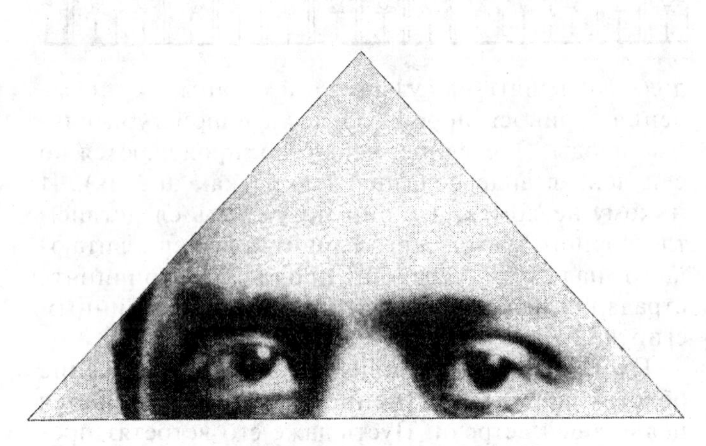

Ра-Мак-Хотеп — Его глаза

Вход в одну из гробниц и общий вид Долины царей

во времена Древнего Египта, продолжают жить до сих пор!

Я и сейчас помню, какую бурю удивленных восклицаний вызвало у меня это заявление.

Правда, он пояснил, что тела этих Адептов уже давно пребывают в коматозном состоянии в еще не найденных древних гробницах; и найти эти гробницы, — уверил он меня, — не сможет ни один духовно не просветленный археолог.

* * *

«Захоронения этих великих Адептов слишком хорошо охраняются, чтобы до них смогли добраться ваши «гробокопатели», — говорил мне Ра-Мак-Хотеп, — ибо эти могилы предназначены не для мертвых, но для живых. В них заключены не мумии, но тела Адептов, погруженные в особое состояние, для которого слово «транс» является, пожалуй, самым подходящим, хотя и далеко не точно раскрывающим его суть определением. Вы ведь видели в Индии, как тамошние факиры позволяют закапывать себя в землю на некоторое, иногда довольно продолжительное время, предварительно погрузив свое тело в состояние транса[1].

---

[1] В моей книге «Путешествие в тайную Индию» приведены сведения об одном таком факире. Эти сведения небезынтересно сопоставить с нижеследующим описанием, позаимствованным мной из официального отчета сэра Клода Уэйда.

Один факир был помещен по собственному желанию в ящик и заживо похоронен в погребальной камере, расположенной в трех футах под уровнем пола. Для его охраны были приставлены две роты солдат. Караульные дежурили по четверо, сменяясь через каждые два часа и круглосуточно обеспечивая неприкосновенность склепа.

«Когда открыли ящик, — пишет сэр Клод, — мы увидели лежащее в нем тело, завернутое в большой мешок из белого полотна, завязанный над головой веревкой. Человека извлекли из мешка, и слуга начал поливать его теплой

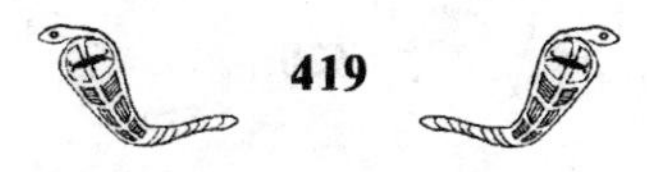

И знаете, на время этого захоронения их дыхательные органы полностью прекращают свою работу. В какой-то степени это состояние похоже на «летаргию» египетских Адептов, но последние обладали куда более глубокими познаниями, позволявшими им обездвиживать свои тела (оставляя их при этом живыми) на целые тысячелетия.

Более того, между Адептами и обычными йогами существует еще одно принципиальное различие. Последние при погружении в транс полностью лишаются сознания и не помнят ничего происходящего с ними вплоть до момента пробуждения (если только они не Адепты, а будь они таковыми, они ни за что не стали бы демонстрировать свои способности на публике). Адепты же остаются в полном сознании на все время погребе-

---

водой, что было как нельзя более кстати — его руки и ноги высохли и совершенно одеревенели, лицо опухло, а голова запрокинулась на плечо, как у трупа. Я попросил сопровождавшего меня врача осмотреть тело, что он и сделал, объявив нам затем, что не смог обнаружить пульс ни в груди его, ни на висках, ни на руке. Только та часть головы, где находится мозг, оставалась теплой, но более никакой другой участок тела. Процесс восстановления жизненных функций включал в себя горячую ванну, растирание, удаление воска и ватных тампонов из ноздрей и ушей, протирание век рафинированным маслом и, что может показаться странным, прикладывание к темени горячей пшеничной лепешки примерно в дюйм толщиной. После того как лепешку приложили в третий раз, тело забилось в жестоких конвульсиях, ноздри расширились, появилось дыхание и конечности восстановили свой нормальный объем, хотя пульс был все еще едва различим. Язык смазали рафинированным маслом, глаза расширились, к ним вернулся естественный блеск, и факир, обведя взглядом комнату, заговорил».

Я беседовал как-то с одним очень старым индийцем, который видел однажды, как йога закапывали живьем на целых двадцать семь дней. Старик рассказал мне, что когда йога выкопали и оживили, воздух ворвался к нему в легкие с громким свистом, похожим на пароходный гудок.

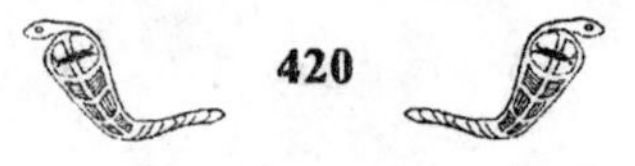

ния, и хотя их тела погружены в кому, дух остается свободным и деятельным. В Индии Вы встречались с Мудрецом, который живет недалеко от Мадраса; и когда Вы увидели его в первый раз, он был погружен в такой глубокий транс, что казался мертвым. Но все же, как Вы знаете, его разум оставался при этом абсолютно активным, поскольку при Вашем втором посещении он не только рассказал Вам все о том вашем первом визите, но и выразил свое неудовольствие тем, что Вы тогда пытались его сфотографировать. Находясь в этом состоянии, человек продолжает действовать на внутренних планах бытия и даже на физическом уровне, только не в плотном, а в эфирном теле. Примерно так же и погребенные заживо египетские Адепты — погружая свои тела в глубочайший транс, оставляют разум бодрствующим. Их дух странствует, ничем не стесненный, по свету; их разум продолжает напряженно думать, оставаясь в полном сознании; и к тому же они способны действовать одновременно в двух мирах — в материальном и в мире духов.

Тела их в это время надежно спрятаны в еще не открытых гробницах, ожидая возвращения своих душ. И когда-нибудь эти души вернутся, чтобы вывести их из коматозного состояния. Тогда Адепты смогут продолжить свою физическую жизнь. Но в процессе оживления должны принимать участие подготовленные люди, знающие, что следует делать в таких случаях. В ритуал пробуждения входит, помимо всего прочего, чтение тайных «заклинаний». Вам это покажется странным, но по виду погруженное в кому тело трудно отличить от обычной мумии, поскольку оно тоже забальзамировано, завернуто в просмоленные бинты и заключено в несколько саркофагов. Но отличия все же имеются, и весьма существенные, ведь у спящих

Адептов не вырезают внутренности и сердца, как у настоящих мумий. Все их органы остаются на своих местах, только желудки сжимаются, ведь с момента погружения в транс они не принимают абсолютно никакой пищи. Еще одно отличие заключается в том, что тела и лица Адептов полностью покрыты воском. Это покрытие наносится уже после того, как замирают все жизненные функции тела.

Таких спящих Адептов — совсем немного (поскольку лишь высочайшим из них было по силам пережить столь длительное захоронение, да и не все они изъявляли желание быть таким образом погребенными), и могилы их надежно спрятаны. Мне очень не хочется употреблять слово «транс», когда я говорю об этих Адептах, но найти в европейских языках лучшее определение для подобного состояния, пожалуй, вряд ли удастся.

Следует только иметь в виду, что это совсем не тот транс, в котором пребывает загипнотизированный субъект или медиум-спирит. Это — еще более глубокая погруженность в себя, абсолютно неведомая современным исследователям. Все известные им виды транса в сравнении с состоянием погребенных заживо египетских Адептов — все равно что плавание с дыхательной трубкой у поверхности воды в сравнении с глубоководным погружением батискафа. К тому же последние продолжают активно жить и действовать, несмотря на свою полную физическую неподвижность. Следовательно, их нынешнее состояние вовсе не является трансом в традиционном понимании этого слова.

Я знаю, что один такой Адепт лежит в могиле с 260 года до н.э., другой был похоронен более пяти тысяч лет тому назад, а еще один уже 10000 лет как «спит» в своем саркофаге! И все они продолжают незримо, но достаточно активно трудиться ради духовного блага человечества. Хотя тела их не покидают своих гробниц, они прекрасно осведомлены обо всем, что происходит в мире. Они — совершенные люди. Под совершенством я понимаю то, что тела их неприкосновенны, даже для насекомых и бактерий, настолько мощное от них исходит излучение духовной энергии. Более того, они постоянно общаются при помощи телепатии со многими современными Адептами, продолжающими активно использовать свои физические тела, и делятся с ними сохраненными еще с доисторических времен духовными сокровищами. Именно эти современные Адепты проведут с выполнением всех необходимых требований ритуал воскрешения своих древнеегипетских собратьев, когда наступит положенное для этого время».

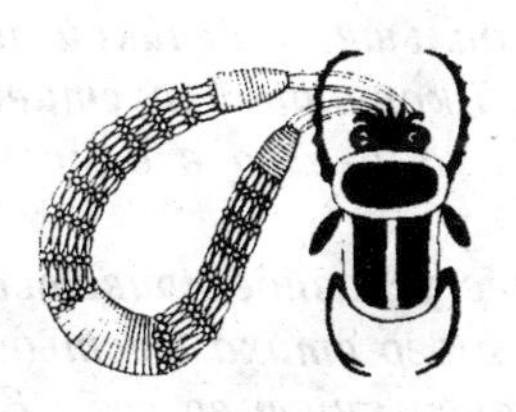

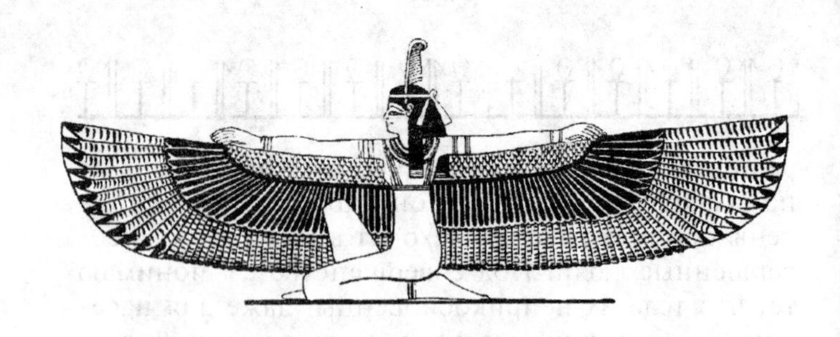

ЭПИЛОГ

Объехав вдоль и поперек эту древнюю страну и повидав в ней еще много разных чудес, я снова вернулся к своим старым друзьям, застывшим в бесконечной медитации на краю Ливийской пустыни.

«Скажи мне, о мудрый Сфинкс! — воскликнул я. — Могу ли я, наконец, дать отдых своим натруженным ногам, уже немало прошагавшим по пыльным дорогам жизни?»

И Сфинкс ответил мне:

«Спроси об этом Ту, которая породила меня и обрекла на одиночество, оставив здесь молча сносить суровые удары судьбы. Ибо я сам — Человек, и здесь моя мать — Земля. Спроси ее!»

И я двинулся дальше, к Великой пирамиде. Я прошел через темный коридор и спустившись вниз, в самые недра земли, оказался в сумрачном подземном склепе.

Там я произнес условное приветствие, почерпнутое мной из седьмого стиха шестьдесят четвертой главы самой древней книги во всем Египте:

«Приветствую Тебя! О Повелитель Святилища, Стоящего в Центре Земли!»

Сказав это, я сел на каменный пол и постарался привести свой разум в обычное для него спокойное, сбалансированное состояние, терпеливо ожидая ответа.

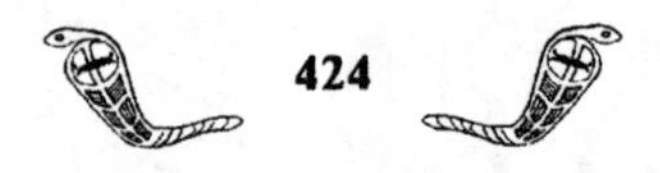

Когда же Великий Господин Дома Бога наконец появился, я попросил его привести меня к Той, кто зовется Повелительницей Тайного Храма и является никем иным, как Живой Душой Земли.

И Повелитель внял моим мольбам и ввел меня через потайную дверь в расположенный за нею тайный Храм. Божественная Мать приняла меня благосклонно, и хотя все же не подпустила близко к своему трону, милостиво разрешила мне изложить свою просьбу.

И я повторил ей свой вопрос:

«Скажи мне, о Повелительница Тайного Храма, могу ли я дать отдых своим натертым стопам, уже немало прошагавшим по пыльным дорогам жизни?»

Долго и пристально смотрела Она в мои глаза, прежде чем дала ответ:

«Семь путей предстоят тебе, о Ищущий. Через семь ступеней должен пройти человек, если хочет войти в мои тайные палаты. Семь уроков должны усвоить люди твоей расы, если хотят увидеть мое лицо без покрывала. И пока не пройдешь ты все пути, не перешагнешь через все ступени и не усвоишь все уроки, — не будет покоя твоим ногам и мира твоей душе».

И слушал я ее добрый голос, который, казалось, доносился до меня из глубины мириадов прошедших эонов. Эхом вторил ему весь Великий Зал Ее Тайного Храма.

«Что же это за пути, о Божественная Мать?»

И сказала Она:

«Дорога, Ведущая ко Множеству Домов и Тропа, Уводящая в Пустыню; Улица, Где Растут Красные Цветы; Восхождение на Высокие Горы и Нисхождение в Темные Пещеры; Колея, Проложенная Вечно Скитающимися и Путь Сидящих на Месте».

Я спросил:

«Каковы же эти семь ступеней?»

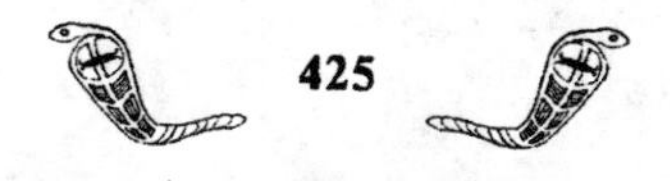

И Она ответила:

«Первая — Слезы, вторая — Молитва, третья — Работа, четвертая — Отдых, пятая — Смерть, шестая — Жизнь, и последняя — Сострадание».

«А каковы семь уроков, которые следует усвоить человеку?»

И сказала Она:

«Удовольствие — самый первый и самый лёгкий урок, следующий — Боль, третий — Ненависть, четвертый — Иллюзия, пятый — Истина, шестой — Любовь, а в конце следует научиться Покою».

И удивился я тому, что услышал.

А Повелительница Тайного Храма удалилась из Великого Зала, и заметил я у Нее за спиной огромную золотую звезду, а в той звезде — сияющий венец и два серебряных полумесяца. А под венцом был виден белый крест, и вокруг — возле концов креста — семь красных роз.

Стена же позади ее трона была темно-синей, и на ней вдруг появились слова многие, сияющие так, будто выложены были из драгоценных камней. Но приказано мне было прочесть лишь те из них, что написаны в самом конце.

Вот те слова:

«Египет есть образ мира небесного и истинный храм для всего мира земного.

И когда Египет узрит этот мир небесный, тогда Господь и Отец, Всевышний Творец и Вседержитель, войдет в сердца и деяния людские, и по воле Его будет напомнена им их древняя добродетель, дабы весь мир воистину стал возлюбленным творением рук Его».

Со времени выхода в свет первого издания этой книги [1935] его преосвященство Мустафа Аль-Мараги, верховный глава мусульман, умер, а шейх Муса Аль-Хави, заклинатель змей из Луксора, был убит коброй после двадцати лет практики своего искусства. А я еще раз встретился в Египте с Ра-Мак-Хотепом вскоре после окончания Второй мировой войны.

СПИСОК ИЛЛЮСТРАЦИЙ

СОДЕРЖАНИЕ

Поль Брантон

ПУТЕШЕСТВИЕ В САКРАЛЬНЫЙ ЕГИПЕТ

Редакторы:
Д.Н.Попов
С.Д.Фролов

Корректор
Н.А.Усачёва

Художественное оформление
Д.Н.Попов

Технический редактор
Н.К.Протасова

Подписано в печать 28.05.02
Формат $84 \times 108^1/_{32}$. Гарнитура «Таймс».
Печать офсетная. Бумага офсетная.
Тираж 2000 экз. Заказ № 2171.

ИД № 01466 от 10.04.2000

ИДЛи
123022, г. Москва, а/я 9
тел.: (095) 205-23-78
E-mail: sfera@sfera.ru

Отпечатано в полном соответствии с качеством предоставленных диапозитивов на ГИПП «Вятка»
610033, г. Киров, ул. Московская, 122.